EMC Español Avanzado

Stephanie Cannistra

¡A toda vela!

Cuaderno de actividades

Carmen Herrera

Contributing Authors

Paul Lamontagne
Juan Lizcano

Act 12

EMC
Publishing

ST. PAUL • LOS ANGELES • INDIANAPOLIS

Editorial Director: Alejandro Vargas
Product Manager: Charisse Litteken
Production Editor: Bob Dreas
Developmental Editor: Hannah da Veiga

Cover Designer: Leslie Anderson
Composition: Desktop Solutions
Copy Editor: Mercedes Padrino Anderson

Care has been taken to verify the accuracy of information presented in this book. However, the authors, editors, and publisher cannot accept responsibility for Web, e-mail, newsgroup, or chat room subject matter or content, or for consequences from application of the information in this book, and make no warranty, expressed or implied, with respect to its content.

We have made every effort to trace the ownership of all copyrighted material and to secure permission from copyright holders. In the event of any question arising as to the use of any material, we will be pleased to make the necessary corrections in future printings. Thanks are due to the aforementioned authors, publishers, and agents for permission to use the materials indicated.

ISBN 978-0-82193-716-7

© 2008 by EMC Publishing, LLC
875 Montreal Way
St. Paul, MN 55102
E-mail: educate@emcp.com
Web site: www.emcp.com

Printed in the United States of America

16 15 14 13 12 11 10 09   2 3 4 5 6 7 8 9 10

Índice

Cuaderno de actividades - Guía del programa de audio

Contenido	CD	Pista	Actividad	Duración
Capítulo 1, Lección A				
Vas a escuchar a una mujer hablar de cuando se pone mala cuando viaja.	1	1	16	1:43
Vas a escuchar una audición sobre la experiencia de un chico con una compañía aérea.	1	2	16	1:13
Vas a escuchar una audición sobre turistas en busca de algo especial.	1	3	16	1:22
Capítulo 1, Lección B				
El dilema de Alfredo	1	4	15	2:22
La familia y el dinero	1	5	16	1:37
Capítulo 2, Lección A				
Jóvenes y sus responsabilidades	1	6	14	7:03
Capítulo 2, Lección B				
La industria de las alfombras	1	7	17	3:29
Capítulo 3, Lección A				
Empanadas argentinas, chicos y grandes las disfrutan en sus reuniones	1	8	18	4:46
Capítulo 3, Lección B				
¿Qué tiene de bueno comer cosas malas?	1	9	19	4:04
Capítulo 4, Lección A				
Carrera de sapos	1	10	19	1:48
Capítulo 4, Lección B				
Shakira, la historia	1	11	19	5:40
Capítulo 5, Lección A				
El monte de las almas (adaptación del cuento de Gustavo Adolfo Bécquer, El monte de las ánimas)	2	1	25	7:10
Capítulo 5, Lección B				
La gitanilla por Miguel de Cervantes	2	2	14	11:25
Capítulo 6, Lección A				
Escuelas buscan ofrecer deportes alternativos a los estudiantes	2	3	18	4:23
Capítulo 6, Lección B				
Colombia buscará la sede de la Copa Mundial	2	4	18	2:27
Capítulo 7, Lección A				
Una vida extra	2	5	17	3:18
Capítulo 7, Lección B				
Sin rastro	2	6	18	8:56
Capítulo 8, Lección A				
Las bellas artes	2	7	18	6:39
Capítulo 8, Lección B				
Denuncian indiscriminado saqueo de la ancestral ciudad maya El Naranjo	2	8	17	3:15

¡Buen viaje! Capítulo 1 Lección A

1 Presente del indicativo

Escriba la forma apropiada del presente del indicativo de los verbos entre paréntesis.

1. A este señor mayor le encanta cuando los turistas le ___piden___ (pedir) instrucciones para llegar a las ruinas. Se siente muy útil cuando les ayuda.

2. Los postres que ___sirven___ (servir) aquí son increíbles. Deberíamos llevarnos algunos a casa para que los prueben.

3. Los jóvenes siempre ___se despiden___ (despedirse) de sus padres con una sonrisa.

4. El guía les ___riñe___ (reñir) a los muchachos cada vez que se acercan a la pintura, pues teme que la dañen.

5. Yo a menudo ___me duermo___ (dormirse) en el avión antes de que despegue. Mi hermano siempre se burla de mí.

6. Cuando visito algún lugar me afecta mucho el tiempo atmosférico. Siempre ___influyo___ (influir) muchísimo en la impresión que me llevo de un lugar.

7. Marisol rara vez ___se divierte___ (divertirse) cuando no viaja con sus amigas. Le gusta compartir los buenos momentos con alguien.

8. Los habitantes de la aldea siempre le ___advierten___ (advertir) al señor que la comida está bastante picante pero él nunca les ___hace___ (hacer) caso.

9. Yo siempre ___convenzo___ (convencer) a mis colegas para irnos de vacaciones a un lugar con sol porque aquí siempre ___nieva___ (nevar).

10. ¿Por qué no ___eliges___ (elegir) tú a dónde vamos este año? Siempre ___escojo___ (escoger) yo el sitio. ¡Estoy un poco harto de esto!

2 ¿Pretérito o imperfecto?

Elija la mejor opción para completar cada oración con el pretérito o el imperfecto.

1. Después de una caminata de cinco horas nadie _____ a preguntarle por

   sus planes para el día siguiente.

   a. se atrevían   c. se atrevió

   b. se atrevía   d. b y c

2. En raras ocasiones Tere y yo nos _____ en esa aldea, pues nos

   _____ que era peligrosa.

   a. alojemos, dijeron   c. alojaran, decían

   b. alojaban, decían   d. alojábamos, dijeron

3. Sus nietos _____ cuando averiguaron que siempre _____

   de vacaciones solo.

   a. se entristecen, va   c. se entristecían, fue

   b. se entristecieron, iba   d. se entristecía, iba

4. ¡Qué pena! No me _____ por dónde _____ el ladrón.

   a. mostró, huyó   c. mostraba, huyó

   b. muestra, huye   d. mostraba, huía

5. Cuando Ronaldo _____ la maleta _____ que

   _____ la cámara.

   a. hacía, se daba cuenta de, le faltó   c. hizo, se dio cuenta de, le faltaba

   b. hizo, se dio cuenta de, lo faltaba   d. hacía, se dio cuenta de, le faltó

6. La muchacha _____ a menudo dos grandes maletas cuando

   _____ por un par de días, ya que nunca sabía qué empacar.

   a. se llevaba, iba   c. se llevaban, iba

   b. se llevaba, fue   d. se llevaba, vaya

7. Normalmente mis parientes _____ hacer muchas cosas y

   _____ muy bien los tres días que _____ al lago.

   a. solían, aprovechaba, fueron   c. solían, aprovecharon, iban

   b. suelen, aprovechaban, fueran   d. solían, aprovechaban, iban

8. Cuando _____ a Raquel _____ que

_____ a reírse mucho juntos. Todos se llevaban muy bien.

a. recogían, sabían, fueron   c. recogieron, sabían, iban

b. recogieron, supieron, iban   d. recogían, supieron, fueron

3   La forma correcta

**Complete las oraciones con la forma apropiada de las palabras entre paréntesis.
¡Ojo!: Ponga los verbos en el presente, pretérito o imperfecto.**

1. Es un consentido. Yo te _____ *(asegurar)* que siempre

_____ *(conseguir)* lo que quiere.

2. Este verano mis primos _____ *(repetir)* y van a quedarse en el mismo

alojamiento.

3. El otro día yo _____ *(equivocarse)* cuando le

_____ *(decir)* que no _____ *(haber)* clase.

4. Yo no sé si tú sabes quién _____ *(poner)* el boleto ahí. Por favor,

te _____ *(pedir)* que me _____ *(el)* digas si

_____ *(el)* averiguas.

5. El otro día alguien me _____ *(decir)* que _____ *(haber)*

_____ *(un)* ley en ese país hasta hace poco que no

_____ *(permitir)* tomar helado en la calle.

6. El accidente _____ *(ocurrir)* cuando la sopa

_____ *(hervir)* y el joven japonés _____ *(ir)* a cogerla y

se _____ *(el)* _____ *(caer)* en el pie.

7. _____ *(Cualquier)* _____ *(poder)* haber robado

mi cartera. _____ *(El)* único que _____ *(saber)*

es que cuando el avión _____ *(aterrizar)* la cartera no

_____ *(estar)* en mi mochila.

8. _____ *(Solo)* sé que _____ *(quien)* fueron a la

excursión por _____ *(el)* Andes se _____ *(el)* pasaron

muy bien aunque _____ *(el)* clima y _____ *(el)* idioma

les resultaran duros.

4 Familia de palabras

Complete cada oración con la forma correcta de la palabra en negrita. La respuesta puede ser verbo, sustantivo o adjetivo. Añada un artículo cuando sea necesario.

Modelo: sorprenderse

a. Sus padres rara vez se ___sorprendían___ cuando hacía alguna de sus locuras.

b. Fue una ___sorpresa___ para todos cuando nos dijo que se iría de mochilero por India.

c. Es ___sorprendente___ el hecho de que muchas personas no aprecien la belleza de su tierra.

1. **arriesgarse**

a. Aunque sea ___arriesgado___ siempre viaja en su propia avioneta.

b. Merece la pena ___arriesga___ pues es un viaje que Pedro hará con mucha ilusión.

c. El año pasado ___arriesgaba___ a ir de vacaciones sin alojamiento y fue un desastre.

2. **alejarse**

a. ¿Por qué no vamos a un país ___alejada___?

b. Ten cuidado. El barco ___se aleja___ de la orilla.

c. Cuando se van de acampada su perro se queda observándolos desde ___se alejó___.

3. **asustarse**

a. ¡Qué ___susto___ nos dio cuando nos dijo que habíamos perdido el tren!

b. Mi hermano pequeño es bastante ___asustado___.

c. La anfitriona nos ___asusta___ cuando nos dijo que había oído unos ruidos extraños.

5   ¿Qué palabra es?

Escriba una palabra en cada espacio para completar las oraciones. En los espacios que no necesiten ninguna palabra, escriba una 'X'.

1. _____ menudo llegaban los trenes _____ retraso

   a la estación. _____ pasajeros _____ estaban

   acostumbrados _____ esto y se llevaban unos bocadillos y refrescos para

   ir comiendo mientras _____ esperaban.

2. _____ periodista entrevistó _____ portavoz del grupo

   en _____ llegó al aeropuerto.

3. Estas ruinas datan _____ hace más de tres siglos y son parte

   _____ patio de la casa de esta señora. ¿No _____

   increíble?

4. La falta _____ organización hizo _____ el viaje fuera

   duro y estresante. _____ turistas volvieron agotados y

   _____ mal humor.

5. Nadie _____ dispuesto _____ irse a dormir. Todos

   _____ quedaron hasta la madrugada cantando canciones antiguas

   alrededor de la hoguera.

6. Acababan _____ decirles que nunca encontrarían sus pasaportes, cuando

   _____ policía con barba y una _____ barriga apareció

   con _____ documentación robada.

7. Tuvieron _____ problemas a _____ largo del viaje en la

   guagua, pero siempre dicen que _____ volverían _____

   hacer.

6   Antes de leer

¿Considera interesante hacer un viaje al desierto? ¿Por qué cree que algunas personas viajan al desierto? ¿Qué actividades se pueden hacer allí?

7 Atacama

Lea el siguiente artículo con atención. Se han extraído algunas frases y en su lugar se han puesto unas letras. Posteriormente tendrá que decir de dónde han sido sacadas estas frases.

Vivir en el desierto

Después de superar un desnivel de más de 2.000 metros de altura, la carretera atraviesa la cordillera de la Sal, un paisaje de formas geológicas cada vez más caprichosas, donde se encuentran el Valle de la Luna y el Valle de la Muerte.

Es el corazón de Atacama, el desierto más árido del planeta, donde tan solo cae medio litro
5 de agua por metro cuadrado al año. Cuando parece que ya no queda nada, que los últimos indicios de vida **se han esfumado** por completo de la vista dejando un rastro de rocas y arena, de repente surge un oasis en medio de una inmensa planicie rodeada de volcanes. Algunos metros más adelante, un cartel anuncia al viajero: *Bienvenido a San Pedro de Atacama, 4.970 habitantes*.

10 En pocos años, la zona de Atacama se ha hecho un hueco entre los destinos más visitados del continente americano, atrayendo a esta pequeña población situada en medio del desierto a una amalgama de nacionalidades. Chilenos, evidentemente, pero también argentinos, brasileños, bolivianos **(A)** se han establecido en San Pedro junto a la población autóctona para vivir de la incipiente industria turística.

15 Pau, de 28 años, dejó Barcelona para visitar a su padre en Santiago de Chile, al cual no veía desde hacía seis años. Aterrizó en San Pedro como un turista más, pero tras enamorarse de una joven chilena y sucumbir de igual forma a **los encantos** del desierto, decidió cambiar el metro y las calles del barrio de Gracia por la bicicleta y la arena del desierto.

Las tiendas de artesanía, los restaurantes y los establecimientos hoteleros se han abierto
20 paso descaradamente, pero San Pedro mantiene su aspecto tradicional gracias a las calles polvorientas y las edificaciones de adobe, herencia de las culturas preincaicas. Los primeros pobladores llegaron a esta zona hace unos 10.000 años, dejando los yacimientos arqueológicos más importantes **(B)**.

Las condiciones geológicas y la altura han ayudado a conservar los restos, lo que ha obligado
25 a las autoridades a crear una unidad especializada en el rescate urgente de momias, que pueden aparecer en cualquier lugar donde se cave un <u>hoyo</u>. Pero sobre todo, Atacama es un paraíso para los amantes del excursionismo y los mochileros que buscan un destino único y alternativo al **turismo de masas.**

La dureza de este territorio queda ampliamente compensada por sus atractivos. «Atacama
30 es un imán», asegura Pau. A pesar de que la relación sentimental con la joven chilena no siguió adelante, este joven barcelonés decidió quedarse en San Pedro, buscar un alojamiento y conseguir trabajo. De momento, el hombre tiene claro que va a alargar su estancia en Atacama: «Mi madre es muy protectora, me está llamando siempre, está preocupada, pero se está haciendo a la idea **(C)** ».

35 Pau asegura que «la mayoría de los turistas que visitan Atacama repiten». Uno de ellos es otro catalán afincado en Chile, Higini Melchor, *Quino*, que aparcó su trabajo como psicólogo en Barcelona para iniciar una aventura que piensa <u>alargar</u> un año. Se ha establecido en Santiago, después de viajar por diversas zonas del país. Y Atacama «tiene alguna cosa que atrae, con una atmósfera que te hace sentir <u>cómodo</u>», comenta. Además, añade, «es un lugar perfecto
40 para hacer muchas cosas o no hacer nada». Este barcelonés de 34 años, gran aficionado al cicloturismo, ha regresado al desierto para recorrer de nuevo con su bicicleta los caminos polvorientos y adentrarse en sus rincones más silenciosos.

La calma del día en el desierto contrasta con el barullo y la música que llena la noche en San Pedro, cuando los restaurantes rebosan de clientes. Las edificaciones, todas de adobe,
45 no tienen techo en el patio central. Sobre el suelo se encienden hogueras para calentar a los turistas, que contemplan <u>maravillados</u> las estrellas mientras cenan. San Pedro de Atacama se transforma en un lugar de conversación y baile hasta **la madrugada**, **(D)**.

Situada a escasos 100 kilómetros de la frontera con Bolivia, la región es una de las rutas de paso que utilizan los narcotraficantes para sacar la droga del país andino. Un ingrediente más que convierte el desierto de Atacama en uno de los lugares más insólitos **(E)**.

J. RIPOLL / J. CARCASONA
EL PERIÓDICO

8 ¿Ha comprendido?

Elija la mejor respuesta para cada pregunta.

1. Al atravesar la cordillera de la Sal…
   a. el paisaje es siempre igual.
   b. las formas creadas por la naturaleza son perfectamente geométricas.
   c. las formas creadas por la naturaleza están entre valles.
   d. el paisaje que vemos es interesante por las formas creadas por la naturaleza.

2. ¿Dónde se encuentra San Pedro de Atacama?
   a. En lo alto de unas montañas
   b. En un oasis con rocas
   c. En un valle rodeado de volcanes
   d. A casi 5.000 kilómetros de Atacama

3. ¿Por qué decidió Pau quedarse en Atacama?
   a. Porque quería visitar a su padre
   b. Porque se enamoró de una chica
   c. Porque no le gustaba el metro
   d. Porque le fascinaron el desierto y una joven

4. ¿Por qué resultaba esta ciudad interesante para los turistas?
   a. Porque hay momias por todos lados
   b. Porque puedes hacer excursiones y no está masificada
   c. Porque hay tiendas de artesanía, restaurantes y hoteles
   d. Porque hay importantes restos de culturas preincaicas

5. ¿Por qué motivo crees que fue Quino a Atacama?
   a. Para hacer excursiones con su bici y relajarse
   b. Para trabajar allí como psicólogo
   c. Para poder viajar desde allí a distintas zonas del país
   d. Para no hacer nada

9 ¿Dónde va? 🔍

¿Dónde se deben añadir las siguientes frases al artículo? Escriba la letra que corresponda a cada frase. Hay una frase extra que no hace falta utilizar.

1. _____ que puede encontrar un turista en todo el mundo

2. _____ cuando terminan las fiestas privadas que se organizan en algunas casas más apartadas, situadas entre dunas de arena

3. _____ del norte de Chile

4. _____ para que disfruten en el desierto

5. _____ de que me quedo

6. _____ e incluso algunos europeos

10 ¿Qué significa? 🔍

Explique con sus propias palabras lo que significan estas palabras o frases que aparecen en negrita en el artículo.

1. se han esfumado _____

2. los encantos _____

3. turismo de masas _____

4. la madrugada _____

11 Sinónimos 🔍

Escriba cada palabra subrayada en el texto junto a su sinónimo o definición.

1. a gusto, bien _____

2. asombrados _____

3. extender _____

4. agujero en la tierra _____

12 ¿Ha comprendido?

Conteste las siguientes preguntas sobre el artículo.

1. ¿Qué adjetivo usa el periodista para decir que las calles tienen mucho polvo?

   _____

2. Haga una lista de diez adjetivos que aparecen en los tres últimos párrafos del artículo.

   _____

   _____

3. Busque la frase en la que el autor usa "grande" delante del adjetivo. Aparece en el párrafo en el que hablan de Quino.

   _____

4. Escriba las preposiciones que van con estos verbos extraídos del artículo.

   a. se transforma _____   d. enamorarse _____

   b. convierte _____   e. aterrizar _____

   c. atrayendo _____   f. adentrarse _____

13 Escriba

En su cuaderno, resuma lo que ha leído en un párrafo. Subraye las palabras nuevas que use.

14 Se titula...

Piense en otro título para el artículo.

_____

15 ¡A conversar! 👥

Escriba una conversación con un/a compañero/a. Imagínense que la madre de Pau quiere que su hijo vuelva junto a ella. Simulen una conversación entre la madre y el hijo en la que la madre quiere convencerle para que vuelva, pero el hijo no quiere regresar.

A: _____

B: _____

A: _____

B: _____

A: _____

B: _____

A: _____

B: _____

16 Viajeros 💿 (CD 1, pistas 1–3)

Después de escuchar las audiciones, elija la mejor respuesta para cada pregunta.

Audición 1. ¿Por qué tiene la joven tan mal recuerdo de su ex novio?
a. Porque no era romántico y siempre iba con sus amigos
b. Porque fueron en velero un día y ella lo pasó muy mal
c. Porque hizo fotos aquel día y hasta ahora no las ha visto

Audición 2. ¿Por qué está enfadado el joven?
a. Porque no compró todos los regalos de Navidad para su familia
b. Porque debió de haber comprado el boleto de avión unos meses antes pero no lo hizo
c. Porque la compañía vendió más boletos que asientos disponibles

Audición 3. ¿Por qué visitan tantos turistas esta región últimamente?
a. Porque hay un empresario multimillonario y bastante famoso que vive por ahí
b. Porque en un poblado hay un tesoro por un valor de $1.000.000
c. Porque todos los turistas están maravillados de los paisajes que se ven allí

17 ¡A conversar! 👥

Escriba una conversación con un/a compañero/a. Uno de ustedes quiere hacer el viaje del que hablan en la audición 3, mientras que el otro quiere hacer un viaje en velero.

A: _____

B: _____

A: _____

B: _____

A: _____

B: _____

A: _____

B: _____

18 Presentemos en público 🎙

Unos compañeros van a presentar la conversación del ejercicio anterior en clase. Tome notas de lo que digan y analice: (1) el uso de gramática, (2) el uso del vocabulario, (3) la entonación, (4) la presentación de sus ideas y (5) la pronunciación. La clase debe hacerle al menos dos preguntas a cada estudiante una vez que terminen.

1. _____

   _____

2. _____

   _____

3. _____

   _____

4. _____

   _____

5. _____

   _____

19 Amplíe su vocabulario

Complete las oraciones con la palabra o frase adecuada.

1. El otro día fuimos a la costa pero al ver la playa no me gustó nada pues estaba demasiado _____arena_____.

   a. arena   b. demasiado   c. rodeada   d. masificada

2. Mi familia me dijo que fuera de crucero con ellos pero me negué pues siempre termino _____mareado_____.

   a. peligroso   (b.) mareado   c. asombroso   d. silvestre

3. Anteayer había mucha _____lluvia_____ y decidimos quedarnos en casa con un grupo de amigos.

   a. lluviosa   (b.) lluvia   c. llover   d. llovía

4. Mi vecina finge ser muy aventurera pero a la hora de la verdad nunca _____está dispuesta a_____ viajar a ningún sitio.

   (a.) está dispuesta a   b. está al tanto de   c. da la bienvenida a   d. intenta que

5. _____El portavoz_____ de la familia dijo que su hijo había desaparecido en las montañas cuando hacía esquí por una zona peligrosa.

   a. El rostro   b. El hogar   c. La viuda   (d.) El portavoz

6. Reñí con mis amigos porque no busqué _____un alojamiento_____ por Internet y al final no teníamos donde descansar.

   a. una cifra   b. una edificación   (c.) un alojamiento   d. un hogar

7. Cuando viajábamos, _____a menudo_____ se nos acababa la plata y teníamos que llamar a nuestros padres para que nos mandaran más.

   a. demasiado   b. a menudo   c. con retraso   d. la falta de

8. Después de tanto viaje y como ___acabábamos de llegar___ recogimos nuestras cosas y nos volvimos directamente a nuestra tierra.

    a. teníamos mucha falta de sueño   c. acabábamos de llegar

    b. había niebla   d. intentábamos que

20 ¿Cuál es la palabra?

Complete las oraciones con la palabra adecuada en español. Haga los cambios necesarios. Añada un artículo cuando sea necesario. Hay dos palabras que no necesita usar.

asiento	cifra	época	poblado	rodeado
belleza	encabezar	paisaje	riesgo	susto

figure

→fright

1. Siempre nos sorprende ___el paisaje___ del lugar. Algún día nos gustaría mudarnos aquí.

2. En aquella ___época___ solía tener falta de sueño porque tenía muchos exámenes finales.

3. ___La cifra___ de viajeros aumentó un tercio después de toda la publicidad que hizo el gobierno local.

4. Cuando fuimos a las afueras del pueblecito nos encontramos con ___belleza___ espectacular. Nos dejó a todos con la boca abierta.

5. La casa estaba ___rodeado___ de piedras que el dueño había colocado allí para protegerse de los animales salvajes.

6. Aunque siempre había gente en las calles de su pueblo natal, y se consideraba una de las aldeas más ___pobladas___, Raúl siempre sentía una tremenda soledad.

7. Es asombroso ___encabezar___ inútil que corren muchos jóvenes cuando salen los fines de semana y conducen después de ir a fiestas.

8. La pasada noche en cuanto despegó el avión todos los pasajeros del vuelo 728 se llevaron un buen ___susto___ cuando uno de los motores no parecía funcionar.

21 ¿Qué palabra es?

**Escriba la palabra o expresión del vocabulario que corresponde a cada definición.
Ponga una letra en cada casilla.**

1. Por la noche ☐☐☐☐☐☐☐☐

2. Lo contrario de *ancho* ☐☐☐☐☐☐☐☐

3. Muchas personas ☐☐☐☐☐☐☐☐☐☐☐

4. Lo contrario de *a tiempo* ☐☐☐ ☐☐☐☐☐☐

5. Mantenerse informado ☐☐☐☐☐☐☐ ☐☐ ☐☐☐☐☐☐ ☐☐

6. Tener mal aspecto físico por una enfermedad, falta de sueño, etc.

☐☐☐☐☐☐ ☐☐☐☐☐ ☐☐☐☐☐

7. Confirmar ☐☐☐☐☐☐☐☐☐

8. Cuando una persona sabe mucho se dice que tiene una gran

☐☐☐☐☐☐☐☐☐☐

22 Crucigrama

Escriba las claves para las palabras que aparecen en el crucigrama.

Horizontales

3. _____

_____

5. _____

_____

6. _____

_____

8. _____

_____

Verticales

1. _____

_____

2. _____

_____

4. _____

_____

7. _____

_____

23 Verbos con preposición

Elija la mejor respuesta.

1. He oído que el vuelo _____ ser cancelado por el mal tiempo.

   a. queda en   b. se sienta en   c. pasa por   d. acaba de

2. Nunca logramos _____ el pueblo donde nació mi padre.

   a. pasar por   b. convertirnos en   c. reírnos de   d. sentarnos en

3. Al _____ viaje nos enteramos del riesgo que habíamos

   corrido.

   a. quedarnos con   b. alejarnos de   c. regresar del   d. pasarnos por

4. No nos atrevimos a _____ nadie pues teníamos prisa.

   a. quedar con   b. sentamos con   c. alejarnos de   d. abrigarnos con

5. Los viejecitos terminaron _____ grupo y el guía les llamó la

   atención.

   a. acabando de   b. pasando por   c. alejándose del   d. abrigándose con

24 Verbos con preposición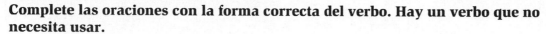

Complete las oraciones con la forma correcta del verbo. Hay un verbo que no necesita usar.

alejarse de	llegar a	quedar en
conducir por	quedar con	sentarse en

1. Fue asombroso cuando los tres _____ volver a verse otra vez después
   del desastroso viaje juntos.

2. La pareja _____ el país con un coche alquilado por los dos.

3. Hace un par de años era todo un reto recorrer esta distancia para poder

   _____ las cataratas.

4. La muchedumbre _____ el suelo en cuanto dio la noticia el portavoz.
   Por lo visto, alguno hasta casi se desmayó.

5. Un viejo amigo _____ sus compañeros en una placita de la ciudad, pero
   se perdió cuando iba para allá.

¡Buen viaje! Capítulo 1 Lección B

1 Pretérito

Escriba la forma apropiada del pretérito de los verbos entre paréntesis.

1. El policía les ___dió___ *(dar)* indicaciones a los visitantes para que llegaran a las ruinas.

2. Yo casi ___me ahogué___ *(ahogarse)* cuando era pequeña en ese lago. ¡Menudo susto que me di!

3. Hasta que no encontró el boleto en su bolsillo no ___sonrió___ *(sonreír)*. ¡Qué despistado!

4. Por fin ___cumplió___ *(cumplir)* su sueño e hicieron el viaje con el que siempre habían soñado. Fueron las mejores vacaciones de su vida.

5. Desgraciadamente mi cuñada ___se encurrió___ *(escurrirse)* y ___se cayó___ *(caerse)*. ___Se rompió___ *(Romperse)* el tobillo y no ___vino___ *(venir)* con el grupo de escalada.

6. El joven nos ___dijo___ *(decir)* que alguien le ___hirvió___ *(herir)* hace poco cuando recorría el pueblo.

7. Ayer Carlos casi ___se ahogó___ *(ahogarse)* cuando intentaba llegar al otro lado de la playa. Sus padres lo ___castigaron___ *(castigar)* por una semana.

8. Yo ___oí___ *(oír)* algo raro pero dice mi prima que ella no ___oyó___ *(oír)* nada.

9. ¡Qué rabia! Todo el equipaje no me ___cupo___ *(caber)* en el coche, así que ___dejó___ *(dejar)* mucho en casa.

10. Por lo menos mis amigos ___trajeron___ *(traer)* unos buenos CD y no ___tuvieron___ *(tener)* que escuchar la música que ___tocó___ *(tocar)* en el autobús. ¡Era un rollo!

2 "Tapitas" gramaticales

Complete el párrafo con la forma correcta de las palabras o expresiones del recuadro. Puede usarlas más de una vez. Hay una palabra que no necesita usar.

algo	jamás	ni	ninguno/a/os/as
alguno	nada	ni siquiera	sin
de ninguna manera	nadie	ningún	tampoco

Al llegar a la estación (1) _____ de nuestros amigos estaba allí

esperándonos. Estábamos (2) _____ plata, pues era domingo

y no había (3) _____ banco abierto. Allí estábamos los dos, en

un país extranjero, (4) _____ dinero y

(5) _____ conocer a (6) _____ a

quien poder llamar. (7) _____ nos habíamos sentido tan

perdidos como en aquel momento. A las dos horas un joven apareció, y

(8) _____ decir absolutamente

(9) _____ cogió nuestras maletas. Al rato nos miró a la cara de

reojo, nos dijo algo que (10) _____ de los dos pudimos

entender y nos pidió que lo siguiéramos. (11) _____

(12) _____ plantearnos quién era, lo seguimos fielmente.

(13) _____ sabíamos quién era

(14) _____ nos importaba. Sólo queríamos encontrar a

nuestros amigos y comer (15) _____. Nos llevó hasta una

casucha vieja, y nos dejó en el portal (16) _____ decir

(17) _____, (18) _____ nos miró

a (19) _____ de los dos. Al principio

(20) _____ apareció. Por fin la puerta se abrió y vimos un

hermoso patio, como el de un palacio, lleno de invitados y camareros pasando con bandejas

de comida. (21) _____ nos acercamos a nuestro anfitrión

(22) _____ (23) _____ lo

saludamos hasta pasado un buen rato. Sin embargo, nos pusimos a comer como locos sin

saludar a (24) _____. ¡(25) _____

íbamos a interrumpir ese momento mágico!

3 ¿Pretérito o imperfecto?

Complete las oraciones con la forma correcta de las palabras entre paréntesis. Ponga los verbos en el pretérito o el imperfecto.

1. El jefe __despidió__ *(despedir)* al empleado cuando
   __se enteró__ *(enterarse)* de que a menudo __faltaba__ . *(faltar)* a la
   oficina.

2. A nosotros nos __hicimos__ *(hacer)* gracia cuando Ramón nos
   __dijo__ *(decir)* que en el fondo siempre __asentía__ *(asentir)*
   cuando su profesor __decía__ *(decir)* __alguna__ *(algún)* cosa
   para no __le caiga__ *(caerle)* mal.

3. __Los__ *(El)* guías por desgracia __tradujen__ *(traducir)*
   mal __lo__ *(el)* que __dijo__ *(decir)* la señora y yo
   __se equivocamos__ *(equivocarse)* de camino y no __pudimos__ *(poder)*
   llegar a tiempo para __ver__ *(ver)* a __mis__ *(mi)* parientes.

4. Por fin Ana __se dió cuenta__ *(darse cuenta)* de que no __era__ *(ser)*
   oro todo __lo__ *(el)* que __relució__ *(relucir)*, por lo que
   __huía__ *(huir)* del campamento y de __quien__ *(quien)*
   __lo__ *(el)* __había__ *(haber)* secuestrado cuando
   __era__ *(ser)* niña para __se convertía__ *(convertirse)* en niña
   soldado.

5. El soldado no __dijo__ *(decir)* nada a nadie, __se fue__ *(irse)*
   __tanto__ *(tanto)* rápido como __llegó__ *(llegar)*.

6. Aunque se __lo__ *(el)* __advertió__ *(advertir)* a todos,
   __ninguna__ *(ninguno)* turista dejó __la__ *(el)* cámara de
   fotos en __la__ *(el)* habitación.

7. __Esa__ *(Ese)* vez ellos __fueron__ *(ir)* juntos a
   __alguna__ *(alguno)* lugar en __las__ *(el)* afueras y
   __se hicieron__ *(hacerse)* __una__ *(uno)* par de tatuajes.

8. __Las__ *(El)* mellizas __era__ *(ser)* inseparables,
   una siempre __iba__ *(ir)* donde __iba__ *(ir)* la
   __otra__ *(otro)*. De modo que cuando __se murieron__ *(morirse)*
   una en __el__ *(el)* accidente de avión la __otra__ *(otro)*
   también __falleció__ *(fallecer)*.

4 Familia de palabras

Complete cada oración con la forma correcta de la palabra en negrita. La respuesta puede ser verbo, sustantivo o adjetivo. Añada un artículo cuando sea necesario.

1. **impulsar**

    a. Susana es bastante _____ y tiende a hacer las cosas sin pensar.

    b. El turismo le dio un gran _____ a la economía del país.

    c. La visita de los empresarios a la zona _____ el interés por la compra

       de haciendas.

2. **decepcionar**

    a. El concierto _____ al público que se fue de allá antes de terminar.

    b. Después de escalar por cinco horas, las vistas eran _____.

    c. Tuvimos una gran _____ cuando nos comentaron que el vuelo había

       sido cancelado por el temporal.

3. **cruzar**

    a. No te olvides de mirar bien al _____ la calle de al lado.

    b. Hubo un accidente leve en _____ de enfrente.

5 ¿Qué palabra es?

Escriba una palabra en cada espacio para completar las oraciones. En los espacios que no necesiten ninguna palabra, escriba una 'X'.

1. Quizás nunca _____ la ciudad _____ nacieron mis

   padres _____ estar tan lejos _____ aquí.

2. La mayoría _____ los estudiantes hablan _____

   menos _____ par de idiomas; por _____

   aprenden _____ tercero _____ facilidad.

3. Hablar _____ este tema me pone triste. _____

   culpa de la violencia ya _____ viene casi _____ a

   esta ciudad. ¡_____ lástima!

4. _____ principios del siglo XX _____ mi familia

   llegó a este país, y todavía conservamos _____ costumbres.

5. Cuando _____ a otros países no me atrevo _____

   tomar el agua _____ miedo a ponerme enfermo. Por

   _____, no paro _____ comprar agua embotellada.

6. Me _____ hambre _____ escucharla hablar de los

   platos típicos de su país, así que por culpa _____ ella engordé

   _____ varias libras.

7. _____ tener muchos kilómetros _____ costa la

   pequeña aldea, _____ pocos años se convirtió _____

   uno _____ los principales destinos turísticos.

6 Antes de leer

¿Qué medio de comunicación prefiere para saber de música? ¿Y sobre deporte? ¿Y sobre cultura? ¿Y sobre las noticias? ¿Con qué frecuencia los consulta?

7 Los medios

Lea el siguiente artículo.

¿Cuáles son las preferencias mediáticas de la inmigración?

Prefieren escuchar la radio antes que ver la televisión, buscan medios afines con su cultura y la música, el deporte y los diarios <u>gratuitos</u>. Estos son los perfiles más comunes de los **inmigrantes** en relación a los medios de comunicación extranjeros.

Pasivos, preocupados, <u>cultos</u> y activos

5 Los pasivos son aquellos que no presentan interés por nada, ni siquiera por su propia cultura. Llegan prácticamente de rebote y no esperan adaptarse al entorno, ya que para ellos su estancia en un país **extranjero (A)**, buscan conseguir dinero y volver a su país de origen. Por ello, los medios de comunicación no suponen una necesidad para ellos, ni los propios de su país, ya que consideran que la información que ofrecen no se preocupa **(B)**. Los preocupados,
10 por otro lado, sienten interés e incluso angustia por todo lo que sucede a su alrededor, desde el precio de un **kilo** de tomates hasta la actualidad política de su país. **(C)** sean grandes consumidores de televisión digital, un 21,1% de la audiencia total, según los datos ofrecidos por la empresa CARAT EXPRESS, ya que con ella tienen la posibilidad de ver algunas de las cadenas propias de su nación.

15 El caso de los cultos y activos es muy similar. Por un lado, los cultos son grandes consumidores de medios de comunicación **(D)**—estudios superiores o licenciados—que les lleva a interesarse por todo lo que les <u>rodea</u> como un ciudadano más que busca conocimientos e información.

Por otro lado, los activos se caracterizan por el ímpetu e interés que demuestran por todo lo
20 que les rodea, de ahí que sean los mayores consumidores de medios, tanto de radio como de televisión o Internet, incluso de medios propios del país migratorio. Además, intentan <u>por todos los medios</u> adaptarse al hábitat y cultura del país en el que viven, **(E)**, por lo que también son un fuerte foco de mercado para las empresas mediáticas dirigidas a los colectivos inmigrantes.

25 **El aumento** en el número de inmigrantes junto al incremento en los niveles de audiencia han provocado la inmigración no sólo de personas, sino también de empresas dedicadas exclusivamente a cubrir las necesidades e intereses de los colectivos extranjeros.

Uno de los sectores que más han establecido sedes fuera de su país han sido las compañías mediáticas, en especial latinoamericanas, que han descubierto un filón de oro en las
30 audiencias inmigrantes.

ESTHER MUCIENTES
www.elmundo.es

8 ¿Ha comprendido?

Elija la mejor respuesta para cada pregunta.

1. ¿Por qué el inmigrante pasivo no muestra interés por nada?
   a. El país que lo recibe no muestra los acontecimientos de su país.
   b. No encuentra tiempo para adaptarse.
   c. Su situación de inmigrante es por un tiempo, sólo quiere volver a su país con dinero, y el resto no le interesa.
   d. Prefiere los deportes y la música de su país.

2. ¿Cuál es el perfil de los preocupados?
   a. Les preocupa en exceso la situación del país en el que trabajan.
   b. Se preocupan sólo de la situación que se vive en su país de origen.
   c. Viven angustiados por la situación general en la que viven, tanto en su país de origen, como en el que trabajan.
   d. Consumen televisión la mayor parte del tiempo.

3. ¿Qué cosas tienen en común los inmigrantes activos y los cultos?
   a. Ambos abandonan sus raíces para sumergirse en la nueva cultura del país donde trabajan.
   b. Son consumidores de los medios de comunicación, se integran en el país de acogida, y al mismo tiempo siguen conservando sus raíces.
   c. Son los mayores consumidores de Internet, radio y televisión.
   d. a y c

4. ¿Qué significa la expresión en la última frase del artículo: "han descubierto un filón de oro en las audiencias inmigrantes"?

   _____

   _____

   _____

9 ¿Dónde va?

¿Dónde se deben añadir las siguientes frases al artículo? Escriba la letra que corresponda a cada frase. Hay una frase extra que no hace falta utilizar.

1. _____ debido a su alto nivel académico

2. _____ por lo que ocurre allí

3. _____ pero sin abandonar sus raíces

4. _____ es temporal

5. _____ que les lleva a ello

6. _____ De ahí que la mayoría de ellos

10 ¿Qué significa?

Explique con sus propias palabras lo que significan estas palabras que aparecen en negrita en el artículo.

1. inmigrantes _____

2. extranjero _____

3. kilo _____

4. el aumento _____

11 Sinónimos

Escriba cada palabra o expresión subrayada en el texto junto a su sinónimo o definición.

1. de todas formas _____

2. está a su alrededor _____

3. que están a un alto nivel intelectual _____

4. no cuestan dinero _____

12 ¿Ha comprendido?

Conteste las siguientes preguntas sobre el artículo.

1. Haga una lista de diez sustantivos clave en el artículo.

_____

_____

2. Haga una lista de diez palabras o expresiones usadas por la periodista para conectar ideas.

_____

_____

3. Haga una lista de diez palabras o expresiones comunes en el lenguaje periodístico.

_____

_____

4. ¿Qué significa 'la actualidad política'? Aparece en el segundo párrafo.

5. Resuma lo que ha leído en un gráfico o mapa de ideas.

13 Escriba

En su cuaderno, resuma lo que ha leído en un párrafo. Subraye las palabras nuevas que use.

14 Se titula...

Piense en otro título para el artículo.

15 El dilema de Alfredo ● (CD 1, pista 4)

Después de escuchar la primera audición, elija la mejor respuesta para cada pregunta.

1. ¿Cuáles eran las expectativas de Alfredo cuando llegó?

   a. Hacerse rico cuanto antes

   b. Conseguir un empleo y alojamiento económico

   c. Rehacer su vida en un país nuevo

   d. Conseguir dinero para su familia

2. ¿Qué pide ahora Alfredo?

   a. Un trabajo nuevo

   b. Más plata para mandársela a su familia

   c. Traer a su familia de su país de origen

   d. Regresar a su país

3. ¿Cuántos miembros de su familia viven del dinero que él manda?

   a. Su esposa y sus hijos

   b. Sus padres, sus cuñados, su esposa y sus hijos

   c. Los padres de su esposa, sus cuñados, su esposa y sus hijos

   d. Sus suegros, sus cuñados y sus familias, su esposa y sus hijos

4. ¿Qué se plantea a veces Alfredo?

   a. Volver y comprar un terreno

   b. Traer a su familia y que todos puedan vivir con él

   c. Volver y buscar cualquier otro trabajo

   d. Irse a otra ciudad a probar suerte

16 La familia y el dinero (CD 1, pista 5)

Después de escuchar la segunda audición, elija la mejor respuesta para cada pregunta.

1. ¿Qué piensa Luis que le ocurre a la familia de Alfredo?

   a. Que los pobres no encuentran trabajo

   b. Que se están mal acostumbrando a que Alfredo haga todo por ellos

   c. Que ya no añoran tanto a Alfredo

   d. Que deberían apoyarlo y hablar más con él

2. ¿Cómo es la situación, según Eduardo, de la familia de Alfredo?

   a. Viven bien, pero sin comodidades

   b. Están desesperados ya que incluso es duro conseguir tres comidas al día

   c. Tienen una situación muy buena

   d. Se gastan todo lo que les llega en antojos

3. ¿Qué cree María que debería hacer Alfredo?

   a. Buscar un trabajo nocturno y mandar más dinero

   b. Volverse y trabajar en su país, aunque gane menos

   c. Ser más optimista y buscar algún entretenimiento

   d. Ir a verlos para hablar con ellos sobre el tema

4. ¿Cree Eduardo que esto es posible?

   a. Sí, pero no hasta final de mes

   b. Sí, pero no este final de mes

   c. No, pues no tiene dinero ni para eso

   d. No, pues no tendrá dinero hasta final del mes

17 ¡A conversar! 👥

Escriba una conversación con un/a compañero/a en la que dos amigos hablan sobre las preferencias de los inmigrantes en cuanto a los medios de comunicación.

- Comiencen la conversación sobre el tema.
- Expliquen sus preferencias y sus razones.
- Expongan su punto de vista al respecto.

A: _____

B: _____

A: _____

B: _____

A: _____

B: _____

A: _____

B: _____

18 ¡A conversar! 👥

Escriba una conversación con un/a compañero/a. Uno de ustedes quiere participar en un programa de intercambio escolar en Latinoamérica, mientras que el otro prefiere irse a España dos meses para aprender el idioma con una familia.

- Expongan sus ideas.
- Intente convencer a su compañero de que vaya consigo.
- Tomen una decisión.

A: _____

B: _____

A: _____

B: _____

A: _____

B: _____

A: _____

B: _____

19 Escriba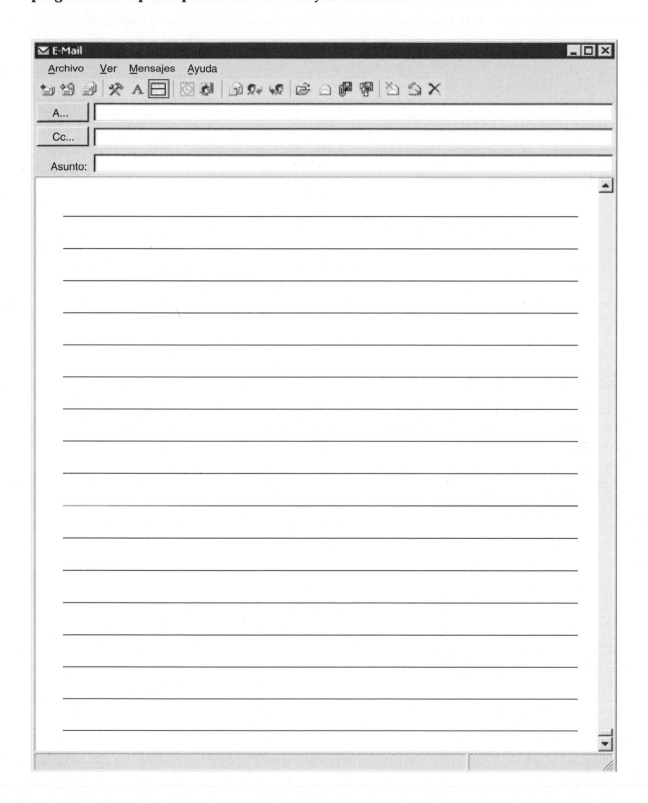

**Es un empleado de una de las cadenas más importantes de televisión en los EE.UU.
Escríbale un mensaje electrónico a su jefe en el que le sugiere la emisión de un
programa en español para atraer una mayor audiencia.**

20 Buscando errores

Lea la carta a continuación. Busque los errores enumerados en la siguiente lista y marque las casillas cuando los encuentre. Luego haga las correcciones necesarias.

2 acentos ◯◯

3 tiempos verbales ◯◯◯

4 preposiciones ◯◯◯◯

4 concordancias ◯◯◯◯

2 pronombres ◯◯

Querido mamá y papá:

Les escribo desde este pequeño pueblecito de Costa Rica. Por fin he llegado. Vivo en una humilde familia en su casita de adobe. No tienen mucho espacio pero han insistido en que yo duerma sola en uno de los dos cuartos que tiene la casa, por lo

5 que todos ellos compartan con dificultad el otro. El papá madruga todos los días por trabajar en el campo, y aunque se marcha de casa temprano todos se levantan para despedirse de el. La mamá y el se miran, se dan un abrazo en silencio y él le va despacio en su mula soñando con un año de buena cosecha. Algunos día le acompañe Antonio, el hijo más pequeño. No obstante, quizás no hay trabajo entonces ya que

10 una gran sequía amenaza la zona. Esta mañana podía ver que el pobre hombre estaba muerto de cansancio. Sin embargo, él sabe que es la única manera que tiene la familia para llevar alimento el hogar.

Bueno, me voy porque como no haya ni agua corriente ni electricidad, me voy con la mamá y sus hijos pequeños al arroyo a lavarnos y a lavar un poco de ropa antes de

15 que lleguen los hombres. Un besito. Os quiero mucho y les echo mucho con menos. Aunque es duro me alegro mucho de haber venido. Está siendo una experiencia inolvidable.

Les ama su hija.

Elena

20 P.D. ¡Escríbame pronto!

21 Escriba

Ud. es el padre de Elena. Escríbale una carta respondiendo a la suya.

_____

_____

_____

_____

_____

_____

_____

_____

_____

_____

_____

_____

_____

_____

22 Presentemos en público

Unos compañeros van a presentar la conversación del ejercicio 18 en clase. Tome notas de lo que digan y analice (1) el uso de la gramática, (2) el uso del vocabulario, (3) la entonación, (4) la presentación de sus ideas y (5) la pronunciación. La clase debe hacerle al menos dos preguntas a cada estudiante una vez que terminen.

1. _____

_____

2. _____

_____

3. _____

_____

4. _____

_____

5. _____

_____

23 Amplíe su vocabulario

Complete las oraciones con la palabra o frase adecuada.

1. Cuando lo vimos _____ comprendimos que el pobre estaba muerto de hambre.

   a. el rincón   b. el rostro   c. el antojo   d. el extranjero

2. Reaccionaron muy bien al conocerlo pues apreciaron que fuera _____ .

   a. mensual   b. el reto   c. cortés   d. el estereotipo

3. ¡Qué _____! Cuando llegamos a la aldea todos se habían marchado.

   a. raro   b. desesperado   c. eficaz   d. último

4. Por fin llegaron _____ que tanto necesitaban y fueron distribuidos

   entre la población.

   a. los decanos   b. los alimentos   c. los parientes   d. los propios

5. _____ que aprendí el idioma pues hubiera sido imposible comunicarnos.

   a. Por desgracia   b. Hace falta   c. En el fondo   d. Menos mal

6. Se casaron sin _____ saber nada de la cultura del otro, por lo

   que al final terminaron divorciándose.

   a. ya no   b. apenas   c. los demás   d. a menudo

7. Se levantaron al amanecer y _____ el fresco para andar por

   los alrededores del campamento.

   a. consiguieron   b. funcionaron   c. madrugaron   d. aprovecharon

8. El alcalde insiste en que _____ para salvar a los habitantes de la zona.

   a. hizo todo lo posible   c. menos mal que

   b. le hizo gracia la situación   d. por desgracia no hizo

24 ¿Cuál es la palabra?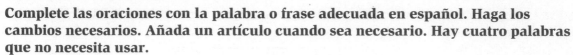

Complete las oraciones con la palabra o frase adecuada en español. Haga los cambios necesarios. Añada un artículo cuando sea necesario. Hay cuatro palabras que no necesita usar.

aburrir	beneficio	ingreso	propio
alcanzar	empleo	marcharse	sin embargo
aunque	en el fondo	profundo	tener claro

1. Gracias a _____ de su hijo, la anciana pudo pagar sus deudas.

2. Los jóvenes _____ que debían estudiar para mejorar la economía de sus familias.

3. Terminaron contratando a su _____ intérprete. Era una joven muy agradable que se llamaba Mari Sierra.

4. Los estudiantes se quejaron porque les _____ las visitas organizadas por la agencia.

5. Dijeron que no les pareció bien la conferencia, pero sabemos que _____ les agradó.

6. Dijo que no nos preocupáramos, que él ayudaría a traducir. _____ no tenía ni idea de lo que decían cuando los oyó hablar.

7. En aquel momento el joven alzó su cabeza y les miró a todos a los ojos. Dejó su _____ en el banco esa misma mañana y se quedó a vivir allí.

8. Todos nos quedamos con la boca abierta cuando la pareja _____ sin decir ni adiós.

25 ¿Qué palabra es? 🔍

Escriba la palabra o expresión del vocabulario que corresponde a cada definición. Ponga una letra en cada casilla.

1. Llegar a algo con un esfuerzo ⬜⬜⬜⬜⬜⬜⬜⬜

2. Levantarse temprano ⬜⬜⬜⬜⬜⬜⬜⬜

3. Algo que te hace reír ⬜⬜ ⬜⬜⬜⬜ ⬜⬜⬜⬜⬜⬜

4. De otro país ⬜⬜⬜⬜⬜⬜⬜⬜⬜⬜

5. Que tienen un impacto ⬜⬜⬜⬜⬜⬜⬜⬜⬜⬜

6. Desafortunadamente ⬜⬜⬜ ⬜⬜⬜⬜⬜⬜⬜⬜

7. ¡Gracias a Dios! ⬜⬜⬜⬜⬜ ⬜⬜⬜

8. De distinta manera ⬜⬜ ⬜⬜⬜⬜ ⬜⬜⬜⬜⬜

26 Crucigrama

Escriba las claves para las palabras que aparecen en el crucigrama.

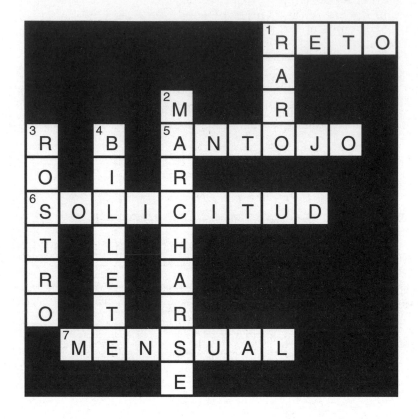

Horizontales	Verticales
1. _____	1. _____
_____	_____
5. _____	2. _____
_____	_____
6. _____	3. _____
_____	_____
7. _____	4. _____
_____	_____

27 Verbos con preposición

Elija la mejor respuesta.

1. Parece ser que de todos los invitados nadie _____ decirle nada.

   a. acabó con   b. se atrevió a   c. renunció a   d. se acostumbró a

2. Tenían claro que en cuanto pudieran _____ aquel horrible lugar.

   a. se preocuparían de   b. amenazaría con   c. se enterarían de   d. huirían de

3. Aquellos años que estuvo prisionero _____ las ganas que

   tenía para luchar.

   a. acabaron con   b. tardaron en   c. viajaron por   d. renunciaron a

4. Aunque el agua estuviera helada los jóvenes no dudaron en

   _____ el arroyo.

   a. embarcarse en   b. dirigirse a   c. meterse en   d. acostumbrarse a

5. Tenía claro que debía de _____ la ciudad antes de que

   anocheciera.

   a. soñar con   b. dirigirse a   c. tardar en   d. incluir en

28 Verbos con preposición

Añada la preposición necesaria a los verbos que aparecen en el recuadro. Después complete las oraciones con la forma correcta del verbo. Hay un verbo que no necesita usar.

atreverse _____	marcharse _____	tardar _____
despedirse _____	soñar _____	tratar _____

1. Como los muchachos _____ llegar, decidieron llamar a la

   policía.

2. Apenas quedaban turistas en el camping por culpa de las lluvias. Casi todos

   _____ allí al amanecer.

3. Desde aquel día Ignacio ya no _____ decirle nunca nada, por

   miedo a su reacción.

4. Menos mal que había un vuelo diario, pues aunque mis vecinos

   _____ llegar a tiempo, perdieron el avión.

5. Al final, como siempre, Conchi no _____ sus amigos

   debidamente.

¡Gente joven!   Capítulo 2 Lección A

1   ¿Ser, estar o haber?

Complete las oraciones con la forma correcta de *ser*, *estar* o *haber*.

E-Mail

Archivo   Ver   Mensajes   Ayuda

A...   Isabel@emcp.com

Cc...

Asunto: hola amiga

Hola Isabel:

¿Cómo (1) _estás_ ? Yo (2) _estoy_ escribiéndote un correo entre clase y clase. Hoy (3) _estoy_ bastante nervioso pues tenemos un examen con el señor Rodríguez. Como ya sabes tiene fama de (4) _ser_ el profesor más exigente de todos. No (5) _estoy_ seguro de que lo vaya a hacer bien, pues no estoy preparado para este examen. (6) _Hay_ que estudiar muchísimo y yo he (7) _estado_ ocupado con muchas otras cosas. ¿Y tú? ¿(8) _Estás_ lista para el tuyo con el señor Montero? Seguro que sí. Tú siempre lo (9) _estás_ . Bueno, pues (10) _hay_ que pensar adónde podemos ir después de clase. Uff, (11) _estoy_ muerto de hambre. (12) _Estoy_ deseando que (13) _sea_ ya la hora. Ah, averigüé que el concierto de esta noche (14) _es_ en la plaza de toros. Como sabes (15) _está_ muy cerca de aquí y no (16) _es_ muy tarde. Me parece que (17) _es_ a las diez y algo. También (18) _hay_ un restaurante por ahí que (19) _es_ pequeño pero por lo visto (20) _es_ muy bueno. La comida (21) _es_ riquísima aunque sirven mucha comida picante. ¿(22) _Estás_ segura de que no te importa lo picante? Bueno, cuando (23) _estés_ lista me das una llamada a mi móvil y voy a recogerte. Suerte con tu examen. Seguro que no (24) _hay_ que preocuparse de nada, ¡con lo lista que (25) _eres_ ! Bueno, te dejo que (26) _hay_ un compañero por aquí que me (27) _está_ mirando con mala cara porque quiere usar esta computadora y (28) _es_ que no hay más. La otra (29) _está_ rota. No (30) _es_ que (31) _soy_ egoísta así que le dejaré que la use un poco. Nos vemos. ¡Hasta luego! Ah, espero que no (32) _haya_ que hacer cola en el restaurante, que entonces no llegamos al concierto. Si quieres llamo, pues quizás (33) _sea_ mejor hacer una reserva, por si acaso.

---

2 Verbos reflexivos

Complete el texto con el verbo apropiado del recuadro.

acercarse	desmayarse	enfadarse	ponerse
acostarse	despedirse (2 veces)	esconderse	quedarse
atreverse	despertarse	fijarse	reírse
burlarse	dormirse	marcharse	sujetarse
caerse	empeñarse	parecerse	

Aquel día Manolo (1) _____ rápidamente de sus

compañeros de clase y (2) _____ sin más, pensando

en (3) _____ en cuanto llegara a su casa. Por algún

motivo la noche anterior no había podido dormir bien y estaba bastante cansado.

(4) _____ mil veces mojado por el sudor y con un extraño

presentimiento. Estaba deseando (5) _____ y recuperar

fuerzas. No obstante, presentía que algo no iba bien. Notaba que alguien le seguía, y al

girarse para ver quién era, la extraña figura (6) _____ detrás

de una furgoneta. En ese momento, casi (7) _____ y tuvo que

(8) _____ a la pared para no (9) _____

al suelo. Aunque todos pensaban que era muy valiente debido a su estatura, en verdad

Manolo era bastante miedoso y no soportaba este tipo de sustos. En ese momento

(10) _____ de piedra, no podía moverse y empezó a

(11) _____ histérico, pues pensó que seguramente se trababa

de un ladrón. En ese momento (12) _____ en la persona que

le seguía y notó como sus zapatos (13) _____ muchísimo a

los de su amigo Andrés, mejor dicho, eran los de su amigo Andrés. Siempre se ponía los

mismos deportivos desde que se los regalaron sus padres hacía dos años, por lo que los

reconoció de inmediato. Pero ¡cómo (14) _____ a hacerle

esto! Manolo (15) _____ muchísmo, de modo que su amigo

(16) _____ muerto de risa. Aunque era su mejor amigo, siempre

(17) _____ en (18) _____ de él

y (19) _____ un poco a su costa. Después de una pequeña

discusión sobre la broma de mal gusto, Manolo (20) _____ y se

fue a casa a descansar todavía ofendido por lo ocurrido.

3 ¿Por o para? 🧊

Dibuje un círculo alrededor de la requesta correcta. Elija la preposición *por* o *para* para completar cada oración.

Aurora: No te vas a creer lo que me pasó el otro día. Estaba paseando (1) *(por / para)* la playa cuando alguien me paró (2) *(por / para)* decirme que si podía prestarle mi celular (3) *(por / para)* llamar (4) *(por / para)* teléfono. Cuando miré (5) *(por / para)* arriba me di cuenta de que era una actriz conocidísima.

Miguel: No estoy (6) *(por / para)* bromas. ¿No crees que (7) *(por / para)* ser mi mejor amiga me tomas el pelo con demasiada frecuencia?

Aurora: ¡(8) *(Por / Para)* supuesto que no! Es lo primero que se me pasó (9) *(por / para)* la cabeza. Seguro que me van a tomar (10) *(por / para)* loca cuando se lo diga a mis amigos.

Miguel: Bueno, cuéntame qué pasó.

Aurora: Ah, sí. Bueno, pues sigo. Le dije que necesitaba ir al coche (11) *(por / para)* él. En esos momentos pensé en mis padres y les agradecí enormemente que pagaran un poco más de dinero (12) *(por / para)* ese teléfono con cámara que me regalaron (13) *(por / para)* mi cumpleaños.

Miguel: (14) *(Por / Para)* ahora no me has dicho a quién viste. ¿Pero quién era?

Aurora: Ah, sí. Era Jessica Alba.

Miguel: ¿Pero qué me dices? (15) *(Por / Para)* lo visto quieres que me dé un ataque al corazón. Sabes lo que siento (16) *(por / para)* ella. (17) *(Por / Para)* mí es la mujer más guapa del planeta.

continúa

Aurora: Ah, sí. Bueno, (18) *(por / para)* ti, y (19) *(por / para)* millones de otros admiradores como tú. Pero, ahí estaba yo. Bueno, pues sigo. Habló (20) *(por / para)* un par de minutos y después me explicó que la estaban esperando (21) *(por / para)* hacer una rueda de prensa y se le había olvidado (22) *(por / para)* completo. Así que me quedé con ella un poco más, caminamos por ahí cerca, (23) *(por / para)* unos quince minutos hasta que llegó su chofer en la limusina (24) *(por / para)* llevarla al hotel donde la esperaban cientos de periodistas. Estaba (25) *(por / para)* irme cuando me dijo "esto es (26) *(por / para)* ti". Me dio una tarjeta y un abrazo de agradecimiento. Imagínate, por poco me caigo allí delante (27) *(por / para)* la emoción.

Miguel: Bueno, dime, ¿y qué era?

Aurora: Pues una invitación (28) *(por / para)* una fiesta de mañana (29) *(por / para)* la noche. (30) *(Por / Para)* eso te estoy contando todo esto, (31) *(por / para)* que te vengas conmigo. ¿Te animas? ¡Por algo eres mi mejor amigo!

Miguel: ¿Estás de broma? (32) *(Por / Para)* supuesto. Voy a dar una vuelta (33) *(por / para)* el centro comercial y buscar algo para la ocasión. El otro día pasaba (34) *(por / para)* allí y por casualidad vi una chaqueta perfecta (35) *(por / para)* el evento. Creo que está diseñada (36) *(por / para)* un diseñador no muy famoso y seguramente la podré comprar (37) *(por / para)* menos de mil dólares.

Aurora: (38) *(Por / Para)* Dios. Estás completamente loco. Anda, vamos a dar un paseo y relájate.

4 Familia de palabras

Complete cada oración con la forma correcta de la palabra en negrita. La respuesta puede ser verbo, sustantivo o adjetivo. Añada un artículo cuando sea necesario.

1. **agradecer**

   a. El joven empresario mostró un gran _____ al público por apoyarle en su trabajo.

   b. Deberías darle _____ por su comportamiento en el acto esta noche. ¡Se portó fenomenal!

   c. Almudena está muy _____ por haberla defendido Juan cuando tartamudeaba.

2. **aislar**

   a. Solía quejarse porque algunos compañeros la _____ cuando almorzaban en la cafetería.

   b. Me sentí un poco _____ cuando todos hablaban de la fiesta a la que no pude ir.

   c. Es preocupante _____ que sufre debido a las heridas sufridas en su accidente. Nadie lo llama para salir.

3. **tranquilizar**

   a. Nos _____ saber que no vendría su hijo. Es bastante revoltoso, de manera que pone nerviosísimo a todo el mundo.

   b. Dile que es _____ saber que es un chico muy maduro y que podrá cuidar de los niños sin problema esta noche.

   c. Efectivamente, Susana es muy _____. ¡Sin ninguna duda!

5 "Tapitas" gramaticales

Complete las frase con la forma correcta de las palabras entre paréntesis.

1. La relación con los padres normalmente _____ (jugar) un papel muy

   importante en el desarrollo del carácter de _____ (uno) persona aunque

   no _____ (el) parezca.

2. Es crucial que los padres les _____ (dejar) a los

   hijos tener _____ (cierto) independencia a la hora de

   _____ (decidir) lo que _____ (querer) ponerse aunque

   les _____ (parecer) de mal gusto.

3. _____ (Quien) no hayan pasado por aquí _____ (ser)

   posible que no comprendan _____ (este) situación que Enrique

   está pasando, y a _____ (el) vez se empeñen en cambiar

   _____ (lo) para que haga _____ (el) que hacen todos

   los demás.

4. A mí me _____ (suceder) unas cosas un poco extrañas

   y cuando se _____ (el) cuento a mis amigos siempre se

   _____ (morir) de risa.

5. Aunque nos _____ (parecer) mentira, esta moda de

   _____ (el) que siempre nos _____ (reír) ahora

   _____ (estar) muy "in". ¿Te _____ (el) puedes creer?

6. Necesito a unos amigos en _____ (quien) pueda

   _____ (confiar) y no unos que _____ (ir) contando por

   ahí todos mis secretos.

7. Ella _____ (ser) bastante tranquila hasta que

   _____ (llegar) a la universidad. _____ (Ser) entonces

   cuando _____ (el) cambió mucho _____ (el) carácter.

8. Todos pasamos por etapas en _____ (nuestra) vidas

   que quizás _____ (asustar) a algunas personas que nos

   _____ (rodear). Pero yo creo que _____ (ser)

   necesarias y _____ (ser) parte de _____ (quien) somos.

6 ¿Qué palabra es?

Escriba una palabra en cada espacio para completar las oraciones. En los espacios que no necesiten ninguna palabra, escriba una 'X'.

1. Echamos _____ menos a Marco, no concibo la vida

   _____ él. Nos lo pasábamos _____ bien cuando

   estábamos todos juntos... Por _____ visto despidieron a su padre, así

   _____ tuvieron que cambiar _____ ciudad. Algunas

   veces hablamos _____ teléfono, pero no es _____

   mismo, nunca será _____ mismo.

2. Estoy _____ poco cansada, _____ no puedo descansar

   hasta que no termine _____ todo _____ trabajo

   acumulado. _____ tres años no _____ hubiera

   importado en absoluto, pero hoy sé que _____ no estudia no tiene un

   futuro. He tenido que renunciar _____ muchas cosas, pero merece

   _____ pena.

3. Me debo de esforzar _____ ahorrar. Ayer fui a la tienda

   _____ vi el disco del grupo _____ me gusta tanto.

   _____ encantaría _____ escucharlo pronto.

4. A Inma _____ tocó mucho dinero _____ el último

   sorteo. No sabe _____ que va a hacer _____ lo que

   ganó. Seguro que _____ lo gasta pronto, aunque ahora dice que quizás

   done _____ poco a los enfermos _____ SIDA. Espero

   que no se contente _____ darles una pequeña cantidad.

5. Siempre _____ sale _____ la suya. Mis padres le dan

   la razón a _____ hermano, y eso _____ pone muy

   nerviosa. Y para colmo siempre se queja _____ todo y se atreve a decirme

   que yo soy la consentida —dice Vanesa _____ doce años.

6. La curiosidad mató _____ gato, eso es lo _____ dicen.

   Aunque yo no estoy _____ acuerdo _____ este refrán.

   Me considero _____ persona que se interesa _____

   la vida de los demás, pero eso no _____ malo, ¿verdad?

7 Antes de leer

¿Qué tipo de "reality show" ven las personas de su edad? ¿Hay alguno que esté especialmente dirigido a la gente joven de su país? ¿Cuál? ¿Sabe de alguno que se eche en los canales latinos? ¿Cuál? ¿Qué piensa de este tipo de programas?

8 ¿Futuras artistas?

Lea el siguiente artículo.

Quinceañera: el nuevo "reality" de Telemundo

Telemundo apela al probado gusto del público por los "reality shows" con una **ambiciosa** apuesta por "Quinceañera: mamá, quiero ser artista", un programa dedicado a las jóvenes que sueñan con la fama y las madres que las alientan.

5 Bajo la conducción del veterano de la televisión mexicana Alan Tacher, este nuevo proyecto es una producción de Nostromo que será transmitida, a partir del próximo 26 de agosto, por la afiliada de NBC los sábados en horario estelar. Una presentación especial **saldrá al aire** el sábado 19 de agosto con el fin de mostrar a los televidentes una antesala de lo que será el show en la que se dará un perfil de cada participante.

10 Expertos **(A)**, con éxitos como "La Academia", los productores ahora intentan conquistar el mercado hispano en Estados Unidos. "Estamos muy contentos con esta nueva aventura en Telemundo. Es la primera en EEUU y esperamos que tenga el mismo éxito de las que hemos hecho anteriormente en México", dijo Alan Tacher, quien además de conducir el programa también es co-productor. "Quinceañera" reunirá a diez niñas de quince años que han pasado
15 por varias pruebas de canto y baile **(B)**. Todas tienen un denominador común: su deseo de ser artistas. Además de participar en competencias musicales, las jovencitas compartirán toda la preparación para cada show con sus madres ya que ellas también son parte de la producción y fungen como manejadoras artísticas de sus hijas.

La iniciativa de incluir a las progenitoras en el evento nace de la idea que "para los latinos la
20 cuestión familiar es muy importante y por eso enfocamos este programa en esto. Buscábamos madres e hijas con una química especial además de talento, y las encontramos", explicó Tacher. Entre las concursantes hay niñas de diferentes nacionalidades, pero el estudio de grabación está localizado en la Ciudad de México, "por lo que ésta es también una experiencia cultural para las extranjeras. Además de venir a **cumplir su sueño** podrán vivir en esta
25 maravillosa ciudad durante la competencia", dijo Tacher. La decisión sobre la permanencia de las concursantes estará en manos de un panel de jueces **(C)**, pero según adelantó el conductor, constará de entre cinco a siete personalidades del mundo del espectáculo. Una vez comience la etapa eliminatoria y se sepa quiénes ocuparán las primeras posiciones o las últimas, las madres pasan a tener protagonismo.

30 Según explicó Tacher, "las madres de las que no vayan en la delantera cantarán para salvar o no a su hija de que se mantenga en el show".

La ganadora, además de recibir el premio metálico, celebrará su fiesta de quince años como ella quiera y tendrá la posibilidad de grabar su primer disco **(D)** si así lo desea, como parte de la cantera de talentos de la empresa. Las chicas que resulten finalistas en la segunda y tercera
35 posición recibirán premios en metálico, además de posibles contratos musicales que puedan surgir a través de sus presentaciones semanales.

"Tenemos unos personajes maravillosos entre las madres, y ellas a veces quieren ser más artistas que las hijas **(E)**, así que también pueden tener **la posibilidad de convertirse en estrellas** tras su participación en 'Quinceañera', quién sabe", añadió Tacher.

EFE

9 ¿Ha comprendido?

Elija la mejor respuesta para cada pregunta.

1. ¿Para quién está hecho el concurso?

   a. Para que participe toda la familia

   b. Para chicas jóvenes que quieren ser famosas

   c. Para chicas que saben cantar y bailar

   d. Para madres e hijas que sueñan con triunfar

2. ¿Qué desean las chicas que participan en el concurso?

   a. Hacer un programa de televisión

   b. Ser artistas y triunfar

   c. Ganar mucho dinero con la música

   d. Trabajar con sus madres

3. ¿Por qué han decidido que las madres participen en el "reality show"?

   a. Porque para los latinos la familia es muy importante

   b. Porque al ser menores de edad es obligatorio estar con la familia

   c. Porque las madres también desean ser artistas

   d. Porque así las chicas están más tranquilas

4. ¿Qué otros conocimientos obtendrán las niñas que participen?

   a. Conocimiento sobre la cultura del país en el que se desarrolla el concurso

   b. Clases de otras materias dadas por profesores particulares

   c. La vida en convivencia con otras chicas de su misma edad

   d. Aprender a convivir y a entender a sus madres

5. Además de aconsejar a sus hijas, ¿qué otra tarea tendrán que realizar las madres?

   a. Votar para expulsarlas del concurso

   b. Ser las agentes de las chicas

   c. Cantar para salvarlas si están eliminadas

   d. Convencer al jurado para salvarlas

10 ¿Dónde va?

¿Dónde se deben añadir las siguientes frases al artículo?

Escriba la letra que corresponde a cada frase. Hay una frase extra que no hace falta utilizar.

1. _____ y comparten este sueño

2. _____ para demostrar su talento en un escenario

3. _____ que en el concurso aparecerá

4. _____ en este tipo de programas en México

5. _____ que aún no se ha definido

6. _____ y participar en las producciones de Telemundo

11 ¿Qué significa?

Explique con sus propias palabras lo que significan estas palabras o frases que aparecen en negrita en el artículo.

1. ambiciosa _____

2. saldrá al aire _____

3. cumplir su sueño _____

4. la posibilidad de convertirse en estrellas _____

12 Escriba

En su cuaderno, resuma lo que ha leído en un párrafo. Subraye las palabras nuevas que use y numérelas.

13 Se titula…

Piense en otro título para el artículo.

_____

14 Jóvenes y sus responsabilidades 💿 (CD 1, pista 6)

Después de escuchar la audición, elija la mejor respuesta para cada pregunta.

1. ¿A partir de qué edad se puede trabajar?
   a. A partir de que se entra en secundaria
   b. A partir de los catorce años (salvo en trabajos agrícolas)
   c. A partir de los dieciocho años (salvo en trabajos agrícolas)
   d. A partir de los dieciséis años (salvo en trabajos agrícolas)

2. ¿Cuál es la experiencia de Laura con su primer trabajo?
   a. Excelente, no la cambiaría por nada del mundo
   b. Le gusta, pero se queja de que no le deja mucho tiempo libre
   c. Está bien, pero hay épocas en las que trabaja demasiado
   d. A veces, trabajar como dependienta es duro

3. ¿Cuál es el trabajo de Danielle?
   a. No tiene trabajo oficialmente, pero dedica el tiempo libre a diferentes cosas
   b. La contrataron en una granja de cerdos y conejos
   c. Trabaja cuidando niños durante el verano
   d. Sólo se dedica a sacar sus estudios adelante

4. Según Tirza, ¿cuáles son las ventajas de tener un trabajo?
   a. Que tienes más dinero para gastar comprando lujos
   b. Que aprendes mucho de tus compañeros
   c. Ganas dinero, experiencia e independencia
   d. Tienes más vida social cuando trabajas

5. ¿Cuáles son los inconvenientes del trabajo para Tirza?
   a. Que valoras menos el dinero y no aprendes a ahorrar
   b. Que tienes menos tiempo libre para salir con amigos
   c. Que los que trabajan no sacan buenas calificaciones en la escuela
   d. Que la familia te pide parte de tu salario

6. ¿Por qué trabaja Kristen?
   a. Para mejorar sus relaciones sociales
   b. Porque es un requisito en una de sus asignaturas
   c. Porque le gusta gastar dinero en ropa
   d. Porque le gusta la relación que mantiene con los clientes y aprende de ello

15 ¡A conversar!

Escriba una conversación con un/a compañero/a. Hablen sobre la involucración de los padres en la vida de los hijos.

- Introduzcan el tema.
- Hablen de los aspectos positivos y negativos.
- Den ejemplos o cuenten alguna anécdota.
- Despídanse.

A: _____

B: _____

A: _____

B: _____

A: _____

B: _____

A: _____

B: _____

16 Buscando errores

Lea el párrafo a continuación. Busque los errores enumerados en la siguiente lista y marque las casillas cuando los encuentre. Luego haga las correcciones necesarias.

3 acentos ○○○

3 tiempos verbales ○○○

3 preposiciones ○○○

4 concordancias ○○○○

2 pronombres ○○

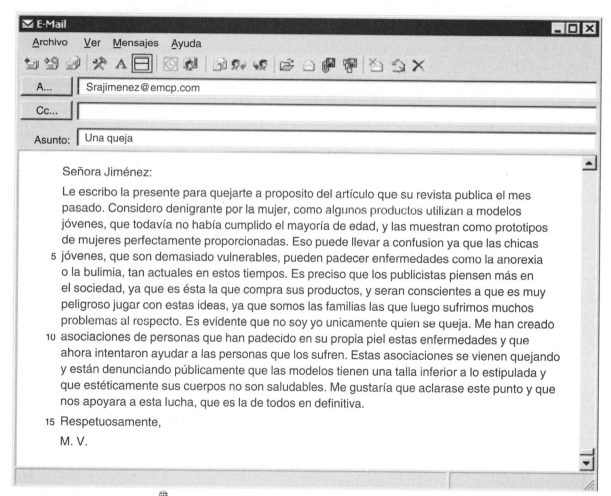

```
E-Mail                                                    _ □ ✕

Archivo   Ver   Mensajes   Ayuda

A...        Srajimenez@emcp.com

Cc...

Asunto:   Una queja
```

Señora Jiménez:

Le escribo la presente para quejarte a proposito del artículo que su revista publica el mes pasado. Considero denigrante por la mujer, como algunos productos utilizan a modelos jóvenes, que todavía no había cumplido el mayoría de edad, y las muestran como prototipos de mujeres perfectamente proporcionadas. Eso puede llevar a confusion ya que las chicas

5 jóvenes, que son demasiado vulnerables, pueden padecer enfermedades como la anorexia o la bulimia, tan actuales en estos tiempos. Es preciso que los publicistas piensen más en el sociedad, ya que es ésta la que compra sus productos, y seran conscientes a que es muy peligroso jugar con estas ideas, ya que somos las familias las que luego sufrimos muchos problemas al respecto. Es evidente que no soy yo unicamente quien se queja. Me han creado

10 asociaciones de personas que han padecido en su propia piel estas enfermedades y que ahora intentaron ayudar a las personas que los sufren. Estas asociaciones se vienen quejando y están denunciando públicamente que las modelos tienen una talla inferior a lo estipulada y que estéticamente sus cuerpos no son saludables. Me gustaría que aclarase este punto y que nos apoyara a esta lucha, que es la de todos en definitiva.

15 Respetuosamente,

M. V.

17 ¡A presentar!

Haga una presentación formal o una composición sobre los jóvenes que trabajan. No se olvide de citar las fuentes debidamente.

- Exponga su opinión.

- Hable de los pros y los contras.

- Llegue a una conclusión.

18 Amplíe su vocabulario 🔍

Complete las oraciones con la palabra o frase adecuada.

1. ¿Te fijaste en lo consentido que está este chico?

   Deberían _____ sus padres

   cuando se porta así de mal. ¿No crees?

   a. otorgarle   c. regañarle

   b. pasarse   d. soportar

2. Me apetece cambiarme el color del pelo. El otro día

   vi a una chica con el pelo _____

   y me pareció bastante mono. ¿Te animas?

   a. fluido   c. atrevido

   b. revoltoso   d. teñido

3. ¿Me das _____ de la tele? Me estás poniendo nervioso cambiando canales

   constantemente.

   a. la jerga   c. el mando

   b. el cuero   d. el agradecimiento

4. Sofía lleva dos horas en la cocina. Se empeñó en hacer cientos de aperitivos para esta

   noche. Habrá " _____ " según ella.

   a. por todas partes   c. se mire por donde se mire

   b. para todos los gustos   d. por poco

5. Sandra se entretuvo mirando los tatuajes un rato aunque decidió no hacerse nada por

   _____ a lo que dijeran sus padres.

   a. tamaño   c. temor

   b. terreno   d. comportamiento

6. _____ estoy pasando por una etapa difícil de mi vida.

   a. No es para tanto   c. Para serte sincero

   b. Tarde o temprano   d. De primeras

7. Parece que se aprovechó de mí, y es bastante preocupante pues habíamos creado

_____ de amistad muy grande.

    a. un lazo

    c. un entorno

    b. una marca

    d. el documento

8. Cuando mis padres me vieron con _____ les di un susto tremendo y mi

padre casi se desmaya. Me costó mucho convencerles de que esto es lo que se lleva.

    a. esta facha

    c. este filón

    b. esta mayúscula

    d. este rasgo

19 ¿Cuál es la palabra?

Complete las oraciones con la palabra o frase adecuada del recuadro. Haga los cambios necesarios. Puede usar las opciones más de una vez. Hay dos opciones que no necesita usar.

al fin y al cabo	falta de ortografía	por si acaso
asegurado	paso	reponer fuerzas
de primeras	por más que	sondeo

1. _____ le insistí, acabó por irse a su casa sola a medianoche. Me quedé

preocupada.

2. Marcelo se puso nervioso cuando vio que tenía muchas _____ en lo que

había escrito.

3. _____ le reñían sus padres, el niño seguía haciendo lo que quería.

4. Según el primer _____ parece ser que Paula saldrá de presidenta.

5. Nos propusimos no salir esa noche para _____. Estábamos destrozados

después de tantos exámenes.

6. Le pedí a Víctor que me acompañara al baile, pues no tenía una cita.

_____ para eso están los amigos, ¿verdad?

7. Cuando conocí a Cochi, _____ no me cayó muy bien, pero enseguida nos

hicimos íntimas amigas.

8. Anda, ¿por qué no me das un toque por teléfono por la mañana? Es _____

me quedo dormida y no llego a tiempo para el examen.

20 ¿Qué palabra es? 🔍

Escriba la palabra o expresión del vocabulario que corresponde a cada definición. Ponga una letra en cada casilla.

1. Expresión que se usa cuando la situación es seria

   ⬜⬜ ⬜⬜⬜⬜⬜ ⬜⬜⬜⬜ ⬜⬜⬜⬜⬜⬜

2. ¡Claro! ⬜⬜⬜ ⬜⬜⬜⬜⬜⬜⬜⬜

3. De verdad ⬜⬜ ⬜⬜⬜⬜⬜

4. Lo contrario de *amplio* ⬜⬜⬜⬜⬜⬜⬜⬜

5. De repente ⬜⬜ ⬜⬜⬜⬜⬜⬜

6. Para ser honesto ⬜⬜⬜⬜⬜ ⬜⬜⬜ ⬜⬜⬜⬜⬜⬜⬜⬜

7. Al principio ⬜⬜ ⬜⬜⬜⬜⬜⬜⬜⬜

21 Crucigrama

Escriba las claves para las palabras que aparecen en el crucigrama.

Horizontales	Verticales
4. _____	1. _____
_____	_____
6. _____	2. _____
_____	_____
7. _____	3. _____
_____	_____
8. _____	5. _____
_____	_____

22 Verbos con preposición

Elija la mejor respuesta.

1. Al ser tan inseguro, Esteban rara vez _____ pedirle salir a una chica

   aunque había muchas que querían tener una cita con él.

   a. se conformaba con   b. se entretenía con   c. se atrevía a   d. se empeñaba en

2. Efectivamente, por lo visto un gracioso _____ pintarle la cara a la estatua

   del caballo de la plaza de color rosa. Tarde o temprano averiguarán quién es.

   a. llegar a   b. renunciar a   c. se quejó de   d. se entretuvo con

3. Para ser sincero, estuve hablando con ella un rato y _____ lo que dijo. Lo

   siente de veras.

   a. se avergüenza de   b. se conforma con   c. se ríe de   d. se esfuerza en

4. Dentro de poco acabaremos sabiendo quién será el que _____ el nuevo

   presidente de la clase.

   a. se contente con   b. se arriesque a   c. se convierta en   d. renuncie a

5. De verdad. Me da mucha rabia que Luis siempre _____ mí para tomar

   decisiones. Por más que le digo que debe hacer sus cosas nunca las hace.

   a. dependa de   b. se acostumbre a   c. se entretenga con   d. llegue a

23 Verbos con preposición

Añada la preposición necesaria a los verbos del recuadro. Después complete las oraciones con la forma correcta del verbo. Hay un verbo que no necesita usar.

atreverse _____	empeñarse _____	quejarse _____
convertirse _____	esforzarse _____	reírse _____

1. No me gusta que _____ alguien, sino "con alguien". Lo primero es siempre más fácil, y más cruel.

2. Por lo visto está _____ ganarse tu amistad. Le gustaría tener otra oportunidad contigo.

3. Si no _____ conseguirlo, dudo que consigas lo que te propones.

4. Ese diseño _____ un símbolo de nuestra generación. Todos lo llevaban.

5. Nos reímos a carcajadas cuando nos enteramos de que había un tipo tumbado durmiendo en medio de la clase. Nadie _____ entrar.

¡Gente joven! Capítulo 2 Lección B

1 Futuro

Complete esta carta con los verbos del recuadro. Use el futuro. Puede usar los verbos más de una vez.

caber	componer	haber	quedarse	ser
compartir	decir	mantener	querer	tener
competir	esperar	poder	salir	traer

Hola a todos:

Les escribo para darle la bienvenida a nuestro programa. Dentro de unos días

(1) _____ de Bogotá en autobús hasta llegar a una pequeña aldea a dos

horas de acá, donde (2) _____ tres semanas en el campamento.

No se olviden que (3) _____ sus habitaciones con más miembros del

programa. (4) _____ tres o cuatro personas más en cada cabaña. Las

(5) _____ siempre limpias y ordenadas. No (6) _____

muchas maletas pues no (7) _____ en la habitación.

(8) _____ muchas actividades para hacer: (9) _____ jugar

a muchos deportes, (10) _____ contra otros los equipos, (11)

_____ canciones, (12) _____ una comida para los demás, y

muchas otras cosas que ya se les (13) _____ cuando lleguen.

Todos (14) _____ una gran experiencia. Estoy segura de que todos pasarán

unos días inolvidables y que (15) _____ una memorias muy bonitas que

(16) _____ compartir con sus familias y amigos. Es por lo que seguramente

(17) _____ traerse una cámara, me gustaría recordárselo una vez más, pues

una vez allí, no (18) _____ posible conseguir una.

Estoy deseando conocerles a todos en persona. ¿(19) _____ esperar unos

días más? Aquí estamos todos impacientes por verlos, todos (20) _____

ansiosos su llegada.

Hasta pronto,

Isabel Millán

Directora del programa Arcoiris

2 ¿Presente perfecto, pluscuamperfecto o futuro perfecto?

Complete el siguiente texto con el tiempo perfecto adecuado en español. Puede ser presente perfecto, pluscuamperfecto o futuro perfecto.

¿Tú (1) _____ *(leer)* el periódico hoy? Yo (2) _____ *(ver)* una

noticia sobre la problemática de los jóvenes a la hora de encontrar trabajo y vivienda. Es

un gran desafío para ellos y esto me (3) _____ *(hacer)* pensar mucho

en el tema. La verdad es que es una pena que haya gente que esté deseando encontrar

trabajo e independizarse y que no tenga posibilidades de ello. Afortunadamente, en mi

época no teníamos estos problemas. Un ejemplo de ello es el hecho de que con veinte

años yo ya (4) _____ *(trabajar)* en un par de sitios y vivía sola.

¿(5) _____ *(pasar)* realmente tanto tiempo desde entonces? ¡Quién

sabe…! Muchos jóvenes piensan que (6) _____ *(desperdiciar)* su vida

estudiando, ya que podrían tener un trabajo y habrían ahorrado muchísimo para poder alquilar

o comprar un departamento. Es muy triste, porque yo siempre (7) _____

(creer) necesario que es mucho mejor estudiar para tener un futuro asegurado. Es por lo que

incluso he llegado a escribir una carta al periódico para apoyar a la gente joven y ayudarles

en lo que pueda. No sé si (8) _____ *(hacer)* algo bueno por ellos, pero

necesitan un empujón y cuantos más seamos para apoyarlos en sus necesidades, mejor.

En mi época, muchos de nosotros ya (9) _____ *(asistir)* a miles de

manifestaciones a su edad, pero ellos necesitan, ahora más que nunca, nuestra ayuda para

movilizarse. Es un asunto muy complicado, se necesitan más recursos para los jóvenes.

Algunas empresas (10) _____ *(decidir)* apostar por la juventud, pero de

todos modos necesitan mucha más ayuda de nosotros.

3 Tiempos verbales ▨

Elija la mejor opción para completar cada oración.

1. Recientemente _____ (hacer) un proyecto muy prometedor y le

   _____ (dar) un premio por ello.

   a. habré hecho, han dado   c. había hecho, he dado

   b. ha hecho, han dado   d. ha hecho, habían dado

2. Raúl _____ (pensar) en ir, pero al final decidió quedarse en casa;

   se tumbó en el sofá y se puso a ver la tele.

   a. pensaría   c. piensa

   b. había pensado   d. pensará

3. José se fue a Dublín. ¿ _____ (volver) ya? ¿Por qué no nos

   pasamos por su apartamento por si acaso?

   a. Vuelve   c. Habrá vuelto

   b. Volverá   d. Vuelvo

4. Los chicos _____ (pensar) comprar la comida, pero yo

   _____ (ir) al supermercado antes.

   a. pensaban, habiá ido   c. han pensado, había ido

   b. he pensado, han ido   d. pensó, iré

5. Celia fue a pagar cuando se dio cuenta de que _____ (olvidar) la

   cartera. ¡Qué vergüenza pasó!

   a. olvidó   c. se le había olvidado

   b. había olvidado   d. olvidará

continúa

6. Carmen _____ (poner) la mesa para los invitados cuando le

llamaron diciéndole que no _____ (ir). ¡No se lo podía creer!

   a. puso, habían ido   c. pondrá, irían

   b. había puesto, iba   d. había puesto, irían

7. Me _____ (levantar), _____

  (desayunar) y me _____ (darse cuenta) de que

_____ (dejar) los libros en casa de Isabel. ¡Qué cabeza tengo!

   a. he levantado, he desayunado, he dado   c. levanté, habré desayunado, di cuenta, dejé
      cuenta, he dejado

   b. habían levantado, han desayunado, he   d. levantaré, desayunaré, di cuenta, dejaré
      dado cuenta, habían dejado

8. _____ (dormir) sólo ocho horas en estos tres días últimos, porque

me _____ (desvelar) miles de veces. Estoy un poco agotado, por

lo que estoy deseando recuperar mis fuerzas.

   a. He dormido, desvelo   c. Dormido, desvelaría

   b. Han dormido, desvelaba   d. Habré dormido, he desvelado

4 Participio pasado

Complete la conversación con el participio pasado de los verbos del recuadro. Hay un verbo que no necesita usar.

abrir	contratar	excluir	morir	perseguir
cerrar	describir	localizar	nacer	resolver
conocer	enfrentar	mejorar	oír	satisfacer

Entrevistadora: ¿Podrían explicar brevemente quiénes son y de dónde vienen?

Juan: Sí, cómo no. Somos Juan José Arellano García y Luz Sánchez Puerta. (1) ___Nacidos___ en una pequeñita aldea, (2) ___localizado___ al sur del Perú, en la zona del Amazonas.

Entrevistadora: ¿Qué hacen? ¿Van a la escuela?

Luz: No, lamentablemente no está (3) ___conocido___ todavía, pero lo haremos pronto. Mientras tanto estamos (4) ___contratados___ por una señora que, aunque tiene su tienda (5) ___abierta___, vende alfombras y jabones por la calle al estar su esposo (6) ___muerto___.

Entrevistadora: ¿Están (7) ___satisfechos___ con su trabajo?

Juan: Sí y no. Estamos satisfechos porque queremos trabajar para llevar dinero a casa, y así ayudar a nuestra familia que está muerta de hambre. Pero lo que esperamos es que las condiciones de trabajo sean (8) ___mejoradas___.

Luz: Sí, y otro problema es que somos (9) ___oídos___ y (10) ___descritos___ simplemente por el hecho de ser pobres y muchos de nosotros vivimos en la calle. No queremos estar (11) ___excluidos___ con nadie, sólo queremos sobrevivir e intentar mejorar esta situación.

Entrevistadora: Les agradezco muchísimo su colaboración. Quizás cuando su historia, junto con las de otros cientos de jóvenes, sea (12) ___enfrentado___ en mi periódico, algunas de sus voces sean (13) ___perseguidas___. Les deseo lo mejor de todo corazón y les aseguro que volveré pronto, y espero que para entonces algunos de sus problemas hayan sido (14) ___resueltos___.

5 Familia de palabras

Complete cada oración con la forma correcta de la palabra en negrita. La respuesta puede ser verbo, sustantivo o adjetivo. Añada un artículo cuando sea necesario.

1. **encarcelar**

    a. Los detectives han resuelto el crimen y por fin _____ a los ladrones.

    b. Por suerte el ladrón terminará en _____ por los crímenes que ha cometido.

    c. Algunos de los jóvenes terminaron _____ por participar en las manifestaciones.

2. **luchar**

    a. Nicolás es una de las personas más _____ que conozco. ¡Nunca se rinde!

    b. El otro día salió en las noticias que finalmente ha cesado _____ entre los partidos.

    c. Mis padres siempre me han enseñado que debo _____ por mis derechos.

3. **secuestrar**

    a. Nos dijeron que su padre había sido _____ por la milicia pero que logró huir.

    b. Han descubierto quienes son las personas culpables por _____ del empresario.

    c. ¡Qué barbaridad! Creo que el hijo del presidente terminará yéndose de ahí pues hay noticias de que lo quieren _____.

6 "Tapitas" gramaticales

Complete las oraciones con la forma correcta de las palabras entre paréntesis.

1. Los jóvenes saben que deben _____ (comportarse)

   bien y que no deben _____ (hacer) ruido

   por _____ (ninguno) motivo.

2. La reunión, _____ (organizar) por unos jóvenes

   de una asociación, _____ (ser) todo un éxito

   pues todos estaban muy _____ (motivar)

   aunque es verdad que también _____ (haber)

   _____ (alguno) que otro incidente sin importancia.

3. _____ (el) portavoz del grupo dijo que en unos días

   _____ (realizarse) un evento que

   _____ (incluir) muchas actividades

   culturales, al _____ (considerarse) ya

   _____ (un) ritual cada año.

4. Nuestro objetivo es _____ (difundir) la información a

   _____ (todos) las personas

   _____ (posible) y hacer todo lo que

   _____ (ser) necesario para que

   _____ (beneficiarse) muchos de

   _____ (este) oportunidad.

5. Mis colegas nos _____ (decir) que el concierto

   _____ (tener) lugar en la plaza de toros del

   pueblo en _____ (uno) par de semanas, y que

   _____ (estar) organizado por un grupo juvenil.

continúa

6. _____ (uno) 90% de ellos

_____ (atender) al partido que

_____ (haber) al día siguiente y que

por _____ (cualquier) motivo terminó

_____ (cancelarse).

7. Se les _____ (ofrecer) la oportunidad para que

_____ (empezar) una nueva vida desde cero sin

_____ (ninguno) tipo de opresión.

8. El periodista del sindicato _____ (agregar) que

_____ (brindar) la oportunidad a los empleados

de _____ (colaborar) con ellos para mejorar

_____ (el) condiciones de _____ (el)

trabajadores y entre otras cosas poder ofrecer _____ (lo) un

trabajo seguro y estable.

7 ¿Qué palabra es?

Escriba una palabra en cada espacio para completar las oraciones. En los espacios que no necesiten ninguna palabra, escriba una 'X'.

1. ¡ _____

cruel es este señor! El niño ha tenido

_____ huir

_____ su casa

_____ el maltrato

que recibía _____

su propio padre.

2. Se dice que _____ los

cientos _____ niños

que trabajaban _____

la fábrica, la _____ mayoría ha podido volver

_____ la escuela _____ terminar

sus estudios.

3. Estas organizaciones tratan _____ ayudar

   _____ los niños _____ sufren

   el abandono de sus padres o que huyen _____ sus hogares.

   Tratan _____ evitar _____ vivan

   en la calle.

4. Pero tú _____ visto el bullicio que

   _____ en la calle. Parece ser que

   _____ una manifestación organizada

   _____ uno _____ los líderes

   _____ conservadores.

5. Todos mis compañeros cuentan _____

   el apoyo _____ sus familias y van

   _____ luchar _____

   que la situación no vuelva _____

   producirse, _____ que les da una gran

   seguridad. ¡Menos _____ mal!

6. Siempre había deseado vivir _____ su cuenta,

   aunque no podía ahorrar _____ dinero necesario

   _____ poder emanciparse. Al final, aunque siempre

   _____ había opuesto _____

   vivir con su familia después _____ la

   universidad, terminó _____ hacerlo

   durante cinco años _____.

8   Antes de leer

¿Cuida diariamente su salud? ¿Cree que el VIH puede convertirse en un problema entre los jóvenes? ¿Cree que los jóvenes tienen suficiente información sobre esta enfermedad? ¿Es la pobreza un factor negativo para la salud? ¿Por qué?

9 Enfocando en los jóvenes

Lea el siguiente artículo.

Declaración en el Día Mundial de la Población

Este año, en el Día Mundial de la Población, centramos nuestra atención en los jóvenes. Si comparamos una niña de diez años con un hombre joven de 24 años, **comprobamos** que sus necesidades son disímiles, sus culturas son diferentes. No obstante, en todo el mundo, todos los jóvenes **aspiran a** ser oídos y quieren participar.

5 Los jóvenes poseen las ideas, la determinación y la energía necesarias para **impulsar** acciones eficaces a fin de reducir la pobreza y la desigualdad. En todas las regiones, los jóvenes están pasando a la acción con respecto al VIH/SIDA y otras cuestiones que amenazan su salud, su educación y sus oportunidades para el futuro.

Los jóvenes quieren mantenerse protegidos y **saludables**. Quieren tener la opción de un
10 futuro mejor. Acerca de la prevención del VIH, nos dicen: "Los adultos dicen que somos muy jóvenes para recibir la información; nosotros decimos que somos demasiado jóvenes para morir". Con respecto a la planificación de la familia, los jóvenes nos dicen: "Los hombres deberían compartir las responsabilidades con las mujeres". Con respecto a la salud sexual y reproductiva, los jóvenes nos dicen: "La juventud necesita esa información, pues conforma
15 nuestras vidas y afecta nuestro futuro".

No obstante, en la actualidad hay millones de jóvenes amenazados por la pobreza, el **analfabetismo**, los riesgos del embarazo y el parto y del VIH/SIDA. **Actualmente**, hay más de 500 millones de jóvenes de entre 15 y 24 años de edad que viven con menos de dos dólares diarios; en los países en desarrollo, hay 96 millones de jóvenes mujeres que no saben leer ni
20 escribir; y cada año, 14 millones de niñas adolescentes, de entre 15 y 19 años de edad, dan a luz. Cada día, 6.000 jóvenes se agregan a las personas infectadas con el VIH.

Esos problemas son aspectos medulares de los objetivos planteados por los líderes mundiales para reducir la pobreza y mejorar la salud y el bienestar. Es evidente que no será posible **alcanzar** los Objetivos de Desarrollo del Milenio a menos que los jóvenes participen
25 activamente en la formulación de políticas y la programación, **a menos que** se escuchen sus voces, a menos que se satisfagan sus necesidades y a menos que se respeten sus derechos humanos.

El UNFPA [Fondo de Población de las Naciones Unidas] es un paladín de los derechos de los jóvenes a la educación, la salud y el empleo. Reconocemos que las inversiones efectuadas
30 en los jóvenes promueven el desarrollo social y el crecimiento económico. Un aspecto fundamental de estas acciones es mantener a las niñas en la escuela, de modo que puedan adquirir aptitudes para la vida, **aplazar** el matrimonio y el embarazo hasta la edad adulta y prevenir la infección con el VIH. Los jóvenes pueden impulsar el desarrollo.

Hoy, en el Día Mundial de la Población, focalicemos nuestra atención en los jóvenes y en
35 la búsqueda de **nuevas maneras** de colaborar como aliados en el desarrollo. Si bien se suele afirmar que los jóvenes son el futuro, también es verdad que los jóvenes son el presente y que es preciso apoyar su liderazgo desde hoy. Como dijo un joven educador de otros jóvenes: "Estamos creando un futuro; y esto **marcha muy bien**".

Thoraya Ahmed Obaid
Directora Ejecutiva del UNFPA

10 ¿Ha comprendido?

Elija la mejor respuesta para cada pregunta.

1. ¿Qué piensan los jóvenes acerca de la enfermedad del VIH?

   a. Que es un problema de adultos

   c. Que podrían morir jóvenes

   b. Que ellos están sanos y saludables porque están bien informados

   d. Que los adultos piensan que no es necesaria la información, pero ellos la quieren porque es su futuro

2. ¿Cuáles son los problemas más graves que afectan a la juventud?

   a. El fracaso en las escuelas y el VIH

   c. La falta de información y el analfabetismo

   b. El analfabetismo, la enfermedad y la pobreza

   d. La falta de escuelas, de trabajos y de servicios de salud

3. ¿Cuáles son los objetivos de los líderes mundiales?

   a. Satisfacer a los jóvenes del mundo

   c. Reducir la pobreza y mejorar el bienestar

   b. Que los jóvenes vivan con más de dos dólares al día

   d. Que los jóvenes participen activamente en la política

4. ¿Qué pretende el Día Mundial de la Población?

   a. Impulsar el desarrollo con la ayuda de los jóvenes

   c. Que los jóvenes se ayuden los unos a los otros

   b. Que la población internacional viva en paz

   d. Combatir los embarazos no deseados

11 ¿Qué significa?

Explique con sus propias palabras lo que significan estas palabras o frases que aparecen en negrita en el artículo.

1. saludables _____

2. alcanzar _____

3. a menos que _____

4. nuevas maneras _____

12 Sinónimos

Empareje las expresiones de la primera columna con su sinónimo en la segunda. Las expresiones de la primera columna en negrita en el artículo.

1. comprobar   _____   a. funcionar satisfactoriamente

2. aspirar a   _____   b. verificar

3. impulsar   _____   c. hoy en día

4. saludable   _____   d. querer llegar a

5. analfabetismo _____   e. no saber leer y escribir

6. actualmente   _____   f. lograr

7. alcanzar   _____   g. dejar para después

8. a menos que   _____   h. bueno para la salud

9. aplazar   _____   i. a no ser que

10. marchar muy bien _____   j. empujar, estimular

13 ¿Ha comprendido?

Conteste las siguientes preguntas sobre el artículo.

1. ¿Qué cualidades poseen los jóvenes de hoy para ayudar al desarrollo?

   _____

2. Según los jóvenes, ¿qué piensan los adultos sobre la prevención del VIH?

   _____

3. ¿Cuál es un aspecto fundamental de las acciones tomadas por el UNFPA?

   _____

14 Preposiciones

Escriba las preposiciones que van con estos verbos extraídos del texto.

1. centrarse _____

2. con respecto _____

3. compartir _____

15 Escriba ✒

En su cuaderno, resuma lo que ha leído en un párrafo. Subraye las palabras nuevas que use y enumérelas.

16 Se titula...

Piense en otro título para el artículo.

_____

17 La industria de las alfombras 💿 (CD 1, pista 7)

Después de escuchar la audición, elija la mejor respuesta para cada pregunta.

1. ¿Qué tipo de problemas de salud tienen los niños que trabajan en las fábricas de alfombras?
   a. Problemas de la espalda, de la vista y de los órganos del sistema respiratorio
   b. Problemas de los pies y de la vista porque viven en sitios mal iluminados
   c. No tienen problemas de salud específicos, el único problema es que trabajan muchas horas.
   d. Problemas con las articulaciones

2. ¿Cuál es la misión de 'El proyecto Rugmark'?
   a. Marcar las alfombras que no están hechas con mano de obra infantil con una cara sonriente
   b. Poner una cara sonriente a todas las alfombras para alegrar a las personas que las compran
   c. Poner una cara sonriente a todas las alfombras para alegrar a los niños que están trabajando
   d. Dar a conocer que ya no hay niños explotados en el mundo textil

3. ¿Por qué Vinod comenzó a trabajar en la fabricación de alfombras?
   a. Porque sus padres necesitaban más dinero
   b. Porque él necesitaba el dinero
   c. Porque tras la muerte de su padre él tenía que mantener a la familia
   d. Porque dejó de estudiar y tuvo que empezar a trabajar

4. ¿Qué condición impusieron los inspectores de Rugmark al jefe de Vinod?
   a. Que liberara a Vinod o si no, le cerraban la fábrica
   b. Que pagara más a los chicos o tenía que cerrar la fábrica
   c. Que liberara a Vinod y a otros niños o le cerraban la fábrica
   d. Que les diera mejores condiciones médicas a sus trabajadores más jóvenes

5. ¿Cómo era el aspecto de Vinod cuando fue a ver a su madre?
   a. Vinod estaba triste porque ya no podía mantener a su familia.
   b. Tenía un aspecto mucho más saludable.
   c. Era muy feliz al volver a ver a su madre.
   d. Estaba cansado porque tenía que estudiar mucho.

6. ¿Qué necesidad sienten los chicos que están en el centro para niños de Rugmark?
   a. La necesidad de tener un trabajo para conseguir dinero
   b. La necesidad de aprender mucho
   c. La obligación de estudiar
   d. La necesidad de ser felices y estar sanos

18 ¡A presentar!

Haga una presentación formal o una composición sobre el trabajo infantil en países del tercer mundo. No se olvide de citar las fuentes debidamente.

19 Buscando errores

Lea la carta a continuación. Busque los errores enumerados en la siguiente lista y marque las casillas cuando los encuentre. Luego haga las correcciones necesarias.

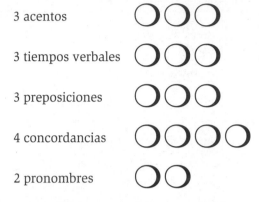

3 acentos ◯◯◯

3 tiempos verbales ◯◯◯

3 preposiciones ◯◯◯

4 concordancias ◯◯◯◯

2 pronombres ◯◯

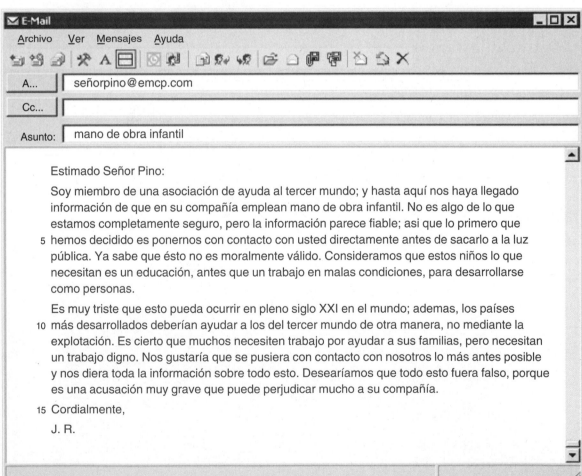

E-Mail

Archivo   Ver   Mensajes   Ayuda

A...   señorpino@emcp.com

Cc...

Asunto: mano de obra infantil

Estimado Señor Pino:

Soy miembro de una asociación de ayuda al tercer mundo; y hasta aquí nos haya llegado información de que en su compañía emplean mano de obra infantil. No es algo de lo que estamos completamente seguro, pero la información parece fiable; asi que lo primero que
5 hemos decidido es ponernos con contacto con usted directamente antes de sacarlo a la luz pública. Ya sabe que ésto no es moralmente válido. Consideramos que estos niños lo que necesitan es un educación, antes que un trabajo en malas condiciones, para desarrollarse como personas.

Es muy triste que esto pueda ocurrir en pleno siglo XXI en el mundo; ademas, los países
10 más desarrollados deberían ayudar a los del tercer mundo de otra manera, no mediante la explotación. Es cierto que muchos necesiten trabajo por ayudar a sus familias, pero necesitan un trabajo digno. Nos gustaría que se pusiera con contacto con nosotros lo más antes posible y nos diera toda la información sobre todo esto. Desearíamos que todo esto fuera falso, porque es una acusación muy grave que puede perjudicar mucho a su compañía.

15 Cordialmente,

J. R.

20 Escriba

Imagínese que es uno de los directivos de la empresa. Responda a la carta del periodista.

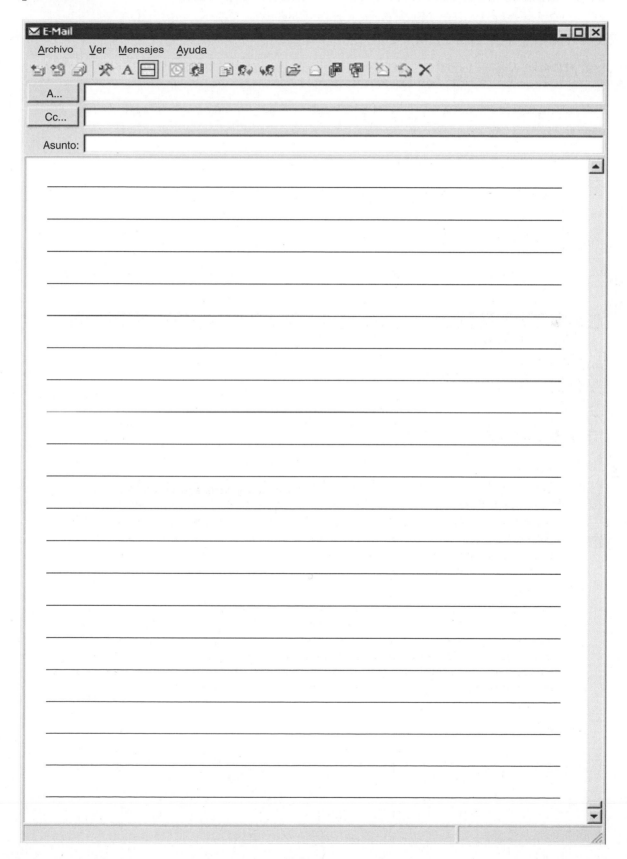

21 ¡A conversar!

Escriba una conversación con un/a compañero/a. Imagínense que los dos deciden participar de forma activa para ayudar a otros jóvenes.

- Hablen sobre la necesidad de participar activamente.

- Describan las distintas formas en las que pueden hacerlo en su comunidad.

- Tomen una decisión.

A: _____

B: _____

A: _____

B: _____

A: _____

B: _____

A: _____

B: _____

22 Presentemos en público

Unos compañeros van a presentar la conversación del ejercicio anterior en clase. En su cuaderno, tome notas de lo que digan y analice (1) el uso de la gramática, (2) el uso del vocabulario, (3) la entonación, (4) la presentación de sus ideas y (5) la pronunciación. La clase debe hacerle al menos dos preguntas a cada estudiante una vez que terminen.

23 Amplíe su vocabulario 🔍

Complete las oraciones con la palabra o frase adecuada.

1. Hemos oído que Pilar ha salido en la portada de una conocida revista al otorgarle

   _____ por sus trabajos realizados.

   a. una raíz   b. un gesto

   c. un premio   d. un esfuerzo

2. Estoy seguro que estos chicos _____ todo lo que

   se propongan en su vida. Son muy luchadores y se esfuerzan en todo lo

   que hacen.

   a. lograrán   b. justificarán   c. compartirán   d. acogerán

3. ¡No me lo puedo creer! Por lo visto esta madrugada han atrapado al

   _____ de la organización criminal.

   a. bullicio   b. cerebro   c. bienestar   d. empleo

4. ¿Quién será este señor? Seguramente habrá jugado un _____ muy

   importante en la campaña. Cuenta con el apoyo de muchas personas influyentes.

   a. entorno   b. domicilio   c. papel   d. sueldo

5. En la clase de historia hablamos sobre _____ que sufre este país.

   a. el bullicio   b. el bienestar   c. el conflicto armado   d. el menor

6. Cuando llegó el policía, el cuerpo de la anciana _____ inmóvil en

   el césped, rodeado de una multitud de curiosos interesados por lo ocurrido.

   a. colocaba   b. nacía   c. yacía   d. cesaba

continúa

7. ¿Qué es ese ruido? ¿Habrá sido que alguien ha _____ ? Tal vez el ayuntamiento esté celebrando unos festejos con fuegos artificiales.

   a. demostrado   b. disparado   c. otorgado   d. apoyado

8. Me han dicho que, como de costumbre, toda la comida fue _____ por el grupo de jóvenes.

   a. otorgada   b. salvada   c. ahorrada   d. compartida

24 ¿Cuál es la palabra?

Complete las oraciones con la palabra adecuada del recuadro. Haga los cambios necesarios. Hay una palabra que no necesita usar.

alcanzar	esperanza	infancia
entorno	gesto	multitud
esfuerzo	impedir	superar

¡Muy Bien!

1. Hay que realizar un gran ___esfuerzo___ para conseguir el puesto de trabajo.

2. Aunque algunos trataron inútilmente de impedirlo, ___el gesto___ se abalanzó sobre las personas que repartían los premios.

3. Para resumir, considero que lo que él hizo fue ___impido___ poco cortés.

4. Pensaba que ___la mutitud de___ sus problemas hasta que su madre me confirmó todo lo contrario.

5. Se ___alcanza___ la cifra de un millón de visitantes.

6. Hay que hacer todo lo que sea necesario para ___superar___ que la resolución llegue hoy.

7. He tenido ___esperanza___ de que me llamaría durante mucho tiempo, pero ya he terminado por perderla.

8. Mi ___infancia___ hubiera sido perfecta de no ser por el accidente que tuve de pequeño por culpa de un conductor que iba bebido.

25 ¿Qué palabra es?

Escriba la palabra o expresión del vocabulario que corresponde a cada definición. Ponga una letra en cada casilla.

1. Dinero que se gana por un trabajo ⬜⬜⬜⬜⬜⬜

2. Grupo de soldados ⬜⬜⬜⬜⬜⬜⬜⬜

3. Muchas personas ⬜⬜⬜⬜⬜⬜⬜⬜⬜

4. Sinónimo de *No es justo* ⬜⬜ ⬜⬜⬜⬜ ⬜⬜⬜⬜⬜⬜⬜⬜

5. Poner bajo tierra ⬜⬜⬜⬜⬜⬜⬜⬜

6. Ofrecer, hacer algo fácil y accesible ⬜⬜⬜⬜⬜⬜⬜⬜⬜⬜

7. Lo contrario de *morir* ⬜⬜⬜⬜⬜

8. Sinónimo de *dar* ⬜⬜⬜⬜⬜⬜⬜

26 Crucigrama

Escriba las claves para las palabras que aparecen en el crucigrama.

Horizontales

2. _____

_____

4. _____

_____

6. _____

_____

7. _____

_____

Verticales

1. _____

_____

3. _____

_____

4. _____

_____

5. _____

_____

27 Verbos con preposición

Elija la mejor respuesta.

1. Aunque a veces haya sido difícil, siempre _____ hacer lo que me gusta.

    a. me he arriesgado a

    b. he abusado de

    c. me he arrepentido de

    d. he influido en

2. Seguramente _____ convencerle, pero conociéndolo, seguro que no cambiará de opinión.

    a. habrán tratado de

    b. habrán amenazado con

    c. se habrán resistido a

    d. se habrán aprovechado de

3. Está claro que todos _____ esta beca ofrecida por la facultad y querrán saber más.

    a. se conformarán con

    b. se resistirán a

    c. se esforzarán en

    d. se interesarán por

4. Estoy convencido de que nadie _____ tu idea. Es lo mejor que he oído hasta ahora. ¡Enhorabuena por el trabajo!

    a. se opondrá a

    b. contará con

    c. se atreverá a

    d. se arriesgará a

5. El conferenciante les contó con orgullo a los estudiantes cómo algunos de sus profesores _____ su vida y le ayudaron a ser quién es hoy en día.

    a. huyeron de

    b. influyeron en

    c. se esforzaron en

    d. dejaron de

28 Verbos con preposición

Sin mirar el ejercicio anterior, añada la preposición necesaria a los verbos del recuadro. Después complete las oraciones con la forma correcta del verbo. Hay un verbo que no necesita usar.

> aprovecharse _____   influir _____
>
> arriesgarse _____   interesarse _____
>
> contar _____   tratar _____

1. Aunque la familia le preguntó a Rodrigo si quería quedarse más tiempo en su casa, él dijo que no porque no quería _____ la situación.

2. ¿Quiénes han sido las personas que más _____ tu vida?

3. Me imagino que en estos momentos difíciles _____ el apoyo de sus parientes y amigos más cercanos.

4. Tú siempre _____ hacer todo lo que te ha interesado. Siempre has cumplido tus sueños. ¡Qué envidia!

5. A veces nosotros no _____ hacer algo que requiere un gran esfuerzo y sacrificio.

¡Que aproveche! Capítulo 3 Lección A

1 Subjuntivo

Complete las oraciones con el presente del subjuntivo de estos verbos. Hay un verbo que no hace falta utilizar.

apostar	convertirse	pensar	satisfacer
caminar	excluir	poner	soportar
conseguir	olvidar	rechazar	terminar

1. Ellos quieren que _____ mis deseos y es algo que para mí es también muy importante, pero no puedo con la presión.

2. La máxima aspiración de mi madre es que yo _____ en una persona feliz.

3. ¿Desea que _____ la mesa de alguna manera en particular?

4. Será necesario que ella _____ mucho para llegar a aquel restaurante pequeñito.

5. _____ por ese chico: es un artista en potencia y estoy segura de que triunfará.

6. Necesito que _____ lo que aprendió en ese curso. Eso no le va a servir de nada aquí.

7. Es preciso que _____ todo este trabajo antes de que se marche.

8. No publicamos libros sobre ese tema. Por favor, _____ usted el manuscrito que le entregaron.

9. No es cierto que ellos _____ igual que usted; son personas muy diferentes.

10. Cualquiera que se _____ de los demás no llegará hasta la cima en el mundo de los negocios.

11. No hay nadie que no _____ su apetito con algo dulce.

2 ¿Subjuntivo, indicativo o infinitivo?

Complete el siguiente texto con el tiempo adecuado: elija entre presente del subjuntivo, presente del indicativo o infinitivo. Puede usar algunos verbos más de una vez.

acompañar	cocinar	finalizar	rogar
acudir	constar	hacer	saber
aprobar	disponer	pasar	tener
asistir	estar	pedir	trabajar
avisar	exigir	presentarse	traer

Señorita Pérez:

Es importante que (1) _____ a la entrevista de trabajo que

(2) _____ fijada para el día 6 de mayo a las 9:30 de la mañana en nuestras

oficinas. Es necesario que (3) _____ el currículo, más dos fotos tamaño carné

recientes. La entrevista normalmente (4) _____ de varias pruebas: un examen

psicológico, una demostración de que usted (5) _____

(6) _____ cualquier plato que nosotros le (7) _____ y otra

prueba de nivel de inglés. Es esencial que usted (8) _____ el examen para que

(9) _____ a la entrevista. Le (10) _____ que si no está segura

de que puede (11) _____ las pruebas, por favor no (12) _____,

al igual que si por cualquier motivo no pudiera (13) _____ a la oficina le

(14) _____ que (15) _____ con 24 horas de antelación.

Para la prueba de cocina usted no necesita (16) _____ nada.

Aquí le daremos todo lo necesario para que (17) _____ sin ningún

problema. Podrá (18) _____ de 1 hora para realizar la prueba. Si al

(19) _____ usted no ha pasado este examen, no será necesario que

(20) _____ la prueba de inglés.

Si tiene alguna duda, no (21) _____ inconveniente en llamarnos al

teléfono que aparece en la tarjeta que (22) _____ esta nota. Muchísimas

gracias por su atención.

Atentamente,

H.D.

3 Los mandatos

Complete la siguiente conversación con los verbos del recuadro. Ponga los verbos en forma de mandatos. Usará algunos verbos más de una vez.

callarse	dormirse	limpiar	poner
cortar	echar	menear	regar
dar	empezar	mezclar	sazonar
decorar	encender	mover	venir
dejar			

Chef: Usted, (1) _____ aquí que hoy va a aprender cómo hacer un buen plato. (2) _____ con la salsa. (3) _____ la mantequilla con la harina, la leche y el huevo. (4) _____ la mezcla en el fuego y (5) _____ cocer.

Aprendiz: Lo que usted diga.

Chef: (6) _____ el fuego, (7) _____ el aceite en la sartén y mientras se cuece, (8) _____ la verdura muy fina, en juliana, que así se dice en el argot típico de la cocina.

Aprendiz: A sus órdenes.

Chef: Menos bromas que tenemos mucho trabajo y muy poco tiempo; además usted lo que tiene que hacer es aprender y callar.

Aprendiz: Mi madre me enseñó desde pequeño a cocinar. Somos tres hermanos y soy el pequeño; se quedó con ganas de tener una hija.

Chef: Bueno, bueno, no me cuente su vida. A trabajar le he dicho. (9) _____ la verdura más fina, y (10) _____ lo que está al fuego, si no se le va a pegar. (11) _____ el filete ya en la sartén, (12) _____ la vuelta, y no (13) _____ en los laureles que todavía tenemos mucho trabajo.

Aprendiz: Pero si aquí el único que trabaja soy yo...

continúa

Chef: (14) _____, hombre, un poco más de respeto. Usted viene aquí a aprender, ¿no es así? Entonces nada de quejas. Y (15) _____ la salsa que se le va a pegar. Ahora (16) _____; échele sal, nuez moscada y un poco de pimienta. Si es que tengo que estar en todo.

Aprendiz: Y usted, ¿cómo aprendió?

Chef: ¿Yo? Con los mejores cocineros que había en Francia, pero ahora ya no es lo que era. Pero bueno, (17) _____ la sartén, que seguro que como sigamos así salimos ardiendo. (18) _____ la guarnición en el plato; pero hombre, (19) _____ mejor. Ahora (20) _____ los bordes y (21) _____ el lomo con la salsa.

Aprendiz: ¿Así está bien?

Chef: Bueno, no está mal.

4   Participio pasado

Complete la siguiente tabla con el participio pasado adecuado.

1. levantar		9. resolver	
2. leer		10. cubrir	
3. decir		11. distribuir	
4. poner		12. dormir	
5. volver		13. morir	
6. recoger		14. romper	
7. abrir		15. escribir	
8. hacer		16. mojar	

5 La voz pasiva

Complete el siguiente texto con la voz pasiva en presente o en pretérito del indicativo o subjuntivo.

Recuerde, la voz pasiva se forma con el verbo *ser* + participio pasado. El participio funciona como adjetivo, por lo tanto debe concordar en género y en número con el sustantivo.

Mi vida como programadora de eventos comenzó justo un año después de haber visto la película

"The Wedding Planner", que (1) _____ *(hacer)* por una de mis actrices

preferidas. Sí, he de reconocer que (2) _____ *(inspirar)* por esta carismática

actriz puertorriqueña. Es un trabajo muy divertido pero las cosas no salen siempre como

(3) _____ *(planear)* por una. Es el caso de mi primer evento. Gracias a

los contactos de un amigo mío, (4) _____ *(contratar)* por la hija de un

importante señor de negocios de nuestra ciudad. La boda (5) _____ *(arruinar)*

por una serie de acontecimientos que una no se podía imaginar. Las sillas

(6) _____ *(poner)* en forma rectangular y no en círculo, los letreros en las

mesas y los menús (7) _____ *(escribir)* en español y no en hebreo tal y como

ella me había solicitado, su ramo (8) _____ *(hacer)* de rosas y no de flores

silvestres y, por último, la gigantesca tarta (9) _____ *(hacer)* de chocolate tal

y como concretamos, pero con una crema de cacahuetes que hizo que todos los miembros

de la familia del novio (10) _____ *(llevar)* al hospital inmediatamente.

¡Ay, casi se me olvidaba! Todos los invitados (11) _____ *(mojar)*

por completo debido a las fuertes lluvias que cayeron porque había convencido

a la novia que no pusiera una carpa por si llovía. Todo apuntaba a que la fiesta

(12) _____ *(suspender)*. Sorprendentemente, no fue así. Cuando las

primeras canciones (13) _____ *(cantar)* por la conocida banda todos se

pusieron a bailar y se lo pasaron muy bien. Bueno, todos menos la familia del novio que

(14) _____ *(ingresar)* por tres días. Lo más sorprendente es que desde entonces

(15) _____ *(contratar)* constantemente por personas de la alta sociedad que

buscan una boda original y llena de imprevistos. Si (16) _____ *(organizar)*

por mí ya saben que cualquier cosa puede pasar y eso les fascina.

6 Familia de palabras

Complete cada oración con la forma correcta de la palabra en negrita. La respuesta puede ser verbo, sustantivo o adjetivo. Añada un artículo cuando sea necesario.

1. **llenarse**

   a. Tal vez _____ el restaurante y no podamos encontrar mesa. Será mejor que hagas una reserva, por si acaso.

   b. María, no nos entra en la cabeza cómo puedes estar _____ con lo poco que has comido.

   c. Hubo _____ completo para el concierto. Todo el mundo quiso ir a verlo.

2. **congelar**

   a. No hay nada que sepa peor que las patatas _____. ¡Me dan ganas de vomitar de sólo pensarlo!

   b. _____ está roto y me han dicho en la tienda que no pueden venir a arreglarlo, así que será mejor que nos compremos uno nuevo.

   c. Me deprime que _____ siempre todo. Ya es hora de que coma comida fresca. Vamos a invitarlo a tomar algo fuera, ¿qué te parece?

3. **saborear**

   a. Raúl, prueba este queso que me han traído. Tiene _____ un tanto peculiar, por eso a mí no me convence. Quizás a ti sí. Ya sabes, sobre gustos no hay nada escrito.

   b. Se me hace la boca agua sólo con pensar en aquellos guisos que preparaba mi abuela de pequeños. Recuerdo estar en el jardín de la casa, al sol, y comiendo todos los nietos juntos. ¡Echo de menos esos _____ platos!

   c. Deja de engullir la comida que te va a sentar mal y _____ tranquilo.

7 ¿Cuál es la palabra?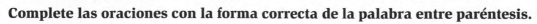

Complete las oraciones con la forma correcta de la palabra entre paréntesis.

1. Había _____ *(localizar)* un restaurante cuando el guía me dijo que

   no era muy _____ *(acertar)* mi elección. Dijo que dondequiera que

   _____ *(haber)* un buffet libre por esta zona no hay calidad, aunque la

   comida _____ *(ser)* _____ *(copioso)*.

2. Como ya sabes, Sito siempre anda _____ *(correr)* de un lado para otro. No

   es que _____ *(fingir)* que esté ocupado, es que lo está.

3. Yo nunca _____ *(haber)* ido a Colombia, pero

   alguien me _____ *(haber)* dicho que la comida varía

   _____ *(mucho)* dependiendo de la zona en la que se

   _____ *(estar)*. Yo pienso probar _____ *(cualquiera)* cosa

   que me _____ *(poner)*, con tal de que no _____ *(ser)* algo

   raro. Lo que me gusta _____ *(ser)* que _____ *(haber)*

   _____ *(tanto)* variedad por la influencia de los españoles, aborígenes

   americanos, árabes y de los esclavos _____ *(traer)* de África.

4. Yo particularmente _____ *(disfrutar)* de la

   comida _____ *(copioso)* y tradicional. Me acuerdo de

   _____ *(uno)* día que _____ *(ir)* a comer a un

   restaurante moderno donde me _____ *(colocar)* una aceituna encima

   de una salsa extraña, y me dijeron que _____ *(ser)* una de las recetas

   _____ *(preferido)* del chef. Yo me quedé _____ *(morir)*

   de hambre.

5. ¡Que no me _____ *(hablar)* de la cocina moderna! Quiero que me

   _____ *(servir)* un plato que me deje _____ *(satisfacer)*.

   No estoy _____ *(disponer)* a pagar _____ *(tanto)*

   dinero por una cosa extraña. Yo _____ *(provenir)* de una familia sencilla

   y me _____ *(gustar)* las cosas más básicas.

8 ¿Qué palabra es?

Escriba una palabra en cada espacio para completar las oraciones. En los espacios que no necesiten ninguna palabra, escriba una 'X'.

1. No puedo _____ moverme. He caminado _____ horas y horas.

   Insisto _____ que cuando podamos, _____ quedemos

   _____ descansar en uno de estos hotelitos. Hace _____

   rato vi uno _____ aquí cerca.

2. Ángel _____ pide que pelemos _____ limón,

   _____ que desea usar la cáscara _____ éste

   _____ un postre que quiere preparar además _____ la

   tarta _____ fresas y nata.

3. A fin _____ que pueda poner el mantel, acuérdate

   _____ recoger la mesa primero. Si lo prefieres, podemos pasarnos

   _____ un restaurante que _____ muy cerca.

   Pero debemos _____ ir pronto, ya _____ se llena

   _____ gente _____ un santiamén.

4. Con tal _____ que vaya allí _____ gente, el propietario

   _____ restaurante _____ dando tapas gratis

   _____ cualquiera que pida un refresco.

5. _____ cuanto le echaron un puñado _____ sal

   _____ guiso, estaba _____ chuparse los dedos. Aunque

   tuviera _____ pinta, estaba delicioso. ¡ _____ serio!

9 Antes de leer 👥

¿Suele cocinar? Si su respuesta es afirmativa, ¿disfruta con ello? ¿Por qué? ¿Hace otras labores domésticas? ¿Cuàles son?

10 Aceite de oliva 📖

Lea el siguiente artículo.

Aceite de oliva, símbolo de riqueza

El aceite de oliva, o como Herodoto lo calificó, 'oro líquido', es uno de los productos estrella de la gastronomía mediterránea y específicamente de la española. Ya los babilónicos lo consumían y comerciaban con él. Conocida es la ruta de la seda, pero también existía la del aceite desde tiempos <u>helénicos</u>.

5 Pero es ahora cuando ha llegado a su máxima plenitud. Desde Nueva York, donde lo puedes conseguir en determinados supermercados; hasta Japón, donde, junto al jamón ibérico, ha creado una revolución en la gastronomía, tan grande que muchos cocineros nipones viajan a España a conocer e investigar los productos **típicos** de la tierra.

Es apto para consumir a cualquier hora del día: desayuno, pan con aceite y tomate; comida,
10 gazpacho; merienda o cena, aliño de ensaladas y miles de recetas más. Se considera un producto **<u>omnipresente</u>** en la gastronomía española.

El aceite es como un buen vino, posee miles de sabores y texturas (dulzor, regusto afrutado, fragancia...) y tal y como pasa con el vino, sería perfecto usar un tipo de aceite con cada tipo de comida, aunque no estemos acostumbrados a ello. La aceituna, al igual que la uva,
15 dependiendo del momento de la recolección, dará un matiz distinto; y como con el vino, existen gourmets encargados de la cata, que afirman que con una cucharada sopera es suficiente para <u>degustar</u> las múltiples cualidades del producto.

Este líquido maravilloso está presente en todas las cocinas y recetas de la cultura gastronómica mediterránea, y pese a la mala fama que obtuvo durante un tiempo, debido a que era
20 considerado como principio de colesterol, cáncer y problemas cardiovasculares, ha demostrado, él mismo, gracias a sus cualidades, que es todo lo contrario, fuente de salud y riqueza. Desde Grecia, Italia, Francia o España, y sobre todo en este último, país que en su sur, el paisaje lleno de olivos, lo demuestra, es una de las bases no solo <u>culinaria</u>, sino económica, ya que en muchos pueblos andaluces miles de personas viven de la recolecta de la aceituna; y tiene
25 un gran peso en la historia. Se puede comprobar acudiendo a gran parte de estas poblaciones donde podemos visitar muchos museos relacionados con el aceite.

Como se puede comprobar, el aceite tiene múltiples usos debido a sus nutritivos componentes; en estos momentos se está **adentrando** en el mundo de la cosmética, con la creación de cremas y perfumes cuyo ingrediente principal es este líquido. Así mismo se investigan miles
30 de salidas y recursos; por lo que podríamos certificar que el aceite de oliva es un pozo sin fondo, además de uno de los grandes **pilares** de la alimentación.

11 ¿Ha comprendido?

Elija la mejor respuesta para cada pregunta.

1. ¿Desde cuándo se comercia con el aceite de oliva?
   a. Desde el comienzo del mundo civilizado
   b. Desde la Edad Media
   c. Desde no hace mucho tiempo
   d. Desde el siglo XX

2. ¿Qué produce distintos matices en el aceite?
   a. La zona de cultivo
   b. El tipo de aceituna
   c. El tiempo de conserva
   d. El momento de la recolección

3. ¿Por qué en un tiempo el aceite de oliva tuvo muy mala fama?
   a. Porque se creía que conducía a algunas enfermedades
   b. Porque no era de muy buena calidad
   c. Porque su sabor no era muy agradable
   d. Porque era un producto muy caro

4. ¿Para qué se puede utilizar el aceite de oliva independientemente del mundo de la cocina?
   a. Para el mundo de los automóviles
   b. Para la elaboración de cremas y perfumes
   c. Para cultivar determinadas plantas
   d. Para la investigación relacionada con la salud

12 ¿Qué significa?

Explique con sus propias palabras lo que significan estas palabras o expresiones que aparecen en negrita en el artículo.

1. símbolo _____

2. típico _____

3. ser apto _____

4. omnipresente _____

5. adentrar _____

6. pilar _____

13 Definiciones

Empareje cada palabra de la primera columna con su significado en la segunda. Las palabras de la primera columna aparecen subrayadas en el texto.

1. _____ helénico

a. saborear algún producto

2. _____ omnipresente

b. relacionado con la cocina

3. _____ degustar

c. de la Grecia antigua

4. _____ culinario

d. que está en todos los lugares

14 ¿Ha comprendido?

Conteste las siguientes preguntas sobre el artículo.

1. ¿Desde cuándo se comercia con el aceite?

_____

2. ¿Por qué se puede comparar el aceite con un buen vino?

_____

3. ¿Por qué se tenía tan mal visto el consumo de aceite? ¿Y por qué ahora no?

_____

15 Preposiciones

Escriba las preposiciones que van con estos verbos en el artículo.

1. comerciar _____

2. conseguir _____

3. pasar _____

16 Escriba

En su cuaderno, resuma lo que ha leído en un párrafo. Subraye las palabras nuevas que use y enumérelas.

17 Se titula...

Piense en otro título para el artículo.

_____

18 Empanadas argentinas, chicos y grandes las disfrutan en sus reuniones ⦿ (CD 1, pista 8)

Después de escuchar la audición, elija la respuesta correcta para cada pregunta.

1. ¿Han conservado las empanadas su receta original?
   a. No, sólo desde que llegaron los españoles
   b. Sí, desde los griegos
   c. Sí, desde antes de Colón
   d. No, han sido influenciadas por recetas autóctonas.

2. ¿Cómo vendían antes las empanadas?
   a. Iban de casa en casa.
   b. Las vendían sólo las mujeres.
   c. A caballo, con las empanadas en una cesta
   d. Hacían marketing para poder venderlas.

3. ¿Cómo están relacionadas las empanadas con los casamientos?
   a. Las madres orgullosas mostraban la habilidad que tenían sus hijas para prepararlas.
   b. Si una joven no sabía hacer empanadas, difícilmente se iba a poder casar.
   c. Ningún joven aceptaría casarse con una chica si ésta no sabía cocinar.
   d. Sólo se comían las empanadas cuando alguien se casaba.

4. ¿Cuándo se suelen comer?
   a. Cuando alguien se casa
   b. Cuando se celebran elecciones
   c. Cuando se celebran escuelas
   d. En todo tipo de festejos y reuniones

19 ¡A conversar! 👤👤

Escriba una conversación con un compañero/a. Hablen sobre una propuesta para un programa de cocina.

- Decidan cómo lo harán para que sea original.
- Hagan una lista de ideas para el primer programa.
- Tomen una decisión.

A: _____

B: _____

A: _____

B: _____

A: _____

B: _____

20 ¡A conversar!

Escriba una conversación con un compañero/a sobre la comida que van a traer a clase para una celebración y cómo la cocinarán.

- Expongan sus ideas.

- Intenten convencer a su compañero.

- Tomen una decisión.

A: _____

B: _____

A: _____

B: _____

A: _____

B: _____

A: _____

B: _____

21 Buscando errores

Lea la carta a continuación. Busque los errores enumerados en la siguiente lista y marque las casillas cuando los encuentre. Luego haga las correcciones necesarias.

3 acentos

3 tiempos verbales

3 preposiciones

4 concordancias

2 pronombres

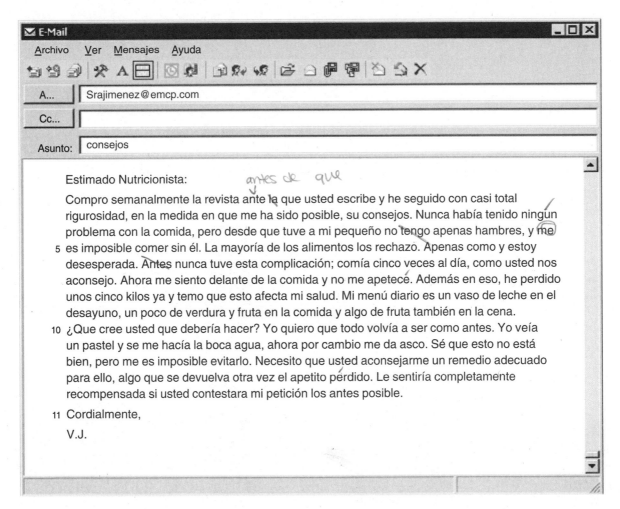

E-Mail

Archivo   Ver   Mensajes   Ayuda

A...   Srajimenez@emcp.com

Cc...

Asunto: consejos

Estimado Nutricionista:

antes de que

Compro semanalmente la revista ante la que usted escribe y he seguido con casi total rigurosidad, en la medida en que me ha sido posible, su consejos. Nunca había tenido ningún problema con la comida, pero desde que tuve a mi pequeño no tengo apenas hambres, y me
5   es imposible comer sin él. La mayoría de los alimentos los rechazo. Apenas como y estoy desesperada. Antes nunca tuve esta complicación; comía cinco veces al día, como usted nos aconsejo. Ahora me siento delante de la comida y no me apetece. Además en eso, he perdido unos cinco kilos ya y temo que esto afecta mi salud. Mi menú diario es un vaso de leche en el desayuno, un poco de verdura y fruta en la comida y algo de fruta también en la cena.
10   ¿Que cree usted que debería hacer? Yo quiero que todo volvía a ser como antes. Yo veía un pastel y se me hacía la boca agua, ahora por cambio me da asco. Sé que esto no está bien, pero me es imposible evitarlo. Necesito que usted aconsejarme un remedio adecuado para ello, algo que se devuelva otra vez el apetito pérdido. Le sentiría completamente recompensada si usted contestara mi petición los antes posible.
11   Cordialmente,

V.J.

22 Escriba ✒

Escriba la respuesta que el nutricionista daría aconsejando a esta señora.

```
┌──────────────────────────────────────────────────────────────────┐
│ ✉ E-Mail                                                 _ □ ✕    │
├──────────────────────────────────────────────────────────────────┤
│  Archivo   Ver   Mensajes   Ayuda                                  │
│                                                                    │
│  [toolbar icons]                                                   │
│  ┌──────┐ ┌──────────────────────────────────────────────────┐   │
│  │ A... │ │                                                  │   │
│  └──────┘ └──────────────────────────────────────────────────┘   │
│  ┌──────┐ ┌──────────────────────────────────────────────────┐   │
│  │ Cc...│ │                                                  │   │
│  └──────┘ └──────────────────────────────────────────────────┘   │
│  Asunto: ┌───────────────────────────────────────────────────┐   │
│          └───────────────────────────────────────────────────┘   │
│                                                                    │
│  _____      │
│  _____      │
│  _____      │
│  _____      │
│  _____      │
│  _____      │
│  _____      │
│  _____      │
│  _____      │
│  _____      │
│  _____      │
│  _____      │
│  _____      │
│  _____      │
│  _____      │
│  _____      │
│  _____      │
│  _____      │
│  _____      │
│  _____      │
└──────────────────────────────────────────────────────────────────┘
```

23 Presentemos en público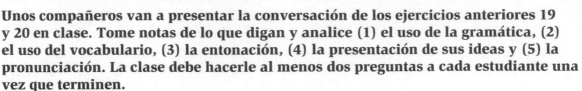

Unos compañeros van a presentar la conversación de los ejercicios anteriores 19 y 20 en clase. Tome notas de lo que digan y analice (1) el uso de la gramática, (2) el uso del vocabulario, (3) la entonación, (4) la presentación de sus ideas y (5) la pronunciación. La clase debe hacerle al menos dos preguntas a cada estudiante una vez que terminen.

1. _____

    _____

2. _____

    _____

3. _____

    _____

4. _____

    _____

5. _____

    _____

24 Amplíe su vocabulario

Complete las oraciones con la palabra o frase adecuada.

1. Esta salsa tiene _____ demasiado dulce para mi gusto. Al principio no

    sabía lo que era; luego me di cuenta que tenía un leve toque de canela.

    a. una forma   b. un espesor   c. un sabor   d. un tacto

2. Como se me antojaba un bocadillo fuimos al restaurante de la esquina donde me pusieron

   uno con _____ de jamón serrano. ¡Qué rico!

   a. una corteza   b. una loncha   c. una miga de pan   d. una pastilla

3. En cuanto llegaron con la pechuga del supermercado, nos pusimos _____

   e hicimos la mejor comida que nunca se hubieron imaginado.

   a. manos a la obra   b. poner el mantel   c. hacer la boca agua   d. a cargo de ella

4. Según tu abuela, la carne está un poco _____. ¿Serías tan amable de

   hacerla más, por favor? Así le da un poco de asco. ¡Te lo agradezco!

   a. salada   b. sosa   c. cruda   d. pasada

5. Aunque esté llena, no cabe duda de que en cuanto vea el pastel se me abrirá

   _____.

   a. el ojo   b. la mano   c. el apetito   d. el estómago

6. La mayoría de las veces no me gusta la comida _____. Prefiero mucho

   más la recién hecha.

   a. salada   b. dulce   c. apetitosa   d. congelada

7. Odio ponerme a cocinar. No me entra en la cabeza como termino _____ la

   ropa.

   a. alardeo   b. ensuciándome   c. se mancha   d. me mancho

8. Todavía no es _____ de fresas; tendrá que esperar unos meses. Si lo

   desea, tenemos una tarta de chocolate con nueces especialidad de la casa. ¿Desea que se

   la sirva?

   a. sazón   b. temporal   c. temporada   d. momento

25 ¿Cuál es la palabra? 🔍

Complete las oraciones con la palabra adecuada en español. Añada un artículo cuando sea necesario y haga los cambios que considere necesarios. Hay dos palabras que necesita usar dos veces cada una.

abrir el apetito	engullir	mojar	pedazo
acogedor	espeso	mordisquear	picar
alardear	hace un rato	paladar	quemado
amargo	goloso	manjar	soso
comensal	manos a la obra	pechuga	velada
cubierto	mazorca		

Lucas: Pero, ¡esto está increíble! ¿Qué es lo que estás preparando? Se me (1) _____ _____.

Paula: Pero, ¿qué estás haciendo? Deja de (2) _____ esas galletas y ponte a (3) _____ unos ajos que no me da tiempo para hacerlo todo. ¡Haz algo eficaz, hombre!

Lucas: Pero, hija, es que viendo estos (4) _____ se me (5) _____. ¿Dónde hay un (6) _____ de pan para que lo (7) _____ en la salsa con almendras que has preparado para la (8) _____ de pollo?

Paula: Haz lo que quieras, pero déjame en paz y no me distraigas, que todavía queda mucho y pronto llegarán los (9) _____.

Lucas: Hum.

Paula: Hum, ¿qué?

Lucas: No, nada. Hummmm.

Paula: Hummm, dímelo. ¿Cuál es el problema? No soporto que te pongas a (10) _____ la comida y de golpe digas "Hum", y ya está. Explícame de qué se trata. ¿Te has ensuciado? ¿Qué es?

Lucas: No sé. ¿A qué hora llegan (11) _____?

Paula: ¿Por qué?

Lucas: Pues, no quiero (12) _____ de

tener buen (13) _____, pero esta

salsa está (14) _____ y demasiado

(15) _____, como el chocolate. La carne tiene

un sabor a (16) _____. Además, tiene un

gusto bastante (17) _____.

Paula: Ay, no… Le pedí a Lola que me echara una mano

(18) _____. ¡Pero no vino! ¿Qué voy a hacer?

¿Por favor, quédate para echarme una mano con todo esto?

Lucas: No te preocupes, todavía hay tiempo. Anda, dame unas

cuantas galletitas más de esas que ya sabes que soy muy

(19) _____ y pongámonos

(20) _____, que dentro de poco empezarán a

llegar los invitados. Ahora, es preciso que esté todo listo. Pon la mesa y coloca los

(21) _____ y servilletas. Olvídate de lo que

ha pasado. Coge unas (22) _____ de maíz,

y límpialas que vamos a preparar una sopa deliciosa en un segundo. Cálmate,

que tendremos una agradable (23) _____

. Todo está precioso, y bastante (24) _____.

Arréglate, que yo me ocupo de todo.

26 ¿Qué palabra es?

Escriba la palabra o expresión del vocabulario que corresponde a cada definición. Ponga una letra en cada casilla.

1. Falta sal ⬜⬜⬜

2. Parte de la boca que sirve para diferenciar sabores ⬜⬜⬜⬜⬜⬜⬜

3. Especia que sirve para dar sabor a muchos postres ⬜⬜⬜⬜⬜⬜

4. Unión de dos o más sabores o ingredientes diferentes ⬜⬜⬜⬜⬜

5. Trozo muy fino de algún alimento ⬜⬜⬜⬜⬜

6. Dueño de restaurante ⬜⬜⬜⬜⬜⬜⬜⬜⬜⬜

7. Dar pequeños bocados ⬜⬜⬜⬜⬜⬜⬜⬜⬜⬜

8. Negar algo o a alguien ⬜⬜⬜⬜⬜⬜⬜

27 Crucigrama

Escriba las claves para las palabras que aparecen en el crucigrama.

Horizontales

1. _____

   _____

4. _____

   _____

6. _____

   _____

7. _____

   _____

8. _____

   _____

Verticales

2. _____

   _____

3. _____

   _____

5. _____

   _____

28 Verbos con preposición

Elija la mejor respuesta para completar cada oración.

1. Mi madre _____ forma contundente en mi vida; quiero parecerme a ella.

   a. ha influido de   b. ha aparecido con   c. ha sentido de   d. ha apostado en

2. Yo _____ él y ha demostrado ser la persona adecuada.

   a. han sentido por   b. he apostado por   c. he sentido por   d. me he alegrado en

3. Siento que él quiera el último pedazo, pero es mi debilidad y no creo que

   _____ ello.

   a. se oponga a   b. se rebaje de   c. se alegre para   d. se sienta con

4. La gaviota _____ nosotros casi rozándonos pero fue tan sutil que pasó

   casi desapercibida.

   a. se posó a   b. sintió con   c. voló sobre   d. apostó por

5. El rostro del chico con el que tropecé era familiar. _____ alguien que

   había visto antes.

   a. Me recordaba con   b. Me parecía a   c. Me recordaba a   d. Me sentía como

29 Verbos con preposición

Añada la preposición necesaria a los verbos que aparecen en el recuadro y después complete las oraciones con la forma correcta del verbo. Hay dos verbos que no necesita usar.

arriesgarse _____   reírse _____

convertirse _____   tardar _____

marcharse _____   trabajar _____

meterse _____

1. Nunca pensé que _____ esa extranjera podía ser tan divertido. Cocinar con ella es una experiencia siempre apetecible.

2. Estoy seguro de que esta pechuga _____ un gran manjar; quiero que no falle esta cena, es muy importante.

3. El propietario no debería _____ mis asuntos; no me gusta que estén siempre vigilándome.

4. _____ Araceli a cenar. Hay que llegar al restaurante en diez minutos.

5. Cuando uno está triste, es eficaz _____ sí mismo. Siempre he pensado que es una buena terapia.

¡Que aproveche! Capítulo 3 Lección B

1 Aceitunas españolas

Complete el texto con los verbos entre paréntesis. Escriba la forma apropiada del presente perfecto del indicativo, presente perfecto del subjuntivo o pluscuamperfecto del subjuntivo.

Adiós a la tradicional aceituna española

Si alguien me (1) _____ (decir) tan solo hace

unos años que nuestras aceitunas como tal seguramente desaparecerían, yo lo

(2) _____ (tomar) por loco. Pero es que esto del cambio

climático ya nos (3) _____ (llamar) a nuestras puertas,

y de hecho hasta (4) _____ (entrar) y tomado un buen

asiento; pues, ¡piensa quedarse! Lamentablemente, muchos de los temores que

nos acechaban (5) _____ (hacerse) realidad. Hoy un

blogero me (6) _____ (hacer) un comentario que me

(7) _____ (parecer) especialmente sorprendente. Uno de

los efectos del cambio climático puede ser la desaparición de las producciones de

aceitunas tal y como las (8) _____ (conocer) hasta ahora. No

(9) _____ (querer) tomarme la noticia en broma. Me temo

que yo no (10) _____ (hacer) el comentario sensacionalista

que quizás otros compañeros sí (11) _____ (lanzar).

Tal vez le (12) _____ (ofender) un poco, ya que le

(13) _____ (decir) que en mi opinión conviene desdramatizar todo

esto un poco.

Es cierto que (14) _____ (haber) un aumento

significativo de las temperaturas, y sobre todo en las de verano que ya *continúa*

(15) _____ (empezar) a causar ciertas alteraciones en

el ciclo vegetal del olivar. De hecho, en Cataluña un grupo de investigadores ya

(16) _____ (observar) este proceso, según un reciente

estudio que se (17) _____ (llevar) a cabo en la Universidad

de Tarragona. No obstante, hay que recordar que, principalmente desde los años

ochenta, la temperatura en España ha aumentado sin que la producción del olivo

(18) _____ (bajar) en lo más mínimo, ni mucho menos la calidad

de nuestras aceitunas. Me alegro de que se (19) _____ (empezar)

a buscar nuevos tipos de olivo que puedan aguantar mejor el nuevo clima que nos

(20) _____ (ser) impuesto. Lo que digo es que cada vez

que haya un problema no nos podemos llevar las manos a la cabeza y decir "si

(21) _____ (hacerse) esto o lo otro…".

Durante años, muchos científicos (22) _____ (proponer)

diferentes soluciones a los problemas que estamos enfrentando. Mientras que la mayoría

de nosotros no (23) _____ (resolver) nada y lo único que

(24) _____ (hacer) ha sido criticar a unos y a otros y crear un

drama de todo, gracias a Dios hay quienes que (25) _____ (ponerse)

manos a la obra y (26) _____ (proponer) posibles alternativas.

Si (27) _____ (escuchar), algunos de estos problemas ya

habrían sido solucionados. Así que dejemos de quejarnos, y busquemos soluciones.

Es natural que todos nosotros (28) _____ (volverse) un poco

negativos al haber visto semejantes cambios en tan poco tiempo, pero hay que ser

positivo. Sinceramente, no dudo que podremos adaptar nuestros cultivos a estos cambios

climáticos. Me alegro de que el bloguero me (29) _____ (enviar)

su comentario, pues me (30) _____ (hacer) recapacitar más

sobre todo esto. Quienquiera que (31) _____ (pararse) a mirar

detenidamente lo que nos rodea, comprobará todos los obstáculos que el ser humano

(32) _____ (saber) superar.

2 Repaso gramatical ❖

Complete la tabla con la forma indicada de los siguientes verbos.

verbo	condicional simple	condicional perfecto	presente perfecto del subjuntivo	imperfecto del subjuntivo	pluscuamperfecto del subjuntivo
1. contradecirse (él)	se contradeciría	se habría contradicho	se había contradicho	se contradijera	se hubiera contradicho
2. proponer (vosotros)	propondríais	habríais propuesto	habíais propuesto	propusierais	hubierais propuesto
3. resolver (tú)	resolverías	habrías resuelto	habías resuelto	resolvieras	hubieras resuelto
4. satisfacer (Uds.)	satisfacerían	habrían satisfecho	habían satisfecho	satisficiera	hubieran satisfecho
5. hacer (las empresas)	harían	habrían hechas	habían hechas	hicieran	hubieran hechas
6. oír (mi colega)	oiría	habría oído	había oído	oyera	hubiera oído
7. despedirse (yo)	me despediría	me habría despedido	me había despedido	me despidiera	me hubiera despedido
8. traer (los camareros)	traerían	habrían traído	habían traído	trajeron	hubieran traído
9. tener (el invitado)	tendría	habría tenido	había tenido	tuviera	hubiera tenido
10. estar (tú)	estaría	habrías estado	habías estado	estuvieras	hubieras tenido
11. leer (Uds.)	leerían	habrían leído	habían leído	leyeran	hubieran leído
12. querer (vosotros)	querríais	habríais querido	habíais querido	quisierais	hubierais querido
13. poder (yo)	podría	habría podido	había podido	pudiera	hubiera podido
14. poner (Juana)	pondría	habría puesto	había puesto	pusiera	hubiera puesto
15. preferir (nosotros)	preferiríamos	habríamos preferido	habíamos preferido	prefiéramos	hubiéramos preferido

3 Condicional

Complete la tabla con dos ejemplos de los diferentes usos del condicional con la palabra *si*.

Usos del condicional	2 ejemplos
1. *Si* + imperfecto del subjuntivo + condicional (Ejemplo: Si tuviera talento, cantaría más.)	• •
2. *Si* + pluscuamperfecto del subjuntivo + condicional perfecto (Ejemplo: Si hubiera comido, no habría pasado hambre.)	• •

4 Condicional y subjuntivo

Escriba la forma apropiada del condicional o del subjuntivo (simple o perfecto) para completar las siguientes oraciones con *si*.

1. Si Uds. _____ *(estar)* enfermos, cancelaríamos la reunión.

2. Susana no te _____ *(mentir)* si no fuera necesario.

3. Habríamos envuelto sus regalos si alguien nos _____ *(decir)* que iba a pasarse ahora.

4. Si _____ *(repasar)* regularmente, notarías la diferencia.

5. Haría millones de cosas, si nosotros no _____ *(tener)* tantos exámenes y trabajos.

6. Yo te _____ *(decir)* algo, si lo hubiera sabido. En serio, ¡no tenía ni idea!

7. Si vosotros _____ *(querer)*, podríamos ir a otro restaurante si no os apetece éste.

8. Nos dijeron que si no _____ *(haber)* tanto tráfico, habrían llegado a tiempo.

9. Yo opino que si fueras respetuoso con las personas, las personas lo

   _____ (ser) contigo.

10. La verdad es que si no lo _____ (ver) con mis propios ojos, nunca

    me lo habría creído.

5 Condicional perfecto y pluscuamperfecto del subjuntivo

En su cuaderno, escriba de nuevo cada oración. Cambie los verbos al condicional perfecto y al pluscuamperfecto del subjuntivo.

1. Si pudieras, comerías comida orgánica en cada comida.

2. La cocinera en el hotel freiría unos huevos rápidamente si los invitados los pidieran.

3. Si tuviéramos más dinero, ayudaríamos con el problema del hambre mundial.

4. Mis amigos frecuentarían más el nuevo café si los dueños lo abrieran hasta la una de la madrugada.

5. Si ellos fueran a Madrid, cenarían en un buen restaurante como El Bodegón.

6. Quitarías los platos de la mesa si tus amigos la pusieran.

7. Si la administración del colegio quisiera, a la directora le gustaría eliminar toda comida basura del menú escolar.

8. Si yo almorzara en El Mesón, escogería una hamburguesa y papas fritas.

9. El cocinero cubriría el plato de tomates si la receta lo describiera así.

10. Si mi abuela preparara un plato típico de México, cocinaría un mole poblano.

6 Demostrativos

**Dibuje un círculo alrededor del adjetivo o pronombre demostrativo apropiado.
Explique su uso en la oración.**

1. ¿Cuánto cuesta *(esta / ese)* saltamontes en chocolate?

   _____

2. Fui a *(ésa / aquella)* nueva sandwichera de enfrente con mis amigos ayer.

   _____

3. Después de ir al cine, paró en el restaurante de comida rápida de al lado. *(Esta / Eso)* fue

   mala idea. Había mucha gente y tuvo que esperar mucho tiempo.

   _____

4. La receta requiere varios tipos de pimientos. *(Esos / Ésos)* vienen del jardín de mi abuela.

   _____

5. El menú escolar tiene muchos alimentos nutritivos. *(Esta / Ésta)* alimentación no nos deja

   engordar.

   _____

6. La cocinera preparaba un plato típico peruano. Consistía en *(ese / esa)* ceviche y papás.

   _____

7. La familia norteamericana típica de hoy come muchas de *(esas / ésas)* comidas preparadas

   y congeladas, en vez de preparar algo fresco cada día.

   _____

8. *(Ese / esa)* problema del hambre mundial no se resolverá fácilmente.

   _____

9. Allí están los postres. *(Aquellos / Aquéllos)* me tientan mucho pero necesito resistir la

   tentación *(este / esta)* vez.

   _____

10. La mayoría de las calorías en *(estos / éstos)* platos vienen de las salsas que están llenas de grasa.

   _____

7 Adjetivos

Dibuje un círculo alrededor de la respuesta correcta para completar cada oración. Decida cuál es la posición apropiada para el adjetivo según el contexto.

1. Han hecho una campaña por televisión para que pensemos que este senador es *(un gran hombre / un hombre grande)* por lo que hizo durante el debate en el Senado.

2. No hay casi nadie en el teatro; *(la única persona / la persona única)* que queda es la mujer que distribuyó los programas.

3. Después del éxito financiero de tantos conciertos por toda Latinoamérica, el Bigote de Dalí ya no es *(un grupo musical pobre / un pobre grupo musical)*.

4. Pienso que la actriz en el anuncio de televisión para la nueva zapatería y la actriz en esta obra de teatro son *(la misma actriz / la actriz misma)*.

5. Tengo que hablar con la persona que distribuyó los programas. Tengo *(un diferente programa / un programa diferente)* de los demás. Necesito el correcto.

6. ¿Cuál es *(la mejor película / la película mejor)* que has visto en tu vida?

7. *(La antigua agencia / La agencia antigua)* de este actor no le permitía hacer una película con esta actriz.

8. La obra de teatro tiene mucho éxito. Veremos si continúa igual cuando introduzcan a *(un nuevo actor / un actor nuevo)* que nunca antes haya hecho un papel teatral.

9. Apreciar las artes es *(una buena manera / una manera buena)* de disfrutar de la vida.

8 Preposiciones

Complete las oraciones con la preposición apropiada. Añada un artículo cuando sea necesario.

1. El exceso de propaganda de comida rápida aporta _____ problema del sobrepeso y de la obesidad.

2. ¿Hay alguien que se pueda encargar _____ eliminar el hambre mundial?

3. El nuevo libro del cocinero mexicano se trata _____ los secretos de la cocina mexicana.

4. La nueva dieta orgánica se compromete _____ eliminar la búsqueda de la dieta perfecta.

5. La propaganda tiende _____ exagerar los aspectos nutritivos de los cereales que se venden.

6. La pirámide alimenticia procede _____ los nuevos estudios sobre la nutrición.

7. Miguel está comprometido _____ el problema financiero del restaurante de su padre.

8. En los países pobres del mundo, muchos padecen _____ enfermedades causadas por la desnutrición.

9. Los padres de los niños en la guardería infantil amenazan _____ sacar a sus hijos de allí si no sirven comidas más nutritivas.

10. En la cocina, el arte entronca _____ la química.

9 Familia de palabras

Complete cada oración con la forma correcta de la palabra en negrita. La respuesta puede ser verbo, sustantivo o adjetivo. Añada un artículo cuando sea necesario.

1. **oler**

   a. Te sugiero que uses un "Tupperware" para guardar los platos

   _____; si no, te va a oler toda la nevera.

   b. Cada vez que la casa _____ a canela, sé que mi abuela está

   cocinando tarta de manzanas. ¡Es mi debilidad!

   c. Mi prima puede reconocer muchos platos peruanos por su

   _____ solamente.

2. **beber**

   a. Muchas de las _____ carbónicas no son nada beneficiosas

   para la salud.

   b. Es problemático que muchos niños _____ tantos refrescos y

   que no _____ agua.

3. **ayunar**

   a. Algunos actores piensan que el mejor método para perder peso es un

   _____ de unos días antes de filmar una nueva película.

   b. Antes de mi prueba médica en la que van a tomar sangre, es necesario que yo

   _____ doce horas.

   c. _____ recibe su nombre de no comer nada toda la noche antes

   y consumir algo como cereales con leche, fruta y pan o algo similar por la mañana.

10 Antes de leer 👥

¿Qué suele comprar en máquinas dispensadoras? ¿Qué otros productos ofrecen? ¿Cuáles son los beneficios y los perjuicios?

11 Comprar y comer rápido 📖

Lea el siguiente artículo.

Regresa a Nueva York la "comida automática"

Las máquinas dispensadoras de comida caliente, que funcionan con <u>monedas</u> y son muy populares en Japón y algunas ciudades de Europa, han **(A)** a Nueva York después de quince años de <u>ausencia</u>.

En St. Mark's Place, una legendaria calle del barrio East Village de Manhattan, acaba de
5 **instalarse** Bamn!, una estación con **(B)** de estos aparatos automáticos que por uno, dos o tres dólares ofrecen **bocadillos** y porciones de comida basura.

Como en un capítulo de la serie de dibujos animados "Los Supersónicos", <u>neoyorquinos</u> y **(C)**, turistas y curiosos **desfilan** las 24 horas del día por este lugar, ya sea para probar sus cápsulas alimenticias o sacarse una fotografía de recuerdo.

10 El establecimiento es una solución para el trabajador compulsivo que quiere comer **(D)** rápido y seguir con otros <u>asuntos</u>, además de una forma impersonal de comprar, porque no hay que **lidiar** con vendedores pesados ni largas colas frente a una caja registradora.

"Tratamos de centrarnos en ese tipo de comida que puedes **(E)** y comer rápido, pero que no es estrictamente comida rápida. Son canapés perfectos para la gente ocupada de Nueva
15 York", dijo a la prensa Robert Kwak, uno de los **(F)**.

Las máquinas, que se distinguen por su color rosado, sirven desde pizzas, perros calientes y hamburguesas hasta "musubi" hawaiano, pollo teriyaki, empanadas de mantequilla de cacahuete y mermelada, helado de té verde y donuts japoneses.

Los menús, uno para el desayuno y otro para las horas de almuerzo y cena, son creados por
20 el chef Kevin Reilly, del Water Club, quien **aspira** a que, <u>a la larga</u>, sus canapés sean más demandados que una hamburguesa de McDonald's.

El asunto es que fueron justamente las cadenas de comida rápida las que sacaron de juego a las máquinas dispensadoras, cuya **(G)** en EEUU fueron los años 50 del siglo pasado, cuando había unas 180 en Nueva York y Filadelfia.

25 Las primeras máquinas dispensadoras de comida caliente en Estados Unidos, de la compañía Horn & Hardart, abrieron en 1902 en Filadelfia, inspiradas por unas similares en Alemania, pero no fue hasta 1912 cuando llegaron a Nueva York, donde **(H)** hasta 1991.

El menú consistía en **sendos** platos de carne en salsa, <u>estofados</u>, pastel de pollo, pavo asado o relleno y sopas servidos en <u>vajilla</u> de metal, y los comensales se sentaban en grandes
30 comedores y hacían largas sobremesas.

Pero el concepto de Bamn!—cuyo <u>lema</u> es "Satisfacción Automática"—es completamente del siglo XXI, ya que no hay mesas ni sobremesas ni tiempo que perder.

"Queremos que la generación más joven, que no creció en la era de las máquinas automáticas, viva esa experiencia", dice Kwak.

35 Las nuevas generaciones tienen como experiencia los cajeros automáticos, que han sustituido al encuentro personal con el cajero de un banco cuando se trata de operaciones sencillas como depósitos y retiradas de fondos.

Los más jóvenes también están familiarizados con las compras vía Internet, que **asimismo** son impersonales pero que, a diferencia de las máquinas dispensadoras, no **brindan** la **(I)** de
40 obtener el producto al momento de pagar.

Algunos hoteles de EEUU ya están sustituyendo las tiendas de regalos—y sus vendedores **(J)**—por máquinas automatizadas que permiten al <u>huésped</u> comprar dentífrico a cualquier hora de la madrugada.

Un negocio que se sumó a esta tendencia es Zoom Systems, que ha colocado en aeropuertos
45 de San Francisco y Atlanta sus máquinas "Zoom Shop", en las que con tarjeta de crédito se pueden comprar desde productos de belleza hasta DVD, cámaras digitales e iPods.

ALEJANDRA VILLASMIL
EFE/www.lostiempos.com

12 ¿Ha comprendido?

Elija la mejor respuesta para cada pregunta.

1. ¿Cómo son las nuevas máquinas de St. Mark's Place?
   a. Son máquinas que cocinan cualquier comida automáticamente.
   b. Son máquinas dispensadoras que venden comida basura con una tarjeta de crédito.
   c. Son máquinas dispensadoras de comida cocinada, sin vendedores.
   d. Son máquinas que enfrían y cocinan cualquier comida automáticamente.

2. ¿A qué grupos les gustaría usar estas nuevas máquinas?
   a. A los neoyorquinos y a los trabajadores compulsivos
   b. A los turistas alemanes y a los trabajadores compulsivos
   c. A los que hacen sobremesa y a los curiosos
   d. A los que quieren el producto al momento de pager y a los jóvenes

3. ¿Qué tipo de comida se vende en estas nuevas máquinas?
   a. Se vende pura comida basura.
   b. Se vende una gran variedad de comida que no necesita preparación ni ser calentada.
   c. Se vende pura comida orgánica.
   d. Se vende una variedad de comida ligera y rápida.

4. ¿Qué significa esta afirmación? "El asunto es que fueron justamente las cadenas de comida rápida las que sacaron de juego a las máquinas dispensadoras..."
   a. La llegada de los restaurantes de comida rápida hizo que la gente abandonara el uso de las máquinas dispensadoras.
   b. En la competición entre las máquinas dispensadoras y los restaurantes de comida rápida, las máquinas dispensadoras ganaron.
   c. Los restaurantes de comida rápida ganaron la atención del público porque los restaurantes ofrecieron premios con la venta de su comida.
   d. Las máquinas dispensadoras ganaron la atención del público porque las máquinas dispensadoras ofrecieron premios con la venta de su comida.

5. ¿Por qué compara la autora el uso de las máquinas dispensadoras con el uso del cajero automático de un banco y con una compra por Internet?
   a. La autora quiere ilustrar que hay jóvenes y otros ya acostumbrados a comprar y hacer una transacción con una tarjeta de crédito.
   b. La autora quiere ilustrar la impersonalidad con la cual algunos jóvenes y otros ya hacen sus compras.
   c. La autora quiere ilustrar hasta qué punto ha llegado la tecnología en nuestra sociedad moderna.
   d. La autora quiere ilustrar que hay jóvenes y otros ya acostumbrados a comprar y hacer una transacción sin perder tiempo.

13 ¿Dónde va?

Estas frases han sido extraídas del artículo. Escriba la letra que corresponde a cada frase. Hay una frase extra que no hace falta utilizar.

1. _____ propietarios

2. _____ ordenar

3. _____ regresado

4. _____ gratificación instantánea

5. _____ un bocado

6. _____ permanecieron

7. _____ fachadas

8. _____ trasnochados

9. _____ una docena

10. _____ de carne y hueso

11. _____ época dorada

14 ¿Qué significa?

Explique con sus propias palabras lo que significan estas palabras que aparecen en negrita en el artículo.

1. instalarse _____

2. bocadillos _____

3. desfilar _____

4. lidiar _____

5. aspirar _____

6. sendos _____

7. asimismo _____

8. brindar _____

15 Sinónimos ⓐ

Escriba cada palabra subrayada en el texto junto a su sinónimo o definición.

1. carne cocinada con líquido, guisos _____

2. desaparición, abandono _____

3. una persona de Nueva York _____

4. frase publicitaria, eslogan _____

5. dinero metálico _____

6. persona alojada en sitio ajeno _____

7. proyectos, quehaceres _____

8. en el futuro _____

9. platos, servicio de mesa _____

16 ¿Ha comprendido?

En su cuaderno, conteste las siguientes preguntas sobre el texto.

1. Describa el color de las nuevas máquinas dispensadoras y el menú y el costo de los productos que se venden en ellas.

2. ¿Cómo era el menú de las máquinas dispensadoras de 1912 en Nueva York?

3. Explique cómo las máquinas dispensadoras se utilizan fuera de Nueva York.

17 Escriba ✐

En su cuaderno, resuma lo que ha leído en un párrafo. Subraye las palabras nuevas que use.

18 Se titula…

Piense en otro título para el artículo.

_____

19 ¿Qué tiene de bueno comer cosas malas?  (CD 1, pista 9)

Después de escuchar la audición, escriba una respuesta para cada pregunta.

1. Nombre cuatro alimentos considerados hasta hace poco perjudiciales para la salud.

   _____

2. ¿Qué recomienda la OMS que hagamos para llevar una vida sana?

   _____

3. ¿Cuál es el porcentaje de españoles que consume fruta al menos dos veces al día?

   _____

4. ¿Qué problema enfrentan los investigadores cuando le preguntan a la gente sobre sus hábitos alimenticios?

   _____

20 ¡A conversar!

Conteste las siguientes preguntas.

¿Comprende bien lo que es una dieta sana? ¿Es el concepto de una dieta sana algo que cambia a través del tiempo? ¿Qué alimentos tomaban sus padres que ahora se consideran perjudiciales?

21 Ensayo

Escriba un ensayo contestando la siguiente pregunta. ¿Por qué nos vemos seducidos por alimentos que son malos para la salud?

22 Escriba

En su cuaderno, escriba un párrafo sobre una de estas situaciones. Use todos los tiempos repasados en la lección y subráyelos.

1. Es una madre preocupada por lo que come su hijo. Hable de la comida orgánica.

   • Haga una explicación de lo que es la comida orgánica.

   • Discuta los beneficios de la comida orgánica al planeta y a su salud.

   • Hable del presupuesto necesario para comprar este tipo de comida.

2. Ud. es un representante de UNICEF. Hable del hambre en el mundo y ofrezca unas soluciones prácticas.

   • Presente datos sobre el hambre mundial. (Busque datos en Internet.)

   • Hable de cómo el hambre en el mundo nos afecta a todos.

   • Opine sobre cómo todos pueden combatir el hambre mundial.

23 Escriba

Conteste las siguientes preguntas en un párrafo. Use los tiempos y el vocabulario presentados en la lección.

1. Si hubiera nacido en otro país, ¿en qué otro país le hubiera gustado nacer?

2. Si viera a su primo de diez años fumando, ¿se lo diría a su madre?

3. Si viera a un hombre tumbado en la carretera en una noche de lluvia, ¿pararía?

4. Si pudiera cenar con cualquier persona del mundo, viva o muerta, ¿con quién lo haría?

5. Si pudiera tener algún talento especial, ¿cuál le gustaría tener?

6. Si le dijeran que hay alguien famoso en la cafetería, ¿saldría de clase con una excusa para ir a verlo? ¿A quién le gustaría ver?

24 Amplíe su vocabulario 🔍

Complete las oraciones con la palabra o frase adecuada.

1. Ruego que cualquier discusión de la hambruna _____ los

   recursos y la economía de la gente que la padece.

   a. engañe   b. tome en cuenta   c. vigile   d. dañe

2. La nueva _____ del supermercado Gigante indica que cada persona

   que _____ con la nueva tarjeta de crédito recibirá un cupón de $50.

   a. campaña, fiche   b. compañía, alcance   c. campaña, alcance   d. compañía, fiche

3. Algunas posibles soluciones a la hambruna mundial _____

   mucha resistencia en los países donde es un problema monumental.

   a. desempeñan   b. incurren   c. emprenden   d. advierten

4. Al tener problemas de _____, y para colmo poca fuerza de

   voluntad, mi médico recomendó que fuera a ver un _____.

   a. sobrepeso, patrimonio   c. sobrepeso, nutricionista

   b. hierro, nutricionista   d. hierro, patrimonio

5. Me di cuenta del valor _____ de los frijoles cuando me fijé en

   todas las proteínas que poseen.

   a. rentable   b. liviano   c. caprichoso   d. alimenticio

6. Me alegro de que se analice _____ de productos

   _____ en la comida por el riesgo de causar cáncer.

   a. la cantidad, químicos   c. el presupuesto, grasientos

   b. la calidad, quinua   d. el tamaño, magros

7. Hay quienes ni siquiera se atreven a _____ la comida que no tenga

   una apariencia atractiva. Me molesta que haya muchos que juzguen por las apariencias.

   a. probar   b. desviarse   c. aliviar   d. velar

8. Mi abuela nos insiste en que debemos _____ nuestra comida

   lentamente para así apreciar el sabor del _____.

   a. ingerir, puesto   b. valorizar, régimen   c. paladear, alimento   d. procurar, afán

25 ¿Cuál es la palabra?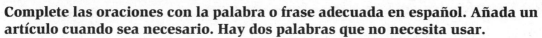

Complete las oraciones con la palabra o frase adecuada en español. Añada un artículo cuando sea necesario. Hay dos palabras que no necesita usar.

caprichoso	impensado	maca	pese a
futuro	irreemplazable	no dar abasto	soja
impedir	lácteo	pasar	

1. La población mundial aumenta a gran rapidez, y los sistemas tradicionales de pesca y agricultura parecen _____.

2. No me gusta que mis padres me traigan la fruta emvasada en bolsas de plástico ya que en numerosas ocasiones uno se encuentra con _____ que hacen que se pudran con facilidad.

3. Si tiene intolerancia a la leche de vaca, le animo a que pruebe la leche de _____. Es una estupenda alternativa.

4. El agua es un recurso _____ e indispensable en nuestras vidas. A veces se nos olvida lo esencial que es en nuestra alimentación cotidiana.

5. Muchos estadounidenses buscan una dieta con la cual se pueda adelgazar sin _____ hambre. No obstante, también suelen insistir en que no les apetece dejar de comer alimentos con alto nivel calórico.

6. _____ la intensa labor de las organizaciones humanitarias para llevar alimento a las zonas afectadas, la guerra que azota al país puede _____ el acceso a la población.

7. Hace tres décadas era _____ tomar una torta o flan *light*. Hoy en día, este tipo de productos inunda nuestras cocinas.

8. Ya sabes que a Cristóbal le molesta que se les olvide a sus compañeros que es alérgico a los productos _____.

26 ¿Qué palabra es?

Escriba la palabra o expresión del vocabulario que corresponde a cada definición. Ponga una letra en cada casilla.

1. Caracterizar ☐☐☐☐☐☐☐☐☐☐

2. El balance ☐☐☐☐☐☐☐☐☐☐

3. El icono ☐☐☐☐☐ ☐☐☐☐☐☐

4. Desde el principio ☐☐☐☐☐ ☐☐☐☐☐☐
☐☐☐☐☐☐

5. Época, período, tiempo ☐☐☐☐☐☐☐☐

6. Hambre extrema ☐☐☐☐☐☐☐

7. Casa ☐☐☐☐☐

8. Sin sabor ☐☐☐☐☐☐☐☐

9. Lo contrario de *abundancia* ☐☐☐☐☐☐

10. Parar, detener, impedir ☐☐☐☐☐ ☐☐☐☐☐

27 Crucigrama

Escriba las claves para las palabras que aparecen en el crucigrama.

Horizontales

4._____

_____

6._____

_____

7._____

_____

8._____

_____

Verticales

1._____

_____

2._____

_____

3._____

_____

5._____

_____

28 Falsos cognados y palabras problemáticas

Complete las oraciones con la palabra adecuada.

1. La carne es una importante fuente de proteína y de vitaminas. Pero la más

   _____ es la más saludable.

   a. liviana   b. magra

2. Actualmente, las familias _____ padecen de algunas

   complicaciones económicas por su situación familiar.

   a. rentables   b. monoparentales

3. La dieta *South Beach* y la dieta *Atkins* son _____ por su éxito

   al ayudar a tantas personas a adelgazar. Pero desconfío que los resultados duren mucho

   tiempo.

   a. celebérrimas   b. hipercalóricas

4. Me inquieta _____ de todo tipo de comida basura en las escuelas

   primarias. ¡Deberían estar totalmente prohibidas!

   a. la ingesta   b. el ayuno

5. Al menos una cuarta parte de _____ inspeccionados en el pasado

   mes fueron considerados "mejorables".

   a. los entornos   b. los locales

6. _____ ha decidido hacer una campaña publicitaria para atraer

   sobre todo a los consumidores más tragones.

   a. El daño   b. El fabricante

7. Los niños _____ sándwiches de cacahuete y mermelada después

   de las clases.

   a. pican   b. dañan

Personalidad y personalidades Capítulo 4 Lección A

1 ¿Indicativo o subjuntivo?

Dibuje un círculo alrededor de la explicación correcta de cada oración. Fíjese si el verbo está en el indicativo o el subjuntivo.

1. Quiero ir a un país donde se habla español.

   a. No me importa el país que sea, pero que se hable español.

   (b.) Sé de qué país estoy hablando.

2. Quiero ir a un restaurante donde preparan unos filetes de ternera riquísimos.

   (a.) Yo conozco este restaurante.

   b. No me importa el restaurante que sea.

3. Quiero una computadora que tiene mucha memoria.

   (a.) Sé de qué computadora estoy hablando.

   b. No me importa la que sea, pero la quiero con mucha memoria.

4. Él quiere un trabajo que le guste mucho.

   a. El sabe qué trabajo es, le gusta y lo quiere hacer.

   (b.) Para él, el trabajo que tenga tiene que gustarle.

5. ¿Hay algo que te interese?

   a. Sé que te gusta algo, y quiero que me digas lo que es.

   (b.) No sé si hay algo o no. La respuesta puede ser que sí o que no.

6. Haz lo que te diga que hagas.

   a. Sé cómo quiere que lo hagas, y te aconsejo que lo hagas de esa forma.

   (b.) No sé cómo quiere que lo hagas, pero en cualquier caso te aconsejo que lo hagas así.

7. Ningún banco está abierto a estas horas.

   (a.) Sé que no están abiertos los bancos ahora.

   b. No sé si estarán abiertos o no.

2 ¿Indicativo o subjuntivo?

Dibuje un círculo alrededor de la respuesta correcta. Escoja el indicativo o subjuntivo.

1. ¿Qué película quieres ver?

   Ah, me da igual. La que *(quieres (quieras)* Ve al videoclub y elige una.

2. Todos necesitan tener un diccionario.

   Los que no lo *(tenemos (tengamos)*, ¿podemos ir a la biblioteca por uno?

3. Necesito un bolígrafo, ¿me podrías prestar uno?

   Lo siento, no tengo ninguno que *(funciona (funcione)*).

4. ¿Cómo te irás a tu casa?

   Mira, no te preocupes que tengo un vecino que me *(lleva) / lleve)* todos los días.

5. ¿Quién es la presidenta de la clase?

   Me parece que es la que *(lleva / lleve)* rojo.

6. ¿Quién será el que gane el concurso?

   Seguramente será el que *(gana (gane)* la próxima prueba.

7. ¿Cómo es que está sacando unas notas tan buenas?

   No tengo ni idea. Lo que sé es que lo que *(está esté)* haciendo, está funcionado muy bien.

8. Pero, ¿adónde vas? Que no estoy listo.

   Pero, ¿dónde estás? Deja lo que *(estás / estés)* haciendo que es una emergencia.

9. A ver, ¿no hay voluntarios?

   Que salga a la pizarra el estudiante que *(lleva (lleve)* más cosas de color verde.

10. ¿Dónde pongo esta tarta?

    No me importa, ponla donde *(cabe (quepa)*).

11. ¿Quién sabe la respuesta?

Lo *(sabe / sepa)* un genio de mi clase.

12. ¿Quién sabrá esta respuesta?

No lo sé, pero quien lo *(sabe / sepa)* debe de ser un genio.

3 Clasificados

Escriba un anuncio para el periódico.

1. Buscamos secretaria que…

_____

_____

_____

2. Se busca cocinero que…

_____

_____

_____

3. Se necesita profesor que…

_____

_____

_____

4   ¿Indicativo o subjuntivo?

Dibuje un círculo alrededor del verbo adecuado para cada oración. Después marque la casilla correspondiente según se hable del pasado, de una acción habitual o del futuro.

"Cuando era pequeño,
tenía una bici roja."
(indicativo)

"Cuando voy a clase,
conduzco mi moto."
(indicativo)

"Cuando sea mayor, tendré un deportivo."
(subjuntivo)

1. Oye, ¿te enteraste de que cuando Isa *(fue / vaya)* a dar una vuelta conoció a su gran amor?

   ❏ pasado   ❏ acción habitual   ❏ futuro

2. No soporto que Ignacio se parta de risa cada vez que la pobre Celia *(se cae / se caiga)*, pues la pobre necesita el apoyo de todos.

   ❏ pasado   ❏ acción habitual   ❏ futuro

3. Debido al comportamiento indescriptible de Roberto y a lo insoportable que estaba últimamente, cuando falleció nadie *(se acercó / se acerque)* al funeral.

   ❏ pasado   ❏ acción habitual   ❏ futuro

4. A pesar de que *(se trata / se trate)* de un individuo de un carácter muy complejo, y para colmo brusco, seguro que tan pronto como *(aparece / aparezca)* todos querrán estar con él.

   ❏ pasado   ❏ acción habitual   ❏ futuro

5. Lo absurdo de la situación es que aunque Mercedes *(consigue / consiga)* encontrar un asiento en el mismo vuelo que los demás, probablemente no podrá comprar el billete a no ser que le ayuden sus padres.

      ❏ pasado   ❏ acción habitual   ❏ futuro

6. ¡Esto es el colmo! ¿Cómo es que cada vez que le *(pregunta / pregunte)* algo el profesor lo sabe todo a pesar de que está siempre en las nubes?

      ❏ pasado   ❏ acción habitual   ❏ futuro

7. Por desgracia, Jesús se ha vuelto muy tímido últimamente. Ojalá se le pase rápido para que *(cumple / cumpla)* su sueño de ser una figura pública.

      ❏ pasado   ❏ acción habitual   ❏ futuro

8. Llámame al móvil antes de que *(sales / salgas)*, por si acaso nos hemos marchado ya.

      ❏ pasado   ❏ acción habitual   ❏ futuro

5 ¿Indicativo o subjuntivo?

Complete las siguientes oraciones con la forma correcta del indicativo o subjuntivo.

1. Cuando él _____ *(llegar)*, todos ya se habían ido.

2. En cuanto _____ *(aparecer)* la profesora, nos dirá que no escuchemos música. Pero, ¡que nos quiten lo bailado!

3. No cojas esa bolsa en caso de que le _____ *(pertenecer)* a uno de los profesores.

4. Dudo que nos den muchos exámenes mientras _____ *(estar)* de vacaciones.

5. A pesar de que normalmente _____ *(servir)* la comida fría, sigue siendo mi restaurante preferido.

6. No me voy de aquí sin que tú de una vez _____ *(elegir)* la película que vamos a alquilar. ¡Esto es inaguantable!

7. Por lo visto este fin de semana va a haber muchos policías para que la gente _____ *(conducir)* con cuidado. Es que hay muchos accidentes de tráfico durante este puente.

8. A pesar de que _____ *(ser)* una de las personas con más talento, no trabajas duro para conseguir tus metas.

9. Por desgracia, aunque _____ *(conseguir)* muchos votos, dudo que gane esta senadora.

10. Ay, qué rabia. No me acuerdo de cómo se llama este actor. Lo tengo en la punta de la lengua. En cuanto lo _____ *(recordar)* te llamo y te lo digo.

6 ¿Indicativo o subjuntivo?

Complete las oraciones con la forma correcta del indicativo, infinitivo o subjuntivo.

1. Como se ha vuelto muy arrogante últimamente, no hay nadie que

   lo _____ *(aguantar)*. Hace falta que alguien le

   _____ *(decir)* algo, ya que si se lo _____ *(decir)*

   seguro que _____ *(reaccionar)* bien.

2. No es que yo no _____ *(soportar)* a Rosa, es que no la

   _____ *(conocer)* bien. En cuanto la _____ *(conocer)*

   ya le cuento qué me _____ *(parecer)*.

3. Marisa y yo terminamos enojándonos durante nuestro viaje, pues cada vez que

   _____ *(conocer)* a un muchacho se ponía a coquetear.

4. Te prometo que cuando _____ *(enterarse)* pensé en llamarte,

   pero al final se me olvidó. No quiero que _____ *(pensar)* mal,

   que no _____ *(ser)* mi intención no llamarte, de verdad.

5. No te vayas sin que yo lo _____ *(saber)*. Quiero que

   nosotros _____ *(charlar)* sobre un asunto después

   de que _____ *(asistir)* a tus clases.

6. Aunque Antonio _____ *(parecer)* insoportable, me halagó que se interesara

   por lo que estábamos haciendo.

7. Me alegra saber que dondequiera que yo _____ *(ir)* hay alguien siempre

   dispuesto a proteger nuestro entorno.

8. Es hora de que _____ *(buscar)* a mi media naranja. Aunque sinceramente

   no hay nadie que me _____ *(gustar)* lo suficiente como para enamorarme.

   Puede ser que mi príncipe azul no _____ *(existir)*.

9. Oye, quien _____ *(conocer)* a alguien que _____ *(tener)*

   coche que lo _____ *(localizar)*, ya que _____ *(necesitar)*

   uno para irnos al campo este fin de semana.

10. Se me está acabando la paciencia con Estrella, pues nunca se conforma con lo que

    _____ *(tener)* y _____ *(quejarse)* de todo constantemente.

    ¡Qué pesada que es!

7 ¿Indicativo, subjuntivo o infinitivo?

Complete esta carta usando los verbos en el indicativo, subjuntivo o infinitivo.

Hola Fina:

Por desgracia, no puedo decir que las cosas en casa (1) _____ *(solucionarse)*

a la perfección ya que todo (2) _____ *(resultar)* ser demasiado brusco. Desde

que (3) _____ *(llegar)* a mi casa, todos (4) _____ *(ser)*

problemas. Aun cuando intento solucionar algo siempre aparecen más. Para colmo,

mi padre (5) _____ *(tener)* un carácter muy complejo. Siento mucha

admiración por él, (6) _____ *(ser)* una persona muy cariñosa, pero está

desesperado por pasar más tiempo conmigo. Que si (7) _____ *(empezar)*

a estudiar de nuevo y (8) _____ *(despedirse)* del trabajo, que si

(9) _____ *(comprar)* un coche de segunda mano, o incluso me

(10) _____ *(decir)* que (11) _____ *(abandonar)*

a mi pareja. Y yo, no es que (12) _____ *(desear)* dejar de estudiar

para siempre, pero ahora me (13) _____ *(apetecer)* trabajar, a menos

que me (14) _____ *(tocar)* un millón en la lotería. Ahora, el hecho

de que (15) _____ *(necesitar)* una moto, le pone muy nervioso. Él

(16) _____ *(detestar)* las motos, les tiene una fobia horrible. Y, bueno, ya

en el terreno sentimental es mejor no (17) _____ *(meterse)*. La postura que

toma (18) _____ *(ser)* comprensible, es mi padre, aunque espero que no

(19) _____ *(obsesionarse)* con que tener pareja es un obstáculo en mi vida.

Lo absurdo de la situación es que no (20) _____ *(comprender)* que soy

feliz aunque él me (21) _____ *(decir)* que tengo que

(22) _____ *(madurar)* y cree que debo mejorar muchas cosas. A fin de

que (23) _____ *(poder)* llevarnos bien, intento tomármelo todo con mucha

paciencia y sentido del humor.

Ojalá la solución a este problema no (24) _____ *(convertirse)* en una

gran discusión familiar. Así que, amiga, no te (25) _____ *(sorprender)*

cuando te (26) _____ *(decir)* que (27) _____ *(morirse)* por

tener mi propio espacio vital, por mucho que (28) _____ *(fingir)*, soy una persona de carne y hueso. ¡Necesito que mi padre (29) _____ *(confiar)* en mí!

Aunque (30) _____ *(equivocarse)* en ocasiones, quiero poder equivocarme.

Escríbeme, y dime que me (31) _____ *(apoyar)* en cualquier decisión

que (32) _____ *(tomar)*. Te necesito más que nunca.

Ely

8   Familia de palabras

Complete cada oración con la forma correcta de la palabra en negrita. La respuesta puede ser verbo, sustantivo o adjetivo. Añada un artículo cuando sea necesario.

1. **aguantar**

   a. Les he dicho a Sandra y a Julián que dejen de hablar de ellos mismos. Ellos me pidieron que cada vez que lo hagan se lo diga, ya que muchos no los _____ por eso.

   b. Últimamente, como es la época de exámenes, estoy bastante _____ .

   c. Estoy sorprendida con _____ que tiene Catalina. Por mucho que le digan, nunca se enfada y siempre tiene una sonrisa para todos.

2. **despedir(se)**

   a. Si Alfonso y Mariela se van sin que _____ nosotros, nunca se lo perdonaré. Quizás sea un poco rencoroso, pero no sería un buen gesto.

   b. Todo el mundo odia _____ . Sin embargo, a mí me gusta ver a la gente en sus momentos sensibles. No es que tenga mala intención, pero me gusta verles ese lado humano.

3. **admirar**

   a. _____ a mi prima Lula enormemente, aunque tenga la reputación de ser una maleducada con la gente por su personalidad impulsiva.

   b. Según los psicólogos, las personas mienten para sentirse _____ por los demás.

   c. Aunque sienta gran _____ por su hijo, Don Rodrigo rara vez se lo dice.

9 Falsos cognados 🔍

Elija la respuesta correcta.

1. Todo el pueblo ha sufrido _____ del antiguo alcalde, no ha cumplido las promesas que hizo antes de alcanzar el mandato. Así que ahora tiene todo el pueblo en contra de él.

   a. la decepción   b. engaño

2. Es un individuo muy _____, nunca he tenido ningún problema con él. Por este motivo creo que es imposible que haya hecho todo lo que usted ha dicho.

   a. quieto   b. callado

3. _____ tendrá lugar la semana que viene en el Aula Magna. Todos los que estén interesados en ella, acudan; les será de gran ayuda si quieren aprobar el curso.

   a. La conferencia   b. La consulta

4. El acento del sur es mucho más _____ que el del resto del país. Por lo que a todo el mundo que viene le cuesta mucho trabajo entender lo que dicen, pero esto es algo que ocurre en casi todos los lugares del mundo.

   a. distinto   b. marcado

5. Es una _____ que no le hayan dado el premio, se lo merecía más que nadie. La gente se ha puesto en contra del jurado y le han increpado de una manera extraordinaria.

   a. pena   b. dolor

6. La _____ era de diez kilómetros de largo. Los corredores atravesaron unos campos muy bellos.

   a. raza   b. carrera

7. Día a día esta mujer _____ muchas vejaciones debido a su situación. A continuación, va a ofrecernos una entrevista exclusiva. Aunque no nos mostrará su rostro, por miedo, se le entenderá perfectamente.

   a. ha apoyado   b. ha soportado

8. El _____ ha ido avanzando, pero todavía nos queda mucha

materia por dar. De aquí a final de mes habremos finalizado todo el temario y esto dará

lugar al examen final de la asignatura.

    a. tema   b. sujeto

9. Ella ha sido, durante todos los años de su carrera profesional, la persona más

_____ con la que he colaborado; siempre ha sido una persona

justa. Ha sido el ser más equitativo de los que aquí estamos reunidos.

    a. sensata   b. sensible

10. Los problemas han superado a la empresa, los beneficios han bajado de una manera

cuantiosa, y por esto pido mi dimisión. Espero que entiendan esta decisión ya que no ha

sido fácil de tomar. Sean _____ conmigo.

    a. simpáticos   b. comprensivos

10 Antes de leer

¿Cree que realmente se puede conocer la personalidad de alguien por la forma en la que escribe? ¿Sabe si realmente existen investigadores de la policía que utilizan esta técnica para descubrir datos sobre sus casos?

11 Su letra

Lea el siguiente artículo.

Muéstrame cómo escribes

Del conocido dicho "Dime con quién andas y te diré quién eres", **(A)** "Dime cómo escribes y te diré quién eres, cómo te encuentras, etc...".

La mayoría de terapias naturales consideran como elemento importantísimo para el diagnóstico, la personalidad del paciente y su estado de ánimo. (Flores de Bach, Homeopatía,
5 Shiatsu,...). Por ejemplo, el Dr. Bach decía que se debía tratar a la persona (personalidad) y no a la enfermedad. Por lo tanto, cuanta más información tengamos sobre la persona, más acertado será el diagnóstico.

Muchos aspectos de la personalidad, ya podremos apreciarlos a simple vista a lo largo de la entrevista, pero habrá otros más profundos, a los que nos costará más llegar.

10 Y ya sea como complemento a la entrevista del <u>terapeuta</u>, para conocer (y por lo tanto comprender mejor) a nuestras amistades, para seleccionar candidatos idóneos a un puesto de trabajo, para analizar compatibilidades entre parejas, etc... existe una técnica llamada grafología **(B)**, incluso para conocernos a nosotros mismos un poco mejor.

Imaginémonos que estamos sentados en una terraza de un café desde donde podemos
15 observar a la gente como pasa por la acera de la calle. E intentamos describir la personalidad de las personas que vemos pasar. ¿En qué **nos fijaremos**? A que si vemos a una persona de formas curvas, moviéndose poco a poco y con gracia pensaremos que es dulce y femenina.

continúa

En cambio si vemos a una persona con formas más angulosas, caminando de prisa, inclinada hacia adelante, pensaremos que es más bien agresiva y activa. Nos basaremos en los gestos
20 que hace la persona para clasificarla. Y es fácil imaginar que estos gestos que hace la persona al moverse también los repite cuando escribe. Y éstos son los que podemos interpretar por medio de la grafología.

Se considera que la escritura es otra forma de gesticular. Y estos gestos gráficos se estructuran en ocho grandes grupos:

25 • Tamaño de la letra: que nos habla del auto-concepto. La confianza en si mismo, que puede ser real o figurada.

• Forma: nos habla del estilo de vida. Cultura individual, originalidad de pensamiento, gustos, locura...

• Dirección de las líneas: nos habla del estado de ánimo. Humor, rectitud, flexibilidad,
30 ambición, actividad, optimismo, pesimismo, fatiga.

• Velocidad: nos habla del ritmo de los procesos intelectuales y de la actividad física. Precipitación, lentitud.

• Presión que se ejerce sobre el papel al escribir: nos habla de la vitalidad, la sensualidad, la firmeza, la enfermedad.

35 • Inclinación de las letras: nos habla de los sentimientos. Afecto, frialdad, timidez, apasionamiento, sensibilidad.

• Cohesión de las letras entre ellas: nos habla de cómo llevamos a término nuestros **procesos mentales**, básicamente si llegamos a conclusiones por medio de un procedimiento lógico-deductivo o bien nos dejamos llevar más por los instintos. También
40 nos habla de la sinceridad, falsedad, extravagancia, excitación.

• Orden general de ocupación del papel sobre el que se escribe: nos habla de la capacidad de organización, la claridad o confusión de ideas, cómo nos dirigimos a los demás.

Se diferencia claramente el análisis del texto del de la firma. Esta diferencia es muy importante, ya que en el texto encontramos la imagen social que da la persona y en la firma
45 encontramos cómo se siente realmente en su interior. Estos contrastes acostumbran a ser los más útiles para el terapeuta y para el análisis de la persona en general. Por ejemplo, si queremos interpretar el nivel de tristeza o melancolía **(C),** veremos que la dirección de las líneas del texto será descendente, pero si observamos que la firma es horizontal o incluso un poco ascendente, deduciremos que el nivel de tristeza sólo es superficial o temporal. En
50 cambio si observamos que la firma también es descendente, deduciremos que la cosa es más profunda.

Otra regla muy importante es observar todo el conjunto de todo el escrito antes de emitir juicios. Analizar la cantidad y la intensidad en que aparece una expresión gráfica. Por ejemplo, si vemos ángulos innecesarios diremos que la persona tiene un punto de agresividad, dureza
55 y actividad. Pero no es lo mismo si aparece un solo ángulo de 70° en todo el escrito, que si aparecen dos de 15° a cada línea.

Otro método complementario es el llamado inductivo. Cada signo aislado tiene un significado propio. Por ejemplo:

• La letra "A" mayúscula nos habla de la armonía de la persona respecto a los ambientes
60 íntimo-familiar y social-profesional.

• La letra "D" mayúscula nos habla, en el caso de personas jóvenes, de su relación con los padres, y en el caso de los adultos, también si aún no se ha superado y además de los proyectos de futuro.

• La letra "t" minúscula nos habla de si nos gusta mandar **(D).**

65 Como vemos, sin poder entrar ahora en más detalle, podemos, con un análisis superficial del escrito, describir una especie de caricatura del personaje analizado, y con un análisis más profundo, afinar mucho más la definición. **(E) El buen o mal uso** que se haga de esta información ya sería tema para otra historia, pero en general se dice que conocer es estimar, y si la grafología nos ayuda a conocer mejor.

TONI OLIVES
www.enbuenasmanos.com

12 ¿Ha comprendido?

Elija la mejor respuesta para cada pregunta.

1. ¿Qué consideran importante los naturópatas?

   a. Que las personas que consultan las terapias crean en ellos

   b. Conocer el carácter de los pacientes

   c. Que sean felices los que acuden a sus manos

   d. Que tengan buena letra al escribir

2. ¿Qué les dice a los grafólogos el tamaño de la letra?

   a. Si son egocéntricas o no

   b. Si las personas que las escriben son inseguras

   c. Que son personas sociables

   d. Si son personas agradables o desagradables

3. Cuando una persona es muy desordenada y poco concisa se le diferencia por...

   a. la velocidad que utiliza para escribir.

   b. el ancho de la letra.

   c. los márgenes que se utilizan a los lados.

   d. el orden con que se escribe sobre el papel.

4. ¿Por qué se diferencia, al analizar, el texto de la firma?

   a. La firma es definitoria a la hora de analizar la forma de ser de una persona

   b. El texto es más importante que la firma

   c. El texto muestra la sociabilidad de una persona y la firma el interior de esta

   d. La firma refleja la melancolía y el texto la felicidad de la persona

5. ¿Qué refleja la letra 'D' mayúscula en la escritura de una persona?

   a. Cómo es la relación entre padres e hijos

   b. Cómo es la relación entre los padres

   c. Cómo interactúan los hijos

   d. La vida en las ciudades

13 ¿Dónde va? 🔍

¿Dónde se deben añadir las siguientes frasas al artículo? Escriba la letra que corresponde a cada frase. Hay una frase extra que no hace falta utilizar.

1. _____ Y a menudo nos llevaremos sorpresas...

2. _____ aquí podríamos decir

3. _____ que nos puede echar una mano

4. _____ o que nos manden

5. _____ la libertad que tenemos

6. _____ que siente la persona

14 ¿Qué significa? 🔍

Explique con sus propias palabras lo que significan estas palabras o frases que aparecen en negrita en el artículo.

1. muchos aspectos _____

2. nos fijaremos _____

3. procesos mentales _____

4. el buen o mal uso _____

15 Sinónimos 🔍

Escriba cada palabra subrayada en el texto junto a su sinónimo o definición.

1. especialista en terapias _____

2. hacer gestos _____

3. usualmente _____

4. pasar de casos particulares a leyes generales _____

16 ¿Ha comprendido?

Conteste las siguientes preguntas sobre el artículo.

1. Según el doctor Bach, ¿qué es lo más importante para estudiar, la persona o la enfermedad?

   ¿Podría explicar por qué?

   _____

2. ¿Cuál es la diferencia entre analizar un texto escrito y una firma?

   _____

3. ¿Qué ocurre cuando la firma de una persona es descendente?

   _____

17 Escriba ✎

En su cuaderno, resuma lo que ha leído en un párrafo. Subraye las palabras nuevas que use.

18 Se titula...

Piense en otro título para el artículo.

   _____

19 Carrera de sapos 💿 (CD 1, pista 10)

Después de escuchar la audición, elija la mejor respuesta para cada pregunta.

1. ¿Cuál es el objeto de la carrera?

   a. Rodear la montaña

   b. Subir a lo alto de la torre

   c. Rodear la torre

   d. Llegar a la meta

2. ¿Qué decía la multitud?

   a. Que los sapos estaban cansados

   b. Que era muy triste la carrera

   c. Que daban pena porque no podrían llegar

   d. Que era muy aburrido y lento

continúa

3. ¿Qué pasó durante la carrera?

    a. Que la multitud se fue aburriendo

    b. Que se cansaron y se rindieron los sapos

    c. Que se dieron cuenta que los sapos eran sordos

    d. Que no llegó ninguno a la meta

4. La moraleja de la historia es…

    a. que no hay que hacer caso de las malas lenguas.

    b. que debes resistir siempre hasta el final.

    c. que te rodees de gente que te comprenda.

    d. que hay que intentar ser feliz en cada momento.

20 ¡A conversar!

Escriba una conversación con un/a compañero/a. Su compañero confiesa que ha mentido a sus padres sobre las calificaciones que le dieron en los exámenes. Aconséjele y anímele para que cuente la verdad.

A: _____

B: _____

A: _____

B: _____

A: _____

B: _____

A: _____

B: _____

21 Escriba

Escriba un párrafo sobre los siguientes temas. Use distintas formas del subjuntivo y subráyelas.

¿Qué desea? Hable de sus sueños e intereses.

1. Deseo encontrar a una persona que…

_____

_____

_____

_____

2. Me gustaría vivir en un mundo donde…

_____

_____

_____

_____

3. Me encantaría tener un trabajo en el que…

_____

_____

_____

_____

22 Presentemos en público 🎤

Unos compañeros van a presentar la conversación del ejercicio 20 en clase. Tome notas de lo que digan y analice (1) el uso de la gramática, (2) el uso del vocabulario, (3) la entonación, (4) la presentación de sus ideas y (5) la pronunciación. La clase debe hacerle al menos dos preguntas a cada estudiante una vez que terminen.

1. _____

_____

2. _____

_____

3. _____

_____

4. _____

_____

5. _____

_____

23 Amplíe su vocabulario 🔍

Complete las oraciones con la palabra o frase adecuada.

1. Todos coinciden en que Melinda actuó como actuó porque siempre ha tenido

_____ muy fuerte. Pero los que de verdad la conocen no están de acuerdo.

    a. un carácter   c. una actitud

    b. un personaje   d. lo característico

2. En _____ del mes pasado se habló de Sigmund Freud, quien estudió

nuevas formas de análisis del comportamiento humano hace ya un siglo y aún se practican.

    a. la consulta   c. el tópico

    b. la lectura   d. la conferencia

3. ¡Deja de _____ que eres una persona feliz! Deberías _____

    y solucionar tus problemas con paciencia, es lo más importante ahora mismo.

    a. engañar, atraer   c. fingir, madurar

    b. fingir, llamar la atención   d. llamar la atención, madurar

4. Por desgracia, _____ creo encontrar a mi pareja ideal, resulta ser un

    sinvergüenza. Siento que no hay nadie en quien pueda confiar.

    a. por si acaso   c. así mismo

    b. cada vez que   d. tengo buen olfato

5. Le conozco _____; si consigo hablar con él, el enfado

    _____ pronto. No obstante, necesito quedar con él de manera que

    podamos hablar del tema.

    a. a cada rato, se le pasará   c. a la perfección, ¡es una tontería!

    b. a la perfección, se le pasará   d. a cada rato, ¡es una tontería!

6. Desearía no hablar nunca más con ese _____. Consigue ponerme de mal

    humor, ya que a menudo es brusco con nosotros.

    a. persona   c. individuo

    b. tema   d. carácter

7. Me sentía tan _____ que no pude decirle a mi familia que estaba

    _____ ; por suerte, cuando se lo conté me dijeron que me van a ayudar en

    lo que necesite.

    a. distinta, avergonzada   c. embarazada, sensible

    b. avergonzada, embarazada   d. sensible, distinta

8. ¿Te atreverías a ponerte algo llamativo o chillón que _____, o te da miedo

    el qué dirán? Seguro que te pondrías roja como un tomate.

    a. te despidieran   c. llame la atención

    b. tengas la manía de   d. quite

24 ¿Cuál es la palabra?

Complete las oraciones con la palabra o frase adecuada. Haga los cambios necesarios. Hay dos opciones que no necesita usar.

a cada rato	echar de menos	~~objetivo~~
clave	lo absurdo de la situación	· por si acaso
decena	medicamento	~~todo color de rosa~~

1. José siempre me dice que vivo en un mundo de fantasía y que lo veo _todo color de rosa_. Yo creo que es que me ve siempre disfrutando de la vida y sonriéndole a todo.

2. Pensar de modo positivo es _____ para que todo salga bien.

3. Es la hora de que se conciencie la gente de que _objetivo_ hay que tomarlos siempre con prescripción médica.

4. Andrés se está levantando de su asiento _____ por si se pasan por aquí a visitarle. Ya sabes que no es una persona muy paciente.

5. Estoy a punto de dejar mi trabajo, aunque esperaré una semana más _____ la situación mejora. Siempre es bueno, por si las moscas. ¿No crees?

6. Mi antiguo novio me contaba chistes todo el tiempo. Aunque antes no lo soportaba, ahora _____ . No conozco a nadie que sea tan pesado y tan entrañable al mismo tiempo.

7. ¡Oye!, cuando dejes de estar en las nubes te apoyaré, tal y como lo he hecho _____ de veces. Pero, es que no parece que vas en serio.

"No te está escuchando. Está en las nubes".

25 ¿Qué palabra es? 🔍

Escriba la palabra o expresión del vocabulario que corresponde a cada definición. Ponga una letra en cada casilla.

1. Desafortunadamente ☐☐☐ ☐☐☐☐☐☐☐☐☐☐

2. Cuando una persona tiene muchas opciones donde elegir, se dice que se le abre
☐☐ ☐☐☐☐☐☐☐ ☐☐
☐☐☐☐☐☐☐☐☐☐☐

3. Difícil ☐☐☐☐☐☐☐☐

4. Un hábito que una persona no puede dejar ☐☐☐☐☐

5. Cuando algo no se puede describir con palabras
☐☐☐☐☐☐☐☐☐☐☐☐☐☐

6. Una persona con dificultad para relacionarse con los demás ☐☐☐☐☐☐

7. Quien tiene un papel principal en una película
☐☐☐☐☐☐☐☐☐☐☐☐☐

8. Resolver problemas ☐☐☐☐☐☐☐☐☐☐

26 Crucigrama

Escriba las claves para las palabras que aparecen en el crucigrama.

```
                                    ¹E
                                     S
                                     T
 ²V  A  S  T  ³O      ⁴G             R
                B        R             E
                J        A             S
 ⁵P  A  C  I  E  N  C  I             A
                T        I             D
       ⁶C  A  R  I  Ñ  O  S  O
                V        S
 ⁷V  I  C  I  O        O
```

Horizontales

2. _____

_____

5. _____

_____

6. _____

_____

7. _____

_____

Verticales

1. _____

_____

3. _____

_____

4. _____

_____

27 Verbos con preposición

Elija la mejor respuesta.

1. Quienquiera que _____ probarlo, es un cobarde. ¡Hay que ser valiente!

   a. sea reacio a   b. piense de   c. se ha sumergido en   d. se entere de

2. Me ha dicho un pajarito que tal vez _____ despedir a Rocío.

   a. esté a punto de   b. se involucre en   c. se enamore de   d. se entere de

3. Cuando me equivoqué, _____ decir que hacía todo mal. Es como el refrán

   "matas un gato y te llaman matagatos".

   a. pensaron en   b. pensaron de   c. se pusieron a   d. fueron reacios a

4. Cuando _____ lo que hizo, saldrá en la portada de todas las revistas

   sensacionalistas.

   a. se enteren de   b. se enamoren de   c. piensen de   d. se involucre en

5. No me entra en la cabeza cómo tiene la manía de _____ tantas personas

   todo el tiempo.

   a. pensar de   b. coquetear con   c. enterarse de   d. ser reacio a

28 Verbos con preposición

Añada la preposición necesaria a los verbos que aparecen en el recuadro. Después complete las oraciones con la forma correcta del verbo. Hay un verbo que no necesita usar.

enterarse _____	pensar _____
estar a punto _____	ponerse _____
involucrarse _____	soñar _____

1. Me tenías preocupada, _____ llamarte porque no sabía si íbamos a quedar hoy.

2. Siempre está preocupado. Creo que _____ los problemas de la gente demasiado.

3. El concierto tuvo lugar la semana pasada y no _____ que íbamos a ir, por lo que se han enfadado bastante.

4. No hacía nada más que _____ ella, pero todos sabíamos que no tenían futuro como pareja.

5. Es una persona muy constante, _____ trabajar con muy pocos años y todavía sigue luchando.

Personalidad y personalidades   Capítulo 4   Lección B

1 Preposiciones

Complete el texto con la preposición correcta entre paréntesis.

Andaba (1) *(con / a)* una amiga (2) *(de / a)* pie por el parque y decidimos entrar

(3) *(en / al)* museo para ver las obras del catalán Joan Fontcuberta. Mi amiga está

interesada (4) *(de / en)* el arte electrónico y este artista se especializa (5) *(en / a)* crear

imágenes basadas (6) *(en / de)* información (7) *(de / en)* la Internet como mapas geológicos

o imágenes (8) *(de / en)* Google. (9) *(En / A)* la puerta el guarda me dijo que no podía

dejarme entrar porque llevaba una cámara de video conmigo. (10) *(En / A)* continuación

me dijo que no había un lugar para guardar mi cámara. Mi amiga me había aconsejado

entrarla (11) *(de / a)* escondidas pues yo no la iba a usar ilegalmente. (12) *(En / A)*

veces yo soy tonta y por esta razón tuve que esperar a mi amiga (13) *(a / en)* el parque

mientras ella veía la exposición. (14) *(En / A)* eso de las 3:00 mi amiga salió y (15) *(de / al)*

verme tan enojada, (16) *(de / en)* vez de irse a su casa me invitó a cenar. Me contó que

Fontcuberta está entrando poco (17) *(a / por)* poco en el mercado (18) *(en / de)* arte de los

Estados Unidos y es conocido entre los coleccionistas de fotografía y arte electrónico.

2 Reglas

Mire las siguientes reglas sobre los pronombres relativos.

- El pronombre relativo más común es **que** y se refiere tanto a personas como a cosas. (El coche que compré el año pasado no es bueno. Pedro es el empleado que mejor trabaja.)

- **Quien/Quienes** se refiere solamente a personas. Se usa después de preposiciones y en estos casos es intercambiable con **el/la que, los/las que** o **el/la cual, los/las cuales.**

- **Quien/Quienes** se usa como sujeto en cláusulas parentéticas, cuando cierta información con respecto al sujeto principal aparece entre comas. (El amigo de mi hermana, quien trabaja en el Banco Mundial, va a salir en TV esta noche.)

- **Quien/Quienes** se usa como el sujeto de proverbios *(he / who)* y es intercambiable con **el que.** (Quien temprano se levanta, en su trabajo adelanta.)

continúa

- **El/la que, los/las que** y **el/la cual, los/las cuales** se refieren tanto a personas como a cosas y se usan después de preposiciones. (Éstos son los libros de los que te había hablado. Pedro Páramo es el personaje por el que siento más atracción en la novela.)

- **El/la que, los/las que** y **el/la cual, los/las cuales** se usan para clarificar cuando hay más de dos antecedentes posibles en una frase. (El amigo de mi prima, el cual vive en Barcelona, llega mañana.)

- **El/la que, los/las que** y **el/la cual, los/las cuales** expresan *he who.* (Los que quieran desayunar temprano, deben estar listos a las 8.)

- **Lo que/lo cual** son pronombres relativos neutros, y se refieren a una idea, no a un sustantivo específico. (Lo que me fascina de Nueva York es su diversidad. Esteban no me invitó a su fiesta, lo que me molestó un poco.)

- **Cuyo/cuya, cuyos/cuyas** se refieren a personas o a cosas. Su función es la de un adjetivo posesivo y por eso deben concordar en género y número con el sustantivo al que se refieren. (Este debe ser el perrito cuyo collar encontramos en las escaleras. La casa de Antonia, cuyas ventanas están rotas, fue invadida por las ratas.)

3 Pronombres

Complete la siguiente tabla con la información necesaria sobre cada pronombre.

Pronombres	Usos	Con/sin preposiciones
que		
quien/quienes		
el/la/los/las que		
el/la cual, los/las cuales		
cuyo/a, cuyos/as		

4 Pronombres relativos

Complete el siguiente diálogo usando los pronombres relativos del recuadro.

cuyos/cuyas	lo que/lo cual	que
el/la/los/las que	los/las cuales	quien/quienes

Carmen: Me gustaría saber la carrera (1) _____ quiero seguir pero no tengo la menor idea.

Consejero: Bueno Carmen, tienes que afrontar la realidad y escoger (2) _____ quieres hacer en la vida. Conozco a otros estudiantes (3) _____ tienen problemas similares pero (4) _____ padres les han servido de gran apoyo.

Carmen: Mi padre se empeña en (5) _____ siga la carrera de medicina. La hija de su hermano Diego, (6) _____ vive en Seattle, está a punto de terminar su carrera y quiere que cuando yo termine pongamos un consultorio juntas. (7) _____ no me gusta es que me fuercen a seguir la profesión de la familia.

Consejero: Podrías empezar a tomar materias para (8) _____ es necesario practicar en laboratorios, de manera que te des cuenta si te interesan las ciencias. Recuerda que (9) _____ tienen éxito en la vida son aquéllos para (10) _____ las cosas no son fáciles.

Carmen: Gracias por su consejo. Paciencia y dedicación son cosas (11) _____ no me son fáciles, por (12) _____ necesito pensar todo dos veces.

5 Pronombres

Complete el texto con los pronombres correctos entre paréntesis.

Salimos de viaje hacia Ecuador con un talentoso grupo (1) *(que / cuya)* curiosidad lo hacía extremadamente interesante. La noche antes de la salida, uno de los guías nos recordó el proverbio que dice: (2) *"(quien / el cual)* temprano se levanta, en su trabajo adelanta". Mientras el autobús estaba calentando motores, otro guía con (3) *(que / quien)* hablé, me explicó las costumbres de los indígenas. También le pregunté si sabía algo de la casa delante de (4) *(la que / que)* estábamos. Me contestó que era la antigua residencia de los virreyes. De pronto tres chicos subieron en el último minuto y el guía nos dijo (5) *(que / lo que)* eran los mexicanos de (6) *(cuyos / quienes)* nos había hablado. Eran vivaces y carismáticos y nos divertimos enormemente. Cuando llegamos a Quito, en el teatro central estaban presentando una serie de películas de Pedro Almodóvar, (7) *(que / quien)* nació en la Mancha, lo que nos recuerda a Don Quijote, y es un director de cine maravilloso. Almodóvar va a pasar a la posteridad porque sus películas son un auténtico retrato de la identidad de la España postmoderna. Nos encantó el festival de cine, pero (8) *(que / lo que)* más nos interesó de Quito fue la mezcla de culturas europea e indígena.

6 ¿Cuál es la palabra?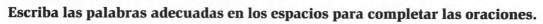

Escriba las palabras adecuadas en los espacios para completar las oraciones.

1. El chico _____ salía en la película que vimos el

   _____ día en el cine dijo en una entrevista que

   _____ que más echaba _____

   menos _____ los rodajes era la comida que su abuela

   _____.

2. La audacia _____ ejecutivo hizo _____

   la película _____ una fama _____

   precedentes; creó un mito _____ la nada.

3. Muchas actrices _____ acaban sometiéndose

   _____ la cirugía _____ acaban

   pareciendo verdaderas extraterrestres, pero hay _____ que

   mejoran después _____ su paso _____

   el quirófano.

4. Es _____ tipo brillante _____ que ves allí,

   pero carece _____ sentido común, así que

   _____ mejor que se puede hacer _____

   él _____ ignorarlo, porque si _____ haces

   caso _____ tratarte bastante mal.

5. Aunque es _____ impresentable _____

   el resto del mundo, _____ mí me hace feliz

   _____ no se comporta como _____

   estrella y _____ pesar _____ todo es una

   persona encantadora y galante.

7 Familia de palabras 🔍

Complete cada oración con la forma correcta de la palabra en negrita. La respuesta puede ser verbo, sustantivo o adjetivo. Añada un artículo cuando sea necesario.

1. **triunfar**

   a. Cuando Isabel llegó después de

      _____ por

      el mundo entero, había cambiado por dentro y por

      fuera hasta tal punto que se olvidó de sus raíces.

   b. El suceso deshonesto con el que consiguió ser

      _____ de la competición

      estaba siempre en su cabeza, nunca pudo olvidarlo.

   c. Ese chico no tiene tanto talento; por lo visto, éste fue su año

      _____ debido a que estaba en el lugar apropiado en el

      momento apropiado.

2. **fracasar**

   a. El motivo del _____ de esa actriz fue que se puso enferma

      y perdió muchas oportunidades que otras aprovecharon.

   b. _____ muchas veces a lo largo de mi vida, pero te aseguro

      que este tren no lo voy a dejar escapar.

   c. El el momento en el que Tomasito fue despedido por el productor se sintió como

      _____. No obstante, usó esta frustración para luchar por

      su sueño, y logró un éxito espectacular.

3. **obsesionarse**

   a. El pobre Agustín llegó a estar tan _____ con sus actuaciones

      que terminó viviendo la vida como si estuviera en un plató de cine o en un escenario.

   b. Es crucial que Ud. no _____ con lo que pasó. Cualquiera

      puede meter la pata, ¿no está de acuerdo?

   c. Sara tenía millones de _____ y manías, hasta que un día

      decidió acabar con todas ellas por completo.

8 ¿Qué palabra es?

Escriba una palabra en cada espacio para completar las oraciones. En los espacios que no necesiten ninguna palabra, escriba una 'X'.

1. La trayectoria _____ la enfermedad, por

   la _____ usted está contagiado, ha llegado

   a _____ cota más alta. Necesitamos que

   _____ sea fuerte y que no baje la guardia.

2. La mayoría _____ la gente que asistió

   _____ la gala de clausura, estaba de acuerdo

   _____ el veredicto. La película _____

   ganó _____ merecía el premio.

3. A lo largo de todo _____ tiempo, he llegado

   _____ la conclusión de que si no trabajas nunca llegarás

   _____ ser lo _____ quieres; tarde

   _____ temprano se reconocen tus méritos. Cualquiera que

   _____ diga lo contrario, miente.

4. Metimos la pata cuando _____ dijimos que le íbamos a comprar

   _____ pendientes que había visto _____

   la joyería. Cuando fuimos a la tienda, ya _____ los habían llevado.

5. Al margen de _____ nuestros conflictos,

   _____ cada vez iban a mayores, y aunque sé

   _____ no puedo vivir con ella, no me importaría que saliéramos

   _____ vez en cuando para cenar _____

   juntas. Es la mejor solución para intentar llevarnos bien.

6. Las palomas mensajeras son animales _____ vivaces que son

   capaces de recorrer cientos de kilómetros _____ llegar a su

   destino, aunque _____ verdad es que no creo que existan o

   _____ lo menos yo no he visto _____

   nunca a ninguna.

9 Antes de leer 🚶🚶

¿Le gustaría trabajar en televisión? ¿Le importaría que la gente le parara continuamente por la calle? Si viera a un famoso, ¿lo pararía para preguntarle por su vida privada? ¿Qué piensa de los programas de televisión de prensa rosa?

10 La fama 📖

Lea el siguiente artículo.

Los quince minutos de fama se acortan en la era de los reality shows

En un mundo dominado por la telerealidad y vídeos locos en Internet, cualquiera—desde taxistas a camareras—puede conseguir la fama instantánea y perderla en un instante.

Los videos <u>caseros</u> **están en auge** en Internet y los shows de televisión convierten en
5 estrellas, <u>de la noche a la mañana</u>, a gente de la calle <u>deseosa</u> de comer <u>saltamontes</u>, casarse con desconocidos o intercambiar esposos ante <u>audiencias</u> de millones de personas.

Pero mientras las ventanas de la oportunidad se <u>ensanchan</u>, la vida de la fama parece estar <u>estrechándose</u>.

"El <u>panorama</u> está plagado de gente que está bajo el foco de los televidentes un día y son
10 completamente olvidados al día siguiente", dijo Andy Dehnart, que puso en funcionamiento el sitio web Realityblurred.com.

En ningún sitio se ha vuelto más <u>verdadera</u> la <u>cita</u> que el artista Andy Warhol dijo en 1968 respecto a que "en el futuro, todo el mundo tendrá quince minutos de fama" que en sitios webs como YouTube, cuyo <u>eslogan</u> es "**Difúndete**".

15 Más de 65.000 videos son colgados a diario en YouTube, muchos de ellos videos caseros de espectadores actuando en musicales de sus colegios, haciendo cosas bonitas con sus <u>mascotas</u> o teniendo una <u>venganza</u> familiar.

Pero YouTube, que puede alardear de 20 millones de espectadores por mes, ha impuesto un límite de 10 minutos en muchos vídeos.

20 "Sabemos que muchos de nuestros usuarios sólo ven vídeos que están por debajo de 3 minutos de duración", dijo el sitio en un artículo.

¿Se encogen los 15 minutos de Warhol?

El Museo Andy Warhol abrió en 2000 la página web "15 minutos en el paseo de la fama", [que se] inspiraba en el **furor** por programas de telerrealidad como "Gran Hermano" o
25 "Supervivientes".

"Pensamos que Andy lo aprobaría. Le encantarían todos los realities donde todo el mundo puede ser una estrella", dijo Rachel Baron-Horn, supervisora del sitio web.

Pero incluso allí, los **masivos** instantes de fama instantánea se están acabando rápidamente. "Hay muchas oportunidades para tus quince minutos de fama. ¿Hay bastante tiempo en el
30 mundo? Quizá sean sólo 10 minutos", dijo Baron-Horn.

En el sitio, cualquiera puede elegir un candidato para los 15 minutos de fama y el ganador es escogido dependiendo del número de votos cada mes. Antiguos ganadores han tenido el alcance de Britney Spears o la famosa <u>cárcel</u> iraquí Abu Graib.

Pero muchas nominaciones tienen un rápido y oscuro final.

35 Dehanrt dijo que poca gente ha logrado mantener su fama después de que sus 'realities' hayan terminado a menos que tengan un talento genuino, como es el caso de Kelly Clarkson, ganadora de "American Idol", <u>una especie de</u> "Operación Triunfo" en Estados Unidos.

www.laflecha.net

11 ¿Qué significa? 🔍

Elija la mejor definición para las siguientes palabras que aparecen subrayadas en el artículo.

1. _____ casero   a. encoger, reducir

2. _____ de la noche a la mañana   b. aspecto general de algo

3. _____ deseoso   c. conjunto de personas que siguen un programa de televisión

4. _____ saltamontes   d. en poco tiempo

5. _____ audiencia   e. perteneciente o relativo al hogar

6. _____ ensanchar   f. real, cierto

7. _____ estrechar   g. algo parecido a

8. _____ panorama   h. aumentar, dilatar

9. _____ verdadero   i. respuesta con una ofensa o daño

10. _____ cita   j. frase célebre

11. _____ eslogan   k. idea breve publicitaria

12. _____ mascota   l. con ganas

13. _____ venganza   m. lugar para recluir a los presos

14. _____ cárcel   n. animal de compañía

15. _____ una especie de   o. insecto herbívoro

12 ¿Ha comprendido?

Elija la mejor respuesta para cada pregunta sobre el artículo.

1. ¿Quién es Andy Dehnart?

   a. Un famoso que surgió del Realityblurred. com

   b. Televidente de reality shows

   c. Creador del espacio Realityblurred.com

   d. Un famoso que fue olvidado minutos más tarde

2. ¿De qué tratan muchos de los videos colgados en YouTube?

   a. Videos musicales

   b. Videos caseros de los mismos espectadores

   c. Quince minutos de difusión

   d. Matrimonios entre desconocidos

3. ¿Cuál es la duración que fija YouTube para los videos?

   a. Como dijo Warhol, quince minutos

   b. Tres minutos, que es lo que quiere la audiencia

   c. No más de diez minutos

   d. No tiene límite

4. ¿Cómo es el concurso del sitio Web de Andy Warhol?

   a. Se ruedan realities para buscar nuevas estrellas

   b. Todo aquel que sale se convierte en una estrella

   c. Se realiza una votación para otorgar 15 minutos de fama al ganador

   d. Programas caseros de realidad como "Gran Hermano"

5. ¿Cuál es el final de estos rápidos famosos?

   a. Muestran su talento públicamente y se convierten en grandes personalidades

   b. La audiencia los usa para reírse de ellos

   c. Dejan de ser famosos cuando sus realities dejan de emitirse

   d. Dejan de ser famosos a las pocas semanas

13 Pregunte ✒

Escriba una pregunta apropiada para cada respuesta.

1. En el 1968

   _____

2. Difúndete

   _____

3. Porque a Warhol le gustaría la idea de que cualquiera puede ser una estrella

   _____

4. "American Idol"

   _____

14 ¿Qué significa? 🔍

Explique con sus propias palabras lo que significan estas palabras o expresiones que aparecen en negrita en el artículo.

1. están en auge _____

2. difúndete _____

3. furor _____

4. masivos _____

15 Preposiciones 🧊

Escriba las preposiciones que van con estos verbos que se usaron en el artículo.

1. estar dominado _____

2. convertirse _____

3. casarse _____

4. alardear _____

5. inspirarse _____

16 Escriba ✒

En su cuaderno, resuma lo que ha leído en un párrafo. Subraye las palabras nuevas que use.

17 Se titula...

Piense en otro título para el artículo.

_____

18 Antes de escuchar 👥

¿Conoce a Shakira? ¿Sabría cantar alguna de sus canciones (o parte de ellas)? ¿Sigue la música latina? ¿Qué estilo de música latina es su preferido?

19 Shakira, la historia 💿 (CD 1, pista 11)

Después de escuchar la audición, elija la mejor respuesta para cada pregunta.

1. ¿Cuándo se consolidó la carrera de Shakira?

   a. Con su disco "Servicio de lavandería"   c. A los 5 años

   b. En el año 1997   d. Con su primer Grammy

2. ¿Quién descubrió a la cantante?

   a. Un turista de un puerto caribeño   c. Una radio local de Bogotá

   b. Una profesora de un colegio de   d. El señor García Ochoa
      Barranquilla

3. ¿Cuándo hizo Shakira su primera grabación?

   a. A los 20 años

   b. De niña, en un club de mujeres divorciadas

   c. A los 13 años, en 1990

   d. A los 15 años, en 1990

4. ¿Cómo se llama el álbum que hizo con Emilio Estefan?

   a. ¿Dónde están los ladrones?

   b. Pies descalzos

   c. Unplugged

   d. Ojos así

5. ¿Con qué canción ganó Shakira el Grammy por la Mejor Interpretación Rock Femenina?

   a. Octavo día

   b. No creo

   c. Ojos así

   d. ¿Dónde estás corazón?

20 ¿Ha comprendido?

Conteste las siguientes preguntas.

1. ¿Cuántos años tiene actualmente la artista?

   _____

2. ¿Cuál es la ciudad natal de Shakira?

   _____

3. ¿De dónde provienen los ancestros de la cantante?

   _____

4. ¿Con quién se le relaciona sentimentalmente a Shakira, según este texto?

   _____

21 Buscando errores

Lea el párrafo a continuación. Busque los errores enumerados en la siguiente lista y marque las casillas cuando los encuentre. Luego haga las correcciones necesarias.

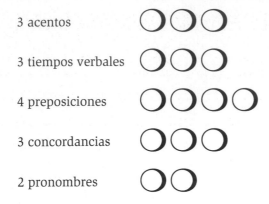

3 acentos ○○○

3 tiempos verbales ○○○

4 preposiciones ○○○○

3 concordancias ○○○

2 pronombres ○○

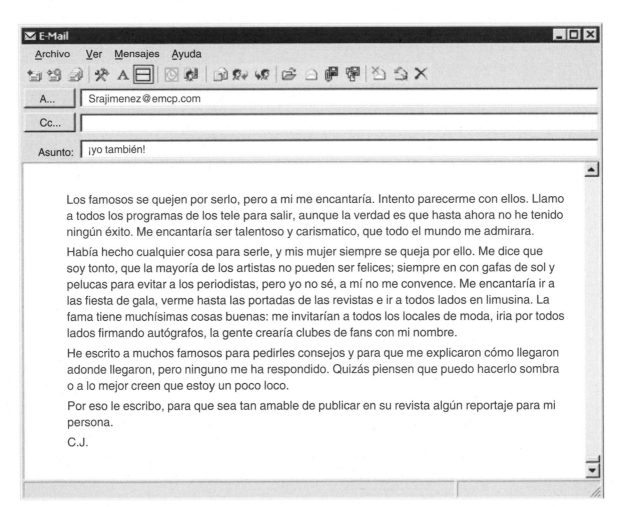

E-Mail

Archivo   Ver   Mensajes   Ayuda

A...   Srajimenez@emcp.com

Cc...

Asunto: ¡yo también!

Los famosos se quejen por serlo, pero a mi me encantaría. Intento parecerme con ellos. Llamo a todos los programas de los tele para salir, aunque la verdad es que hasta ahora no he tenido ningún éxito. Me encantaría ser talentoso y carismatico, que todo el mundo me admirara.

Había hecho cualquier cosa para serle, y mis mujer siempre se queja por ello. Me dice que soy tonto, que la mayoría de los artistas no pueden ser felices; siempre en con gafas de sol y pelucas para evitar a los periodistas, pero yo no sé, a mí no me convence. Me encantaría ir a las fiesta de gala, verme hasta las portadas de las revistas e ir a todos lados en limusina. La fama tiene muchísimas cosas buenas: me invitarían a todos los locales de moda, iria por todos lados firmando autógrafos, la gente crearía clubes de fans con mi nombre.

He escrito a muchos famosos para pedirles consejos y para que me explicaron cómo llegaron adonde llegaron, pero ninguno me ha respondido. Quizás piensen que puedo hacerlo sombra o a lo mejor creen que estoy un poco loco.

Por eso le escribo, para que sea tan amable de publicar en su revista algún reportaje para mi persona.

C.J.

22 Escriba 🖋

Escríbale un mensaje electrónico a un famoso para invitarle a una cena de gala organizada para recaudar fondos para una organización sin ánimos de lucro.

```
E-Mail                                                    _ □ ✕

Archivo   Ver   Mensajes   Ayuda

A...    [                                                      ]
Cc...   [                                                      ]
Asunto: [                                                      ]

_____
_____
_____
_____
_____
_____
_____
_____
_____
_____
_____
_____
_____
_____
_____
_____
_____
_____
_____
_____
_____
_____
```

23 ¡A conversar! 👥

Escriba una conversación con un/a compañero/a. Un/a joven quiere participar en un Reality Show, pero su amigo/a intenta convencerle de que no lo haga.

A: _____

B: _____

A: _____

B: _____

A: _____

B: _____

A: _____

B: _____

24 Presentemos en público 🎤

Unos compañeros van a presentar la conversación del ejercicio anterior en clase. Tome notas de lo que digan y analice (1) el uso de la gramática, (2) el uso del vocabulario, (3) la entonación, (4) la presentación de sus ideas y (5) la pronunciación. La clase debe hacerle al menos dos preguntas a cada estudiante una vez que terminen.

1. _____

_____

2. _____

_____

3. _____

_____

4. _____

_____

5. _____

_____

25 Amplíe su vocabulario 🔍

Complete las oraciones con la palabra adecuada.

1. Sorprendentemente, aquel melenudo en quien nadie se había

   fijado, tuvo un éxito _____ en cuanto dio su

   primer concierto.

   a. rotundo   c. letal

   b. talentoso   d. apuesto

2. Después de una acalorada discusión sus sugerencias se convirtieron en una clara

   _____. ¡Hay que ver con este hombre! ¡Siempre termina por salirse con

   la suya!

   a. audacia   b. amenaza   c. dignidad   d. cadena

3. El ejecutivo se encargó de reunir a todas las personas importantes de la última

   _____ hasta el punto que el jefe de seguridad de la empresa tuvo que

   pedir refuerzos.

   a. compatriota   b. década   c. reparto   d. figura

4. Si mal no recuerdo, nunca fue una persona carismática, como consecuencia ha sido

   _____ de conseguir el éxito que esperaba. Ahora se dedica a no sé qué

   de seguros.

   a. ameno   b. melenudo   c. vivaz   d. incapaz

5. Por lo visto la noticia _____ en la prensa y en menos de veinticuatro

   horas todos hablaban de lo sucedido. Es por lo que todos tuvieron que afrontar las

   consecuencias.

   a. manchó   b. se infiltró   c. sonrojó   d. cotizó

6. Según cuentan, en cuanto entró en _____, se ganó al público en un abrir

   y cerrar de ojos. ¡A todos se nos puso la carne de gallina!

   a. el trato   b. el plató   c. el autógrafo   d. el ave

7. Te invitaré a la fiesta con tal de que no te pongas _____ enfrente de

mis amigas. ¡Ya sabes que no lo soporto, y siempre terminas por hacer lo mismo con mis

amigas!

a. desconocido   b. arrogante   c. apuesto   d. comprensivo

8. No me lo podía creer, pero en cuanto doblé la esquina tropecé con _____

encantador. Creo que por fin he conocido a mi media naranja.

a. un galardón   b. un televidente   c. un desconocido   d. un estereotipo

26 ¿Cuál es la palabra?

**Complete las oraciones con la palabra o frase adecuada del recuadro. Haga los
cambios necesarios. Hay dos opciones que no necesita usar.**

afecto	amenaza	hasta el punto de	sembrar
afrontar	campaña	nominar	televidente
al margen de	figura		

1. La media de _____ del programa musical ha subido en este último año

debido al cambio de programación llevado a cabo durante estas semanas.

2. _____ más importante en el panorama nacional es el actor de esa serie

juvenil que se ha puesto tan de moda. Es provocativo pero encantador.

3. Ese actor es un poco conflictivo ya que _____ la discordia entre todo el

reparto. Aunque sea brillante es inaguantable.

4. _____ la calidad, esa película ha cosechado muchos más triunfos que las

más importantes superproducciones.

5. Se ha hecho tan famoso que ha llegado _____ pedir el mismo caché que

una de las estrellas más importantes de todos los tiempos. ¡Es el colmo! ¡Pero, si no tiene

talento!

6. Hay _____ de tormenta que puede destruir de golpe el decorado que

hemos creado para la película.

7. Una de las estrellas ha sufrido una enfermedad debido a la inmensa

_____ para promocionar la trilogía.

8. En estos momentos difíciles todos _____ con entereza este suceso y esta

grave pérdida para el mundo del espectáculo.

27 ¿Qué palabra es?

Escriba la palabra del vocabulario que corresponde a cada definición. Ponga una letra en cada casilla.

1. Divertido, entretenido ⬜⬜⬜⬜⬜

2. Telespectador ⬜⬜⬜⬜⬜⬜⬜⬜⬜⬜

3. País en el que se ha nacido ⬜⬜⬜⬜⬜

4. Imagen o idea que se tiene de un grupo ⬜⬜⬜⬜⬜⬜⬜⬜⬜⬜⬜

5. Hacer frente a una situación difícil ⬜⬜⬜⬜⬜⬜⬜⬜

6. Poner precio a algo ⬜⬜⬜⬜⬜⬜

7. Conjunto de canales de televisión ⬜⬜⬜⬜⬜⬜

8. Lo opuesto de *débil* ⬜⬜⬜⬜⬜⬜⬜

28 Crucigrama 🔍

Escriba las claves para las palabras que aparecen en el crucigrama.

```
 1       2                  3                      4
 D       E   G   O   L   P   E                      P
         S                  S           5          R
         T                  C           A          E
         A                  O           R          S
         T                  G           R          T
         U                  E           U          I
         R       6          V   A   R   Ó   N      G
         A                  N          I          I
                 7          A   B   S   U   R   D   O
                                        S          S
 8                                                 O
 B   R   I   L   L   A   N   T   E      E          O
```

Horizontales	Verticales
1. _____	2. _____
_____	_____
6. _____	3. _____
_____	_____
7. _____	4. _____
_____	_____
8. _____	5. _____
_____	_____

29 Verbos con preposición

Elija la mejor respuesta.

1. Ésta es la historia de un cerdito que _____ ser paloma

   mensajera y, aunque poco a poco fue dándose cuenta de su condición, él intentó conseguir

   su sueño.

   a. se había empeñado en   c. había llegado de

   b. se había decidido hasta   d. había llorado con

2. El actor que más _____ su carrera ha sido aquél que

   le dijo que no debía considerarse inferior a otros por su estatura. Lo que le dijo

   _____ un consejo inolvidable.

   a. ha terminado con, influyó en   c. se rió con, disfrutó en

   b. ha ido hasta, se fue de   d. influyó en, se convirtió en

3. Cuando él _____ su explicación, me di cuenta de que me había

   sonrojado; me sentí un poco avergonzada.

   a. había llorado de   c. había dicho de

   b. había terminado con   d. había visto con

4. Aunque _____ contestar el teléfono, no cuelgues; hazlo por mí.
   Yo estaré al tanto por si suena.

   a. tarde en   c. necesite de

   b. quiera con   d. eche de menos con

5. Yo _____ mi obligación cueste lo que cueste. Que sepas que

   soy un tipo de fiar, que siempre cumplo mis promesas.

   a. echo de menos con   c. busque a

   b. necesite de   d. cumplo con

30 Verbos con preposición

Añada la preposición necesaria a los verbos del recuadro. Después complete las oraciones con la forma correcta del verbo. Dos verbos son intercambiables como respuestas en una de las oraciones.

arrepentirse _____	influir _____
conformarse _____	interesarse _____
dedicarse _____	quejarse _____

1. _____ un autógrafo, pero ese actor tan famoso no tiene ni pizca de sentido del humor y me trató regular.

2. Eli siempre _____ Raúl pero de lo que no se da cuenta es que él es mucho más comprensivo que ella.

3. Curiosamente, Cecilia, que tiene un abanico de posibilidades para ser una persona exitosa, no _____ nada en su vida.

4. Es una tontería que pienses que puedes _____ lo que Felipe decida, porque si se equivoca te lo reprochará siempre.

5. Cuando sufrí en mis propias carnes la cercanía de la muerte, _____ los actos despreciables que había cometido desde mi juventud.

El rincón literario   Capítulo 5 Lección A

1   La voz pasiva

Vuelva a escribir las siguientes oraciones de dos maneras: primero, empleando el verbo con *se* y luego con la voz pasiva.

1. Cervantes escribió *Don Quijote de la Mancha*.

    _____

    _____

2. La librería Aguirre ha vendido todos los libros de Carlos Fuentes.

    _____

    _____

3. La prensa no ha reportado el incidente cabalmente.

    _____

    _____

4. La editorial EMCP imprimió esta colección de cuentos.

    _____

    _____

5. Es importante que el autor cubra este período de la historia.

    _____

    _____

2 Tiempos verbales

Complete el siguiente texto con el tiempo verbal adecuado. Use la forma apropiada de los verbos entre paréntesis. A veces tendrá que elegir entre *ser* y *estar*.

La mujer negra o una antigua capilla de templario (fragmento)

Una mujer misteriosa (1) _____ (entrar),

ya hacía algunas noches, en la capilla de Santa Cruz, sin que nadie

(2) _____ (saber) quién (3) _____

(ser / estar) ni con qué objeto se presentaba allí. Algunos atrevidos y un poco más

despreocupados que los otros se arriesgaron a (4) _____ (seguirla),

(5) _____ (entrar) en el templo algunos minutos después

que ella. No quedó rincón que no (6) _____ (mirar), ni

escondrijo donde no (7) _____ (introducirse); pero la mujer

no (8) _____ (aparecer). Una hora antes de rayar el alba,

esta dama incomprensible (9) _____ (salir) de la capilla y

(10) _____ (desaparecer) entre la maleza de un bosquecillo, o

más bien dehesa cercana. ¿Cómo, pues, (11) _____ (explicar)

este misterio? Entraba, salía, se la buscaba, y así se daba con ella como si

(12) _____ (ser / estar) un espíritu invisible. Los lugareños,

aterrados, no (13) _____ (atreverse), después de este

acontecimiento, a (14) _____ (acercarse) a Santa Cruz desde que

el astro del día (15) _____ (empezar) a debilitarse. El ermitaño de

Valdesalce estuvo también algún tiempo sin (16) _____ (dejar)

su habitación, lo que (17) _____ (contribuir) al aumento de

su terror. El suceso de la mujer negra (18) _____ (empezar)

a tomar un aspecto muy formal. «El condestable, decían los aldeanos, era sin duda

muy culpado; nuestras oraciones (19) _____ (irritar) su

alma.» Otros (20) _____ (hablar) de la mujer negra, como

de una bruja que (21) _____ (tener) pacto hecho con el

diablo, añadiendo unos que se les (22) _____ (aparecer) por

la noche, y otros que, (23) _____ (volver) de los azares del

campo, la vieron (24) _____ (bailar) al anochecer alrededor

de una seta, como decían lo practicaban las brujas: y algunas viejas contaban que la

(25) _____ (ver) saltar con suma rapidez de unos en otros tejados,

(26) _____ (cantar) por un tono en extremo lúgubre.

El ermitaño (27) _____ (bajar), por fin, a

(28) _____ (visitar) a sus queridos hermanos, como él

(29) _____ (llamar) a los vecinos de la villa. El semblante

de este hombre (30) _____ (ser / estar) angelical, su porte

agradable y cariñoso: (31) _____ (llevar) una túnica de

paño burdo ceñida a la cintura con una correa. Vagaban sobre su espalda los negros

y rizados cabellos, y la barba (32) _____ (crecer) a su

antojo, (33) _____ (dar) a su rostro varonil un carácter de

majestad y nobleza que nunca desmintieron sus palabras ni sus hechos. La alegría

de los aldeanos (34) _____ (ser / estar) general cuando

(35) _____ (ver) bajar a su ermitaño. Corrieron a su encuentro,

le (36) _____ (contar) el suceso de la mujer negra muchas veces,

porque se les figuraba que aún no lo (37) _____ (comprender)

bien. Él escuchó su narración con una paciencia imperturbable: les animó, les dijo que

no (38) _____ (creer) en cuentos de brujas ni en hechizos,

que tal vez aquella mujer (39) _____ (ser / estar) tan buena

cristiana como por bruja la tenían; y concluyó prometiéndoles que él mismo iría a

(40) _____ (descifrar) aquel misterio. Los del pueblo estaban

muy orgullosos de la afabilidad del ermitaño, le (41) _____ (dar)

repetidas gracias y le (42) _____ (acompañar) largo

trecho fuera del lugar, retirándose después con más tranquilidad de la que

(43) _____ (tener) los últimos días.

JOSÉ ZORRILLA

3 Preposiciones 🧊

Dibuje un círculo alrededor de la preposición adecuada. Escoja la *X* si no hace falta preposición.

1. Me encantó todo en esta obra de teatro: los actores, el escenario, y *(hasta / con)* la música. *(Para / Según)* mí, todo estuvo genial.

2. ¿Qué le parece la obra *(de / X)* Arturo Pérez Reverte? Me encanta el personaje *(de / del)* Capitán Alatriste que aparece en obras *(cómo / tal como)* El Capitán Alatriste, El sol de Breda y El caballero del jubón amarillo.

3. ¿*(A / X)* dónde vas *(a / X)*? Quédate aquí que no tenemos las llaves. Él se las debe de haber llevado *(con él / consigo)* porque no las encuentro por ninguna parte.

4. A ver, ¿*(de / en)* qué trata esta obra de prosa? *(Sobre / En)* la portada, el subtítulo del libro indica que trata *(del / de)* más allá.

5. ¿Cómo reaccionó la crítica *(ante / sobre)* la última publicación de Carlos Ruiz Zafón? Pues, unos estaban *(a / en)* favor, y otros críticos *(en contra / contra)*.

6. Me suena la cara *(de / en)* esa persona. ¿No lo vimos *(en / con)* un programa de televisión?

7. *(En / X)* cuanto entró el anciano a recibir el galardón, todos en la audiencia se pusieron *(de / a)* pie.

8. ¿*(En / A)* cuánto está el dólar últimamente?

9. Leo los tebeos del periódico *(al / a)* menos dos veces *(a / de)* la semana.

10. Ya sabes que no deberían dejar *(en / de)* hacer yoga. Les sienta *(de / con)* maravilla.

11. El señor vestido *(de / en)* azul es mi profe de psicología.

12. ¡Como no sirvan algún aperitivo me voy a morir *(en / de)* hambre!

13. Si os apetece, hablad *(en / sobre)* vuestro fin de semana en español *(por / para)* unos minutos.

14. Bastará *(con / en)* repasar un poco más antes *(del / de)* examen y estarás lista.

15. ¡Pasaste el examen! Pero que sepas que fue *(por / para)* los pelos.

16. *(De / Por)* verdad, Ramón, no te preocupes. *(Por / Para)* ser tú, te haré este favor *(con / en)* mucho gusto.

17. No te vayas, que vuelvo *(en / con)* un plis plás.

18. Ese despistado *(X / de)* Carlos ha dejado *(de / con)* nuevo las luces encendidas.

19. Virginia, te lo digo *(en / X)* serio. Hoy tenemos las presentaciones *(de / por)* las obras de teatro.

20. Qué raro que no esté *(por / para)* aquí. Llamémoslo *(en / por)* si acaso se ha perdido *(para / por)* el camino.

21. ¡Qué vergüenza!, perdona pero es que estoy *(por / en)* las nubes. ¿*(De / En)* qué estabas hablando?

22. ¿*(X / De)* quién son estas odas? *(Para / Por)* mí que son de Neruda.

23. *(Por / Para)* aquel entonces había muchos analfabetos *(a / para)* pesar de los esfuerzos del gobierno.

24. *(En / Por)* supuesto que fuimos *(para / por)* el móvil, pero ya no estaba allí. *(Para / Por)* lo visto, Conchi se lo llevó.

25. *(Para / Por)* lo pronto estoy totalmente *(X / en)* contra de ir a Long Island; ya sabes que estoy muerto *(con / de)* cansancio.

4 Preposiciones

Escriba una preposición adecuada en cada espacio.

La casa de los espíritus (fragmento)

La memoria es frágil y el transcurso (1) _____ una vida es muy breve

y sucede tan deprisa que no alcanzamos (2) _____ ver la relación

(3) _____ los acontecimientos, no podemos medir la consecuencia

(4) _____ los actos... (5) _____

eso mi abuela Clara escribía (6) _____ sus cuadernos,

(7) _____ ver las cosas (8) _____ su

dimensión real.

ISABEL ALLENDE

5 Preposiciones

Escriba una preposición adecuada en cada espacio.

Paula (fragmento)

Tu abuela ruega (1) _____ ti (2) _____ su dios

cristiano, y yo lo hago (3) _____ veces a una diosa pagana y sonriente

que derrama bienes, una diosa que no sabe (4) _____ castigos, sino

(5) _____ perdones, y le hablo (6) _____

la esperanza (7) _____ que me escuche desde el fondo

(8) _____ los tiempos y te ayude. (...)

    Pienso (9) _____ mi bisabuela,

(10) _____ mi abuela clarividente,

(11) _____ mi madre, (12) _____ ti y

(13) _____ mi nieta que nacerá (14) _____

mayo, una firme cadena femenina que se remonta hasta la primera mujer, la madre universal.

Debo movilizar esas fuerzas nutritivas (15) _____ tu salvación. (...)

    Soy el vacío, soy todo lo que existe, estoy (16) _____ cada

hoja del bosque, (17) _____ cada gota de rocío, en cada partícula

(18) _____ ceniza que el agua arrastra, soy Paula y también soy yo

misma, soy nada y todo lo demás (19) _____ esta vida y en otras

vidas, inmortal.

ISABEL ALLENDE

6 Preposiciones

Complete con las preposiciones adecuadas. A veces tendrá que añadir un artículo.

Cien años de soledad (fragmento)

Muchos años después, frente (1) _____ pelotón

(2) _____ fusilamiento, el coronel Aureliano Buendía había de

recordar aquella tarde remota (3) _____ que su padre lo llevó

(4) _____ conocer el hielo. Macondo era entonces una aldea

(5) _____ veinte casas de barro y cañabrava construidas

(6) _____ la orilla (7) _____

un río de aguas diáfanas que se precipitaban (8) _____

un lecho (9) _____ piedras pulidas, blancas y enormes

como huevos prehistóricos. El mundo era tan reciente, que muchas cosas carecían

(10) _____ nombre, y (11) _____

mencionarlas había que señalarlas (12) _____ el dedo.

(...)

José Arcadio Buendía, que era el hombre más emprendedor que se

veía jamás (13) _____ la aldea, había dispuesto

(14) _____ tal modo la posición (15) _____

las casas, que desde todas podía llegarse (16) _____ río y abastecerse

(17) _____ agua (18) _____ igual

esfuerzo, y trazó las calles (19) _____ tan buen sentido que

ninguna casa recibía más sol que otra (20) _____ la hora del calor.

(21) _____ pocos años, Macondo fue una aldea más ordenada y

laboriosa que cualquiera de las conocidas hasta entonces (22) _____

sus trescientos habitantes. Era (23) _____ verdad una aldea feliz,

donde nadie era mayor (24) _____ treinta años y donde nadie había

muerto.

GABRIEL GARCÍA MÁRQUEZ

7 Familia de palabras 🔍

Complete cada oración con la forma correcta de la palabra en negrita. La respuesta puede ser verbo, sustantivo o adjetivo. Añada un artículo cuando sea necesario.

1. **anotar**

    a. Las _____ que aparecen

    abajo de un texto literario me ayudan a comprender

    el contenido.

    b. Me gusta que _____ en el

    margen de los libros el vocabulario nuevo por si te

    es útil.

    c. Menos mal que habían contratado a un

    _____, pues se le olvidó

    el guión a Rosaura por los nervios que tenía.

2. **escribir**

    a. Mejor que no os olvidéis. ¡_____ tarjetas postales a vuestros

    familiares! Tal vez le siente mal a alguien si no lo hacéis como de costumbre.

    b. El aprendizaje y desarrollo de la lectura y _____ son requisitos

    imprescindibles para alcanzar un alto nivel de competencia comunicativa.

    c. En tu opinión, ¿cuáles son las mejores _____ de novelas y de

    cuentos de los últimos veinte años?

3. **ensayar**

    a. José Ortega y Gasset definió _____ como "la ciencia sin prueba

    explícita" porque consiste en la defensa de un punto de vista personal sobre un tema.

    b. Muchos _____ tienen otro interés literario como el

    periodismo o la ficción.

    c. Pues, tienes razón. No lo hiciste tan bien como de costumbre. Era necesario que

    _____ mucho más para esta obra.

8 Tiempos verbales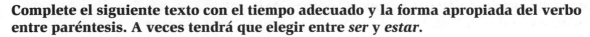

Complete el siguiente texto con el tiempo adecuado y la forma apropiada del verbo entre paréntesis. A veces tendrá que elegir entre *ser* y *estar*.

El coronel no tiene quién le escriba (fragmento adaptado)

Después de (1) ___afeitarse___ ✓ *(afeitarse)* al tacto —pues

(2) ___carecía___ ✓ *(carecer)* de espejo desde hacía mucho tiempo— el

coronel (3) ___se vistió___ *(vestirse)* en silencio. Los pantalones, casi

tan (4) ___ajustados___ ✓ *(ajustar)* a las piernas como los calzoncillos

largos, (5) ___cerrados___ *(cerrar)* en los tobillos con lazos corredizos,

(6) ___se sostienían___ *(sostenerse)* en la cintura con dos lengüetas del

mismo paño que (7) ___pasaban___ *(pasar)* a través de dos hebillas

doradas (8) ___cosidas___ ✓ *(coser)* a la altura de los riñones. No

(9) ___usó usaba___ *(usar)* correa. La camisa color de cartón antiguo,

dura como un cartón, se (10) ___cerraba___ ✓ *(cerrar)* con un botón

de cobre que (11) ___servía___ *(servir)* al mismo tiempo para

(12) ___sostener___ ✓ *(sostener)* el cuello postizo. Pero el cuello postizo

(13) ___estaba___ ✓ *(ser / estar)* roto, de manera que el coronel

(14) ___renunció___ ✓ *(renunciar)* a la corbata.

(15) ___Hizo Hacía___ *(hacer)* cada cosa como si

(16) ___fuera___ ✓ *(ser / estar)* un acto trascendental. Los

huesos de sus manos (17) ___estaban___ ✓ *(ser / estar)* forrados

por un pellejo lúcido y tenso, manchado de carate como la piel del cuello. Antes de

(18) ___se pusiera___ *(ponerse)* los botines de charol raspó el barro
ponerse

incrustado en la costura. Su esposa lo (19) ___vió___ ✓ *(ver)*

en ese instante, (20) ___vestido___ ✓ *(vestirse)* como el día de su

matrimonio. Sólo entonces (21) ___advirtió___ *(advertir)* cuánto
había

(22) ___envejecido___ *(envejecer)* su esposo. (…)

La mujer lo (23) ___examinó___ ✓ *(examinar)*. Pensó

que no. El coronel no (24) ___parecía___ ✓ *(parecer)* un

papagayo. (25) ___Era___ ✓ *(ser / estar)* un hombre árido,

de huesos sólidos articulados a tuerca y tornillo. Por la vitalidad de sus ojos no

(26) ___parecía___ ✓ *(parecer)* conservado en formol.

GABRIEL GARCÍA MÁRQUEZ

9 Poesía

Lea el siguiente poema y conteste las preguntas.

Rima XXIII

Por una mirada, un mundo,
por una sonrisa, un cielo,
por un beso... ¡yo no sé
qué te diera por un beso!

GUSTAVO ADOLFO BÉCQUER

1. ¿Por qué cree que el poeta pone estos elementos en este orden: mirada, sonrisa, beso?

   _____

2. ¿Qué importancia tiene la mirada de la persona a quien uno ama? ¿Y una sonrisa? ¿Y un beso?

   _____

3. ¿Cree que el poeta y su amada se conocen?

   _____

4. ¿Qué está dispuesto a dar el enamorado por su amor? ¿Qué piensa de esta oferta?

   _____

5. ¿Conoce alguna locura que haya hecho alguien por amor?

   _____

6. ¿Cómo se conocieron sus padres? ¿Cuál es su historia?

   _____

10 A mí me gusta...

Lea los siguientes poemas de Bécquer y elija su favorito. Comparta su opinión con la clase, y hablen de los diferentes temas que se tratan en los poemas.

Rima XXI

¿Qué es poesía?, dices mientras **clavas**

en mi **pupila** tu pupila azul.

¿Qué es poesía? ¿Y tú me lo preguntas?

Poesía... eres tú.

Rima XXXVIII

¡Los **suspiros** son aire y van al aire!

¡Las **lágrimas** son agua y van al mar!

Dime, mujer, cuando el amor se olvida

¿sabes tú adónde va?

Rima XXX

Asomaba a sus ojos una lágrima

y a mi **labio** una frase de perdón;

habló el **orgullo** y se **enjugó** su llanto,

y la frase en mis labios expiró.

Yo voy por un camino; ella, por otro;

pero, al pensar en nuestro **mutuo** amor,

yo digo aún: — ¿Por qué callé aquel día?

Y ella dirá: — ¿Por qué no lloré yo?

GUSTAVO ADOLFO BÉCQUER

11 Amplíe su vocabulario

Según el contexto de los poemas anteriores, empareje cada palabra de la primera columna con su definición o sinónimo de la segunda.

1. _____ clavar (la mirada)

2. _____ pupila

3. _____ suspiro

4. _____ lágrima

5. _____ asomar

6. _____ labio

7. _____ orgullo

8. _____ enjugar

9. _____ mutuo

a. verse algo por una abertura

b. parte externa de la boca

c. fijar la vista en un punto

d. círculo negro del ojo

e. recíproco

f. respiración profunda que muestra deseo, tristeza o alivio

g. limpiar por encima, aclarar

h. gota de líquido que sale del ojo

i. vanidad, arrogancia

12 Tiempos verbales

Complete el siguiente texto con el tiempo adecuado y la forma apropiada del verbo entre paréntesis. A veces tendrá que elegir entre *ser* y *estar*.

Don Quijote de la Mancha (fragmento)

En un lugar de la Mancha, de cuyo nombre no (1) _____ (querer)

acordarme, (2) _____ (vivir) un hidalgo caballero

de los de lanza en astillero, adarga antigua, rocín flaco y galgo corredor.

(3) _____ (vivir) en su casa con una ama que

(4) _____ (pasar) de los cuarenta años, una sobrina que

no (5) _____ (llegar) a los veinte y un mozo que igual

(6) _____ (hacer) de jardinero que ensillaba el caballo.

     Nuestro caballero (7) _____ (llamarse) Don Alonso

Quijano. (8) _____ (Ser) madrugador y amigo de la caza, y en

los ratos libres, (9) _____ (leer) libros de caballería. A menudo

(10) _____ (discutir) con el cura del lugar y con Nicolás, barbero

del mismo pueblo, ambos grandes amigos suyos, sobre las aventuras de los caballeros más

famosos y valientes que (11) _____ (existir).

     Nuestro hidalgo (12) _____ (sentirse) tan fascinado

por la lectura de aquellos libros que (13) _____ (pasarse)

los días y las noches (14) _____ (leer). Y así, al

(15) _____ (dormir) tan poco y al

(16) _____ (leer) tanto, se le

(17) _____ (secar) el cerebro y

(18) _____ (volverse) loco. No

(19) _____ (pensar) en otra cosa que en encantamientos, batallas,

amores y disparates imposibles.

     Un día, se le (20) _____ (ocurrir) la extravagante

idea de (21) _____ (convertirse) él mismo en un caballero

andante e (22) _____ (ir) por todos los caminos, con

sus armas y a caballo, en busca de aventuras, igual que los héroes de sus lecturas

(23) _____ (hacer). (24) _____ (limpiar)

unas armas viejas que (25) _____ (tener) en el desván y

(26) _____ (ir) a ver a su caballo y, después de pensar y

pensar, le (27) _____ (poner) el nombre de Rocinante. Luego

(28) _____ (ponerse) a buscar un nombre para sí mismo,

(29) _____ (quedarse) con Don Quijote de la Mancha, ya que

(30) _____ (ser / estar) de allí.

Ya sólo le (31) _____ (faltar) buscar una dama de

quien (32) _____ (enamorarse), como todo buen caballero.

(33) _____ (Acordarse) entonces de una moza labradora

y la (34) _____ (nombrar) señora de sus pensamientos,

(35) _____ (ponerle) un nombre de princesa, Dulcinea del Toboso,

porque ella (36) _____ (ser / estar) del Toboso y ese nombre le

(37) _____ (parecer) sonoro y musical.

MIGUEL DE CERVANTES

13 Antes de leer 🧍🧍

¿Qué piensa de la poesía? ¿Está de moda? ¿Qué es lo que hace que a algunas personas les guste tanto? ¿Y por qué les disgusta a otras?

14 Literatura 📖

Lea el siguiente poema.

Canción del jinete

Córdoba.
Lejana y sola.

Jaca negra, luna grande,
y **aceitunas** en mi **alforja**.
Aunque sepa los caminos
yo nunca llegaré a Córdoba.

Por el **llano**, por el viento,
jaca negra, luna roja.
La muerte me está mirando
desde las torres de Córdoba.

¡Ay qué camino tan largo!
¡Ay mi jaca **valerosa**!
¡Ay, que la muerte me espera,
antes de llegar a Córdoba!

Córdoba.
Lejana y sola.

FEDERICO GARCÍA LORCA

15 Amplíe su vocabulario 🔍

Empareje cada palabra de la primera columna con su definición o sinónimo de la segunda. Las palabras de la primera columna aparecen en negrita en el poema anterior.

1. _____ jaca

2. _____ aceitunas

3. _____ alforja

4. _____ llano

5. _____ valerosa

a. valiente

b. caballo

c. terreno plano

d. fruto del olivo

e. bolsa que se amarra a un caballo

16 "Tapitas" gramaticales

Clasifique las palabras del poema "Canción del jinete" en las diferentes categorías.

sustantivos	verbos	adjetivos
1.		
2.		
3.		
4.		
5.		
6.		
7.		
8.		
9.		
10.		

adverbios	preposiciones	conjunciones
1.		
2.		
3.		
4.		
5.		
6.		
7.		
8.		
9.		
10.		

17 Antes de leer 👥

¿Qué piensa de los héroes? ¿Quiénes son los héroes en las guerras? ¿Considera que los animales que también luchan en la batalla son héroes (caballos, palomas mensajeras, perros, mulas…)? ¿Qué piensa de las condecoraciones que se les dan a los héroes?

18 El alcázar no se rinde 📖

Lea la siguiente historia.

I

Eran aproximadamente las diez de la mañana del día veintitrés de julio de 1936 cuando sonó el teléfono del despacho del coronel Moscardó. Se hallaba éste rodeado de varios de los jefes del Alcázar y otros oficiales, organizando la defensa exterior y la acomodación del personal refugiado. Pausadamente se levantó el coronel y se dirigió al teléfono.

5 La conversación de aquella llamada telefónica ha de contarse entre los diálogos más heroicos de nuestros días:

—¿Quién está al aparato?

—Soy el jefe de las milicias socialistas. Tengo la ciudad en mi poder, y si dentro de diez minutos no se ha rendido Ud., mandaré fusilar a su hijo Luis, que los he detenido; y para que

10 vea es así, él mismo le hablará. «A ver, que venga Moscardó».

En efecto, el padre oye a su hijo Luis, que le dice tranquilamente por el aparato:

—Papá, ¿cómo estás?

—Bien, hijo mío. ¿Qué te ocurre?

—Nada de particular. Que dicen que me fusilarán si el Alcázar no se rinde, pero no te

15 preocupes por mí.

—Mira, hijo mío; si es cierto que te van a fusilar, encomienda tu alma a Dios, da un ¡Viva Cristo Rey! Y otro ¡Viva España! ¡Y muere como un héroe y mártir! Adiós, hijo mío; un beso muy fuerte.

—Adiós papá; un beso muy fuerte.

II

20 A continuación se oye nuevamente la voz de las milicias, preguntando:

—¿Qué contesta Ud.?

El coronel Moscardó pronuncia estas sublimes palabras:

—¡Que el Alcázar no se rinde y que sobran los diez minutos!

A los pocos días fue asesinado vilmente don Luis Moscardó Guzmán, joven de diecisiete años,

25 nuevo mártir de la Cruzada.

Cuando el coronel Moscardó colgó el auricular, un silencio impresionante que nadie se atrevía a romper reinaba en su despacho. Todos comprendían la magnitud del sacrificio ofrecido a la Patria y la singular heroicidad del gesto. Intensamente pálido y con los ojos entristecidos por la angustia de su drama interior, el coronel Moscardó rompió el silencio, dirigiéndose a sus

30 colaboradores:

—Y bien, señores, continuemos…

CARLOS RUIZ DE AZILU

19 ¿Ha comprendido?

Escriba una respuesta para cada pregunta sobre la historia que acaba de leer.

1. ¿Qué pasaba en España en 1936?

   Una guerra ocurría en 1936.

2. ¿Quién era Moscardó padre? ¿De qué partido era?

   Moscardó era el coronel del Alcázar.

3. ¿Qué dos grandes partidos había en esta época en España?

   El Alcázar y las milicias socialistas

4. ¿Para qué llamaron al coronel?

   Para decir al coronel que tuviera su hijo.

5. ¿Cuánto tiempo le dieron para tomar una decisión?

   Le dieron diez minutos para tomar una decisión.

6. ¿Qué adverbios se usan para describir la actitud del coronel en las líneas 4 y 11?

   Pausadamente y tranquilamente

7. ¿Qué le dijo el hijo que le pasaría?

   "Nada de particular"

8. ¿Cómo se despiden el padre y el hijo?

   Se despiden con un beso fuerte

9. ¿Qué actitud mantienen el padre y el hijo?

   Un actitud tranquila.

10. ¿Cuánto tiempo necesitó el coronel para darle una respuesta a la milicia?

    No necesitó ningún tiempo.

11. ¿Qué le pasó a Moscardó hijo?

    Moscardó hijo fue asesinado

continúa

12. ¿Cómo reaccionó Moscardó padre al colgar el teléfono al final de la historia?

_____

13. ¿Qué pensaron los otros oficiales?

_____

20 Antes de leer

¿Qué piensa del amor verdadero? ¿Cree que existe "la media naranja"? ¿Es posible enamorarse más de una vez? ¿Se puede olvidar a una persona de la que se ha estado enamorado/a?

21 Literatura

Lea el siguiente poema.

Rima LIII

Volverán las **oscuras golondrinas**
de tu balcón sus **nidos** a **colgar**
y otra vez con el **ala** a sus cristales
jugando llamarán.

5 Pero aquellas que el vuelo **refrenaban**
tu hermosura y mi **dicha** a contemplar,
aquellas que aprendieron nuestros nombres...
esas... ¡no volverán!

Volverán las **tupidas madreselvas**
10 de tu jardín las **tapias** a escalar
y otra vez a la tarde aun más hermosas
sus flores se abrirán.

Pero aquellas cuajadas de **rocío**
cuyas **gotas** mirábamos temblar
15 y caer como lágrimas del día...
esas... ¡no volverán!

Volverán del amor en tus oídos
las palabras **ardientes** a sonar,
tu corazón de su profundo **sueño**
20 tal vez despertará.

Pero **mudo** y **absorto** y **de rodillas**,
como se adora a Dios ante su altar,
como yo te he querido... **desengáñate**,
así... ¡no te querrán!

GUSTAVO ADOLFO BÉCQUER

22 Amplíe su vocabulario 🔍

Empareje las palabras de la columna de la izquierda con su correspondiente definición o sinónimo de la columna de la derecha. Las palabras de la columna de la izquierda aparecen en negrita en el poema anterior.

1. _____ oscuro

2. _____ golondrina

3. _____ nido

4. _____ colgar

5. _____ ala

6. _____ refrenar

7. _____ dicha

8. _____ tupido

9. _____ madreselva

10. _____ tapia

11. _____ rocío

12. _____ gota

13. _____ ardiente

14. _____ sueño

15. _____ mudo

16. _____ absorto

17. _____ de rodillas

18. _____ desengañarse

a. apasionado

b. lugar que construyen las aves para tener a sus crías

c. muro

d. planta trepadora con flores

e. denso, espeso, apiñado

f. humedad que aparece por las mañanas en el suelo, en las plantas u otra superficie

g. felicidad

h. ave migratoria parecida a la gaviota con la cola en forma de "V"

i. lo contrario de claro

j. que no habla

k. parte del cuerpo que le sirve a algunos animales para volar

l. acto de dormir

m. pequeña cantidad de líquido

n. contener, parar

o. ensimismado, cautivado

p. sujetar en una parte alta

q. con las piernas dobladas y con las rodillas en el suelo

r. ver la realidad

23 ¿Ha comprendido?

Conteste las siguientes preguntas sobre Rima LIII.

1. Describa al narrador.

_____

2. ¿A quién le escribe? ¿Por qué?

_____

3. ¿De qué tipo de amor se habla en esta rima?

_____

4. ¿Qué representan las golondrinas y las madreselvas? ¿Cómo se diferencian del amor?

_____

5. ¿Hay una segunda oportunidad para este amor?

_____

24 Se titula…

Piense en otro título para Rima LIII.

_____

25 El monte de las almas 💿 (CD 2, pista 1)
(adaptación del cuento de Gustavo Adolfo Bécquer, "El monte de las ánimas")

Después de escuchar la audición, escriba una respuesta para cada pregunta.

1. ¿Qué le hizo recordar una leyenda al narrador?

_____

2. ¿Qué le hacía girar la cabeza?

_____

3. Al principio del cuento, ¿dónde estaban los personajes y por qué motivo?

_____

4. ¿Por qué Alonso se quería ir pronto de la zona donde estaban?

_____

5. ¿Cómo reaccionó Beatriz y por qué?

_____

6. ¿Quiénes eran los Templarios?

_____

7. ¿Por qué se enfadaron los nobles de Soria con el rey y los Templarios?

_____

8. ¿Cómo empezó la batalla?

_____

9. ¿Qué se puede ver desde entones la mañana después de la Noche de Difuntos?

_____

10. ¿Qué le dijo Beatriz a Alonso que se le había perdido y dónde lo perdió?

_____

11. ¿Por qué fue Alonso al monte en la noche?

_____

12. ¿Qué le pasó al joven?

_____

13. ¿Qué había junto a la joven a la mañana siguiente?

_____

14. ¿Cómo reaccionó Beatriz?

_____

26 ¡A conversar! 👥

Hable con otro/a compañero/a de cosas que se hacen por amor. Dé ejemplos de libros o películas conocidas.

27 Escriba

Escriba un párrafo contestando cinco de las siguientes preguntas. Use distintos tiempos verbales y palabras nuevas de la lección. Subraye los verbos y el vocabulario nuevo.

1. ¿A qué escritor desearía entrevistar? ¿Por qué?

2. ¿Qué le diría a su autor favorito? Hágale algunas sugerencias para libros futuros.

3. ¿Qué tipo de libros lee normalmente? ¿Por qué?

4. ¿Qué le gusta más de un libro? ¿Por qué?

5. ¿Qué libro le apetece leer próximamente? ¿Por qué?

6. ¿Recuerda algún poema en particular que haya leído y que le haya agradado? ¿Cuál fue?

7. ¿Qué libro está leyendo en este momento?

8. ¿Cuál es el libro que se ha leído más rápido?

9. ¿En qué circunstancias leería un libro dos veces? ¿Lo ha hecho alguna vez?

10. ¿Qué consejos le daría a una persona que quiere ganarse la vida escribiendo libros?

28 Composición

Escoja un libro famoso y escriba un final diferente en su cuaderno.

29 Ensayo

En su cuaderno, escriba una composición contestando las siguientes preguntas. ¿Cree que los héroes existen o hacen las cosas por su propio beneficio? ¿Cree que el coronel descrito en "El Alcázar no se riude" (ejercicio 18) fue un héroe? ¿Cómo cree que reaccionaría Ud. en una situación parecida? ¿Cree que una persona tiene antes un deber con la nación que con su familia?

30 Amplíe su vocabulario

Complete las oraciones con la palabra o frase adecuada.

1. _____ es un escritor, un sabio, y puede llegar a tener gran

   influencia en las letras.

   a. El carácter   b. El personaje   c. El literato   d. El género literario

2. En _____ del último libro de Carlos Ruiz Zafón, había un viejo

   mapa del norte de Barcelona, donde se desarrolló la acción.

   a. la vinculación   b. la portada   c. la muestra   d. el hallazgo

3. El éxito de las novelas de Arturo Pérez Reverte se debe en parte a la creación de personajes

   _____ pero sumamente carismáticos como el Capitán Alatriste.

   a. fructíferos   b. inverosímiles   c. laureados   (d.) desamparados

4. A pesar de unos gestos aislados de rebeldía, María aparece como un personaje débil con

   miedo a luchar y ejemplifica _____ de las normas impuestas a las

   mujeres en su sociedad.

   (a.) la ternura   b. el aplauso   c. el acatamiento   d. la prosa

5. Unas de las primeras obras de Gabriel García Márquez salió _____

   en el periódico cuando él se ganaba la vida como periodista.

   a. en rigor   b. en vinculación   c. a la tapa dura   (d.) por entregas

6. Aunque se convirtiera en una famosa escritora, siempre se mantuvo

   _____ a la escuela de monjas donde estudió y tuvo una gran

   influencia en muchas muchachas.

   a. laureado   b. desamparado   c. desgarradora   (d.) vinculada

7. Nos llamó la atención que algunos escritores _____ aceptar el

   Premio Nobel de Literatura por sus convicciones políticas o sus principios literarios.

   a. derrotaran   (b.) fallecieran   c. se alzaran   d. rehusaran

8. Me divierte recrear en mi cabeza algunas de las disparatadas

   _____ de Don Quijote mientras viajaba por la Mancha.

   (a.) comedias   b. contenidos   c. hazañas   d. tragedias

9. Si les interesa tanto la novela, será mejor que paguen un poco más y se lleven un libro

   _____.

   a. laureado   (b.) de tapa dura   c. de ciencia ficción   d. eminente

10. A su parecer, ¿en _____ del mundo hispano

    _____ literario, existen tantos grandes autores

    como en los siglos pasados?

    a. la actualidad, contemporáneo   b. la Oratoria, vanguardista

    b. el Oratorio, realista   (d.) la actualidad, vanguardista

31 ¿Cuál es la palabra?

Complete las oraciones con la palabra adecuada. Añada un artículo cuando sea necesario. Hay una palabra que no necesita usar.

~~autodestructiva~~	~~ensayista~~	~~periodista~~
~~decorado~~	~~estrenar~~	~~realismo mágico~~
diario	~~mero~~	~~ternura~~

1. Nos quedamos anonadados al ver el maravilloso __decorado__ que habían creado para la representación.

2. El próximo viernes se va a __estrenar__ una nueva película basada en una novela de Arturo Pérez Reverte. ¡Pasad por nosotros y la vemos juntos!

3. A pesar de su increíble talento, José Ramón se sentía solo y alienado de la sociedad. Empezó a desarrollar una personalidad __autodestructiva__ que casi lo llevó a la muerte.

4. El __ensayista__ precisa sus impresiones y reflexiones acerca de la vida; lo que escribe es y debe ser personal, subjetivo: una visión particular del escritor.

5. El __realismo mágico__ es una característica propia de la literatura latinoamericana de la segunda mitad de siglo XX que mezcla la realidad narrativa con elementos fantásticos y fabulosos.

6. La anciana miró al niño con gran __ternura__ y le dio un fuerte abrazo con lágrimas en los ojos.

7. Un __periodista__ es una persona que se dedica básicamente a la búsqueda de información y a su difusión por la prensa escrita, radio, televisión o medios digitales.

8. Los representantes nos regalaron a todos un par de libros por el __mero__ hecho de asistir a la charla del autor.

32 ¿Qué palabra es?

Escriba la palabra o expresión del vocabulario que corresponde a cada definición. Ponga una letra en cada casilla.

1. Aumentar ⬚⬚⬚⬚⬚⬚⬚⬚⬚⬚

2. Persona educada, erudita y culta ⬚⬚⬚⬚⬚

3. Morir ⬚⬚⬚⬚⬚⬚⬚⬚

4. Página que lleva el título de una obra ⬚⬚⬚⬚⬚⬚⬚⬚⬚⬚

5. Algo que causa gran dolor ⬚⬚⬚⬚⬚⬚⬚⬚⬚⬚⬚⬚

6. Género literario en verso heroico, que cuenta las aventuras de personajes legendarios ⬚⬚⬚⬚⬚⬚ ⬚⬚⬚⬚⬚

7. Breve narración ficticia ⬚⬚⬚⬚⬚⬚

8. Piratear, robar, asaltar ⬚⬚⬚⬚⬚⬚⬚

9. Lo opuesto de *comedía* ⬚⬚⬚⬚⬚⬚⬚⬚

10. Descubrimiento ⬚⬚⬚⬚⬚⬚⬚⬚⬚

33 Crucigrama 🔍

Escriba las claves para las palabras que aparecen en el crucigrama.

```
              ¹M        ²T
               U         O
               E         P
        ³R     S         A        ⁴R
         E     T         R         U
        ⁵I N V E R O S Í M I L
         C     A         S         O
         I               E         R
         L               C         E
        ⁶L A P R E N S A             R
         A                           R
```

Horizontales

5. _____

_____

6. _____

_____

Verticales

1. _____

_____

2. _____

_____

3. _____

_____

4. _____

_____

34 Falsos cognados

Complete las oraciones con la palabra adecuada.

1. Un viejo amigo mío acaba de _____ su sueño y ha publicado su

   primer cuento. Está muy ilusionado.

   a. realizar   b. darse cuenta de

2. ¿Sabe usted lo que está pasando en la _____ literaria?

   a. presencia   b. actualidad

3. ¿Cuál es tu _____ favorito de toda la literatura?

   a. personaje   b. carácter

El rincón literario   Capítulo 5 Lección B

1   Tiempos verbales

Complete el siguiente texto con el tiempo verbal apropiado y la forma correcta del verbo.

Como agua para chocolate (fragmento)

Mi abuela (1) _____tenía_____ (tener) una teoría muy interesante,

(2) _____dijo_____ (decir) que si bien todos nacemos con una caja

de cerillas en nuestro interior, no las (3) _____pudiera_____ (poder)

encender solos, (4) _____necesitaba_____ (necesitar) oxígeno y la ayuda de

una vela. Sólo que en este caso el oxígeno (5) _____tenía_____ (tener)

que provenir, por ejemplo, del aliento de la persona amada; la vela

(6) _____pudiera_____ (poder) ser cualquier tipo de alimento, música, caricia,

palabra o sonido que (7) _____hacía_____ (hacer) disparar el detonador y

así (8) _____encendió_____ (encender) una de las cerillas. Por un momento,

(9) _____se sentía_____ (sentirse) deslumbrados por una intensa emoción.

LAURA ESQUIVEL

2   Tiempos verbales

Complete el siguiente texto con la forma correcta del verbo en el tiempo verbal apropiado. A veces tendrá que elegir entre *ser* y *estar*.

Bella y oscura (fragmento)

El amor no (1) _____ (ser / estar) sino la acuciante necesidad

de (2) _____ (sentirse) con otro, de pensarse con otro, de

(3) _____ (dejar) de padecer la insoportable soledad del que se

sabe vivo y condenado. Y así, (4) _____ (buscar) en el otro no

quien el otro (5) _____ (ser / estar), sino una simple excusa para

imaginar que (6) _____ (encontrar) un alma gemela, un corazón

capaz de (7) _____ (palpitar) en el silencio enloquecedor que

media entre los latidos del nuestro, mientras (8) _____ (correr)

por la vida o la vida (9) _____ (correr) por nosotros hasta

(10) _____ (acabarse).

ROSA MONTERO

3 Familia de palabras

Complete cada oración con la forma correcta de la palabra en negrita. La respuesta puede ser verbo, sustantivo o adjetivo. Añada un artículo cuando sea necesario.

1. **redactar**

   a. ¡No os lo vais a creer! Me acaban de nombrar jefa de _____

      del periódico de la universidad.

   b. María Elena está _____ un trabajo para la clase de filosofía.

   c. Podría rellenar una solicitud para ese puesto, ya que trabajó de

      _____ en una agencia de publicidad.

2. **sentir**

   a. Si te _____ mejor, podríamos dar un paseo.

   b. Jacinto Benavente, un dramaturgo español escribió lo siguiente: "No hay nada que

      desespere tanto como ver mal interpretados nuestros _____".

3. **aprender**

   a. Ernest Hemingway dijo en una ocasión "Se necesitan dos años para

      _____ a hablar y sesenta para aprender a callar".

   b. "Bromear es una de las cosas amenas de la vida, pero cuesta muchos años de

      _____". —Lin Yutang, escritor y filólogo chino

4 Tiempos verbales

Complete el siguiente texto con la forma correcta del verbo en el tiempo verbal apropiado. A veces tendrá que elegir entre *ser* y *estar*.

Las afueras de Dios (fragmento)

(1) _Nació_ *(nacer)* en un pueblo soñoliento y muy blanco de la

provincia de Jaén, (2) _rodeado_ *(rodear)* de olivos y asediado por

el paro y el hambre. (3) _Era_ *(Ser / Estar)* el mayor de

cinco hermanos. Sus padres (4) _decidieron_ *(decidir)* emigrar,

(5) _dejaron_ *(dejar)* atrás cuanto

(6) _era_ *(ser / estar)* lo más suyo, lo único suyo: su clima, su

paisaje, su forma de (7) _enfrentado_ *(enfrentarse)* con la vida y la muerte.

(8) _Se separaba_ *(Separarse)* de su tierra con el dolor con que separa la uña

de la carne. La añoranza de la tierra amada (9) _tuve_ *(tener)* , en

otros lugares, nombres rumorosos y entristecidos: magua y morriña por ejemplo. En andaluz

no (10) _tenía_ *(tener)* nombre: es demasiado grande para

(11) _dárselo_ *(dárselo)*. Porque quizá

(12) _estuvieran_ *(ser / estar)* los andaluces los que más se desmorecen

cuando (13) _extrañó_ *(extrañar)* su congénito patrimonio: el aire

perfumado, la tibieza de las tardes, la brisa azul de las mañanas, la soleada y ocurrente

conversación con los vecinos cuando la luz (14) _se fue_ *(irse)*, en las

puertas de las casas, (15) _se sentó_ *(sentarse)* en sillas de anea sobre

las aceras, o al pie del mostrador de una taberna umbría.

ANTONINO GALA

5 Tiempos verbales

Complete el siguiente texto con la forma corrrecta del verbo en el tiempo verbal apropiado. A veces tendrá que elegir entre *ser* y *estar*.

El amor en los tiempos de cólera (fragmento)

(1) _____ *(Terminar)* por conocerse tanto, que antes de los treinta años de casados (2) _____ *(ser / estar)* como un mismo ser dividido, y (3) _____ *(sentirse)* incómodos por la frecuencia con la que se (4) _____ *(adivinar)* el pensamiento sin proponérselo, o por el accidente ridículo de que el uno (5) _____ *(anticiparse)* en público a lo que el otro (6) _____ *(ir)* a decir.

(7) _____ *(Haber)* sorteado juntos las incomprensiones cotidianas, los odios instantáneos, las porquerías recíprocas y los fabulosos relámpagos de gloria de la complicidad conyugal. (8) _____ *(Ser / Estar)* la época en que se (9) _____ *(amar)* mejor, sin prisa y sin excesos, y ambos fueron más conscientes y agradecidos de sus victorias inverosímiles contra la adversidad. La vida (10) _____ *(haber)* de depararles todavía otras pruebas mortales, por supuesto, pero ya no importaba: estaban en la otra orilla.

GABRIEL GARCÍA MÁRQUEZ

6 Tiempos verbales

Complete el siguiente texto con la forma correcta del verbo en el tiempo verbal apropiado. A veces tendrá que elegir entre *ser* y *estar*.

Nada (fragmento)

Quizá me (1) _____ *(ocurrir)* esto porque

(2) _____ *(vivir)* siempre con seres demasiado normales y

satisfechos de ellos mismos. (3) _____ *(Ser / Estar)* segura de

que mi madre y mis hermanos (4) _____ *(tener)* la certeza

de su utilidad indiscutible en este mundo, que (5) _____ *(saber)*

en todo momento lo que (6) _____ *(querer)*, lo que les

(7) _____ *(parecer)* mal y lo que les

(8) _____ *(parecer)* bien... Y que

(9) _____ *(sufrir)* muy poca angustia ante ningún hecho. (...)

  Me compensaba el trabajo que me llegaba a costar poder

(10) _____ *(ir)* limpia a la Universidad, y sobre todo

(11) _____ *(parecerlo)* junto al aspecto confortable de mis compañeros.

Aquella tristeza de recoser los guantes, de (12) _____ *(lavar)* mis

blusas en el agua turbia y helada del lavadero de la galería con el mismo trozo de jabón que

Antonia (13) _____ *(emplear)* para fregar sus cacerolas y que por las

mañanas (14) _____ *(raspar)* mi cuerpo bajo la ducha fría. (...)

  De todas maneras, yo misma, Andrea, estaba viviendo entre las sombras y las

pasiones que me (15) _____ *(rodear)*. A veces llegaba a

(16) _____ *(dudaro)*.

  Aquella misma tarde (17) _____ *(ser / estar)* la

fiesta de Pons. Durante cinco días (18) _____ *(haber)* yo

intentado almacenar ilusiones para esa escapatoria de mi vida corriente. Hasta entonces

me (19) _____ *(ser / estar)* fácil dar la espalda a lo que

(20) _____ *(quedar)* atrás, pensar en emprender una vida nueva

a cada instante. Y aquel día yo (21) _____ *(sentir)* como un

presentimiento de otros horizontes.

continúa

Mi amigo me (22) _____ (telefonear) por la

mañana y su voz me (23) _____ (llenar) de ternura por

él. El sentimiento de (24) _____ (ser / estar) esperada y

querida me hacía despertar mil instintos de mujer; una emoción como de triunfo,

un deseo de (25) _____ (ser / estar) alabada, admirada,

de sentirme como la Cenicienta del cuento, princesa por unas horas, después de un

largo incógnito. (26) _____ (Acordarse) de un sueño que

(27) _____ (repetirse) muchas veces en mi infancia, cuando yo

(28) _____ (ser / estar) una niña cetrina y delgaducha, de esas a

quienes las visitas nunca (29) _____ (alabar) por lindas y para

cuyos padres hay consuelos reticentes.

Esas palabras que los niños, jugando al parecer absortos y ajenos a la conversación,

recogen ávidamente: «Cuando (30) _____ (crecer),

seguramente (31) _____ (tener) un tipo bonito», «Los niños

(32) _____ (dar) muchas sorpresas al crecer»... Dormida, yo

me veía (33) _____ (correr), tropezando, y al golpe sentía que

algo se desprendía de mí, como un vestido o una crisálida que se rompe y cae arrugada

a los pies. (34) _____ (Ver) los ojos asombrados de las gentes.

Al (35) _____ (correr) al espejo, contemplaba, temblorosa de

emoción, mi transformación asombrosa en una rubia princesa —precisamente rubia, como

(36) _____ (describir) los cuentos—, inmediatamente dotada, por

gracia de la belleza, con los atributos de dulzura, encanto y bondad, y el [don] maravilloso de

(37) _____ (esparcir) generosamente mis sonrisas... Esta fábula, tan

repetida en mis noches infantiles, me (38) _____ (hacer) sonreír,

cuando con las manos un poco temblorosas (39) _____ (tratar) de

peinarme con esmero y de que (40) _____ (aparecer) bonito mi traje

menos viejo, cuidadosamente (41) _____ (planchar) para la fiesta.

«Tal vez — (42) _____ (pensar) yo un poco ruborizada— ha llegado

hoy ese día».

CARMEN LAFORET

7 Tiempos verbales

Complete el siguiente texto con la forma correcta del verbo en el tiempo verbal apropiado. A veces tendrá que elegir entre *ser* y *estar*.

En esto creo (fragmento)

Paul Morand, con quien (1) _____ (*compartir*) varias

veces la piscina del Automobile Club de France en la Place de la Concorde,

me (2) _____ (*decir*) que en su testamento

(3) _____ (*dejar*) dispuesto que su piel

(4) _____ (*ser / estar*) utilizada como maleta a fin de

(5) _____ (*seguir*) viajando eternamente. Venecia—o las

Venecias, en plural— (6) _____ (*ser / estar*) una de las

ciudades preferidas de este autonombrado "viudo de Europa". Venecia, más que una

ciudad, (7) _____ (*ser / estar*) para Morand la confidente

de su alma silenciosa, el retrato de un hombre en mil Venecias diferentes. Yo, que

(8) _____ (*vivir*) medio año frente a la Chiesa de San Bastian

(9) _____ (*decorar*) por Veronese en esa mitad de las Venecias

que es el Dorsoduro, (10) _____ (*sentir*) a la Venecia como

una ciudad que requiere ausencias para (11) _____ (*conservar*)

su gloria, que (12) _____ (*ser / estar*) la del asombro.

(13) _____ (*Tener*) los humanos una capacidad constante para

convertir la maravilla en la rutina. Cuando (14) _____ (*darse*)

cuenta de que (15) _____ (*atravesar*) San Marco

sin mirar nada más que la punta de mis zapatos, me fui de la costumbre

para (16) _____ (*recuperar*) el asombro y recordar

y escribir a Venecia como la ciudad donde ninguna huella de pisadas

(17) _____ (*quedar*) sobre la piedra o el agua. En ese lugar de

espejismos, no (18) _____ (*haber*) cabida para otro fantasma que

el tiempo, y sus huellas son insensibles. La laguna desaparecería sin piedra que reflejar y

la piedra sin aguas donde (19) _____ (*reflejarse*). Poco pueden,

he pensado, los cuerpos pasajeros de los hombres contra este encantamiento. Poco importa

que (20) _____ (*ser / estar*) sólidos o espectrales. Igual da.

Venecia toda (21) _____ (*ser / estar*) un fantasma. No expide

visas de entrada a favor de otros fantasmas. Nadie los reconocería por tales aquí. Y así,

(22) _____ (*dejar*) de serlo. Ningún fantasma se expone a tanto.

CARLOS FUENTES

8 Tiempos verbales

Complete el siguiente texto con la forma correcta del verbo en el tiempo verbal apropiado.

El corazón del tártaro (fragmento)

(1) _____ *(Apagar)* el despertador, que todavía

(2) _____ *(alborotar)* sobre la mesilla, y

(3) _____ *(sentarse)* en la cama. El aire del dormitorio

(4) _____ *(acomodarse)* flojamente alrededor de su cuerpo,

como una chaqueta que no termina de ajustar. A esas mismas horas, en ese mismo

instante, miles de personas solitarias (5) _____ *(levantarse)*,

(6) _____ *(meter)* en el caparazón de sus casas vacías. Zarza

(7) _____ *(sentir)* el peso del resto del mundo sobre sus

espaldas. Si (8) _____ *(sufrir)* un repentino ataque cardíaco y

(9) _____ *(morirse)*, (10) _____ *(tardar)*

por lo menos un par de días en (11) _____ *(descubrirla)*. Pero

Zarza no disponía ahora de tiempo para (12) _____ *(morir)*.

(13) _____ *(Tener)* que levantarse. Chancleteó por el

dormitorio hacia el cuarto de baño, que (14) _____ *(carecer)*

de ventanas. (15) _____ *(Encender)* la fila

de bombillas que (16) _____ *(enmarcar)* el

espejo y (17) _____ *(mirarse)*. Siempre la

misma palidez y la sombra azulosa rubricando los ojos. Aunque tal vez

(18) _____ *(ser)* efecto de la luz artificial, tal vez bajo

una violenta luz solar no (19) _____ *(tener)* ese aspecto

lánguido y morboso. La gente (20) _____ *(decir)* que era

hermosa, o al menos alguna gente aún lo (21) _____ *(decir)*,

y ella se lo (22) _____ *(creer)* mucho tiempo atrás, en otra

vida. Ahora simplemente (23) _____ *(encontrarse)* rara,

con esa mata desordenada de pelo rojizo veteado de canas, semejante a un fuego que

(24) _____ *(extinguirse)*; con la piel lechosa y las ojeras, y

con una mirada oscura en la que no (25) _____ *(poderse)*

reconocer. Un vampiro diurno. (26) _____ *(Hacer)* mucho

tiempo que no (27) _____ *(conseguir)* reconciliarse con su

aspecto. No (28) _____ *(sentirse)* del todo real. Por eso jamás

(29) _____ (hacerse) fotos, y procuraba no mirarse en los espejos, en

los escaparates, en las puertas de vidrio. Sólo (30) _____ (asomarse)

a su reflejo por las mañanas, todas las mañanas, en su cuarto de baño. Se enfrentaba al

azogue, con los párpados pesados y la boca sabiendo todavía al salitre de la noche, para

(31) _____ (intentar) acostumbrarse a su rostro de ahora. Pero no,

no avanzaba. (32) _____ (Seguir) siendo una extraña. A fin de cuentas,

tampoco los vampiros (33) _____ (poder) contemplar su propia imagen.

ROSA MONTERO

9 Tiempos verbales

Complete el siguiente texto con la forma correcta del verbo en el tiempo verbal apropiado.

De su ventana a la mía (fragmento)

(1) _____ (Estar) mucho más allá, en ese más allá

ilocalizable adonde precisamente ponen proa los ojos de todas las mujeres del

mundo cuando (2) _____ (mirar) por una ventana y la

(3) _____ (convertir) en punto de embarque, en andén, en

alfombra mágica desde donde (4) _____ (hacerse) invisibles para

fugarse. Nadie (5) _____ (poder) enjaular los ojos de una mujer

que se acerca a una ventana, ni prohibirles que (6) _____ (surcar)

el mundo hasta confines ignotos. En todos los claustros, cocinas, estrados y gabinetes de

la literatura universal donde viven mujeres (7) _____ (existir)

una ventana fundamental para la narración, de la misma manera que la

(8) _____ (soler) haber también en los cuartos inhóspitos de

hotel que pintó Edward Hopper y en las estancias embaldosadas de blanco y negro de los

cuadros flamencos. Basta con eso para que (9) _____ (producirse)

a veces el prodigio: la mujer que (10) _____ (leer) una carta o

que (11) _____ (estar) guisando o hablando con una amiga mira

de soslayo hacia los cristales, (12) _____ (levantar) una persiana

o un visillo, y de sus ojos entumecidos empiezan a salir enloquecidos, rumbo al horizonte,

pájaros en bandada que ningún ornitólogo (13) _____ (poder)

clasificar, cazar ningún arquero ni (14) _____ (acariciar)

ningún enamorado y que levantan vuelo hacia el reino inconcreto del que sólo se

(15) _____ (saber) que está lejos.

CARMEN MARTÍN GAITE

10 Antes de leer

¿Quiénes recogen las frutas y verduras en los EE.UU.? ¿Por qué trabajan en el campo? ¿Qué sueldos suelen tener? ¿Qué representan para la economía del país?

11 Literatura

Lea el siguiente cuento.

Naranjas

Sección 1   Desde que me acuerdo, las cajas de naranjas eran parte de mi vida. Mi papá trabajaba cortando naranjas y mi mamá tenía un empleo en la empacadora, donde esos globos dorados rodaban sobre bandas para ser colocados en cajas de madera. En casa, esas mismas cajas burdas nos servían de cómoda, bancos y hasta lavamanos sosteniendo
5 una palangana y un cántaro de esmalte descascarado. Una caja con cortina se usaba para guardar las ollas.

Sección 2   Cada caja tenía su etiqueta con dibujos distintos. Esas etiquetas eran casi los únicos adornos que había en la habitación pequeña que nos servía de sala, dormitorio y cocina. Me gustaba trazar con el dedo los diseños coloridos—tantos diseños—me
10 acuerdo que varios eran de flores—azahares, por supuesto—y amapolas y orquídeas, pero también había un gato negro y una carabela. El único inconveniente eran las astillas. De vez en cuando se me metía una en la mano. Pero como dicen, "A caballo regalado, no se le miran los dientes".

Sección 3   Mis papás llegaron de México a California siguiendo su propio sueño de El Dorado.
15 Pero lo único dorado que encontramos eran las naranjas colgadas entre abanicos de hojas temblorosas en hectáreas y hectáreas de árboles verdes y perfumados. Ganábamos apenas lo suficiente para ajustar, y cuando yo nací el dinero era más escaso aun, pero lograron seguir comiendo y yo pude ir a la escuela. Iba descalzo, con una camisa remendada y un pantalón recortado de uno viejo de mi papá. El sol
20 había acentuado el color de mi piel y los otros muchachos se reían de mí. Quería dejar de asistir, pero mi mamá me decía —Estudia, hijo, para que consigas un buen empleo y no tengas que trabajar tan duro como tus papás—. Por eso, iba todos los días a luchar con el sueño y el aburrimiento mientras la maestra seguía su zumbido monótono.

Sección 4   En los veranos acompañaba a mi papá a trabajar en los naranjales. Eso me parecía
25 más interesante que ir a la escuela. Ganaba quince centavos por cada caja que llenaba. Iba con una enorme bolsa de lona colgada de una banda ancha para tener las manos libres, y subía por una escalerilla angosta y tan alta que podía imaginarme pájaro. Todos usábamos sombreros de paja de ala ancha para protegernos del sol, y llevábamos un pañuelo para limpiar el sudor que salía como rocío salado en la frente.
30 Al cortar las naranjas se llenaba el aire del olor punzante del zumo porque había que cortarlas justo a la fruta sin dejar tallo. Una vez nos tomaron una foto al lado de las naranjas recogidas. Eso fue un gran evento para mí. Me puse al lado de mi papá, inflándome los pulmones y echando los hombros para atrás, con la esperanza de aparecer tan recio como él, y le di una sonrisa tiesa a la cámara. Al regresar del
35 trabajo, mi papá solía sentarme sobre sus hombros, y así caminaba a la casa riéndose y cantando.

Sección 5   Mi mamá era delicada. Llegaba a casa de la empacadora, cansada y pálida a preparar las tortillas y recalentar los frijoles; y todas las noches, recogiéndose en un abrigo de fe, rezaba el rosario ante un cuadro de la Virgen de Zapopán.

40 Yo tenía ocho años cuando nació mi hermana Ermenegilda. Pero ella sólo vivió año y medio. Dicen que se enfermó por una leche mala que le dieron cuando le quitaron el pecho. Yo no sé, pero me acuerdo que estuvo enferma un día nada más, y al día siguiente se murió.

Nuestras vidas hubieran seguido de la misma forma de siempre, pero vino un golpe
45 inesperado. El dueño de la compañía vendió parte de los terrenos para un reparto de casas, y por eso pensaba despedir a varios empleados. Todas las familias que habíamos vivido de las naranjas sufríamos, pero no había remedio. Mi mamá rezaba más y se puso más pálida, y mi papá dejó de cantar. Caminaba cabizbajo y no me subía a los hombros.

Sección 6 50 —Ay, si fuera carpintero podría conseguir trabajo en la construcción de esas casas —decía. Al fin se decidió ir a Los Ángeles donde tenía un primo, para ver si conseguía trabajo. Mi mamá sabía coser y tal vez ella podría trabajar en una fábrica. Como no había dinero para comprarle un pasaje en el tren, mi papá decidió meterse a escondidas en el tren de la madrugada. Una vez en Los Ángeles, seguramente
55 conseguiría un empleo bien pagado. Entonces nos mandaría el pasaje para trasladarnos.

La mañana que se fue hubo mucha neblina. Nos dijo que no fuéramos a despedirle al tren para no atraer la atención. Metió un pedazo de pan en la camisa y se puso un gorro. Después de besarnos a mi mamá y a mí, se fue caminando rápidamente y
60 desapareció en la neblina.

Mi mamá y yo nos quedamos sentados juntos en la oscuridad, temblando del frío y de los nervios, y tensos por el esfuerzo de escuchar el primer silbido del tren. Cuando al fin oímos que el tren salía, mi mamá dijo: —Bueno, ya se fue. Que vaya con Dios—. No pudimos volver a dormir. Por primera vez me alisté temprano para ir a la escuela.

Sección 7 65 Como a las diez de la mañana me llamaron para que fuera a mi casa. Estaba agradecido por la oportunidad de salir de la clase, pero tenía una sensación rara en el estómago y me bañaba un sudor helado mientras corría. Cuando llegué jadeante estaban varias vecinas en la casa y mi mamá lloraba sin cesar.

—Se mató, se mató —gritaba entre sollozos. Me arrimé a ella mientras el cuarto y las
70 caras de la gente daban vueltas alrededor de mí. Ella me agarró como un náufrago a una madera, pero siguió llorando.

Allí estaba el cuerpo quebrado de mi papá. Tenía la cara morada y coágulos de sangre en el pelo. No podía creer que ese hombre tan fuerte y alegre estuviera muerto. Por cuenta, había tratado de cruzar de un vagón a otro por los techos y, a causa de la
75 neblina no pudo ver bien el paraje. O tal vez por la humedad se deslizó. La cosa es que se cayó poco después de haberse subido. Un vecino que iba al trabajo lo encontró al lado de la vía, ya muerto.

Sección 8 Los que habían trabajado con él en los naranjales hicieron una colecta y con los pocos centavos que podían dar, reunieron lo suficiente para pagarnos el pasaje en el tren.
80 Después del entierro, mi mamá empacó en dos bultos los escasos bienes que teníamos y fuimos a Los Ángeles. Fue un cambio decisivo en nuestras vidas, más aún, porque íbamos solos, sin mi papá. Mientras el tren ganaba velocidad, soplé un adiós final a los naranjales.

El primo de mi papá nos ayudó y mi mamá consiguió trabajo cosiendo en una fábrica
85 de overoles. Yo empecé a vender periódicos después de la escuela. Hubiera dejado de ir del todo a la escuela para poder trabajar más horas, pero mi mamá insistió en que terminara la secundaria.

Eso pasó hace muchos años. Los naranjales de mi niñez han desaparecido. En el lugar donde alzaban sus ramas perfumadas hay casas, calles, tiendas y el constante
90 vaivén de la ciudad. Mi mamá se jubiló con una pensión pequeña, y yo trabajo en una oficina del estado. Ya tengo familia y gano lo suficiente para mantenerla. Tenemos muebles en vez de cajas, y mi mamá tiene una mecedora donde sentarse a descansar. Ya ni existen aquellas cajas de madera, y las etiquetas que las adornaban se coleccionan ahora como una novedad.

95 Pero cuando veo las pirámides de naranjas en el mercado, hay veces que veo esas cajas de antaño y detrás de ellas está mi papá, sudando y sonriendo, estirándome los brazos para subirme a sus hombros.

ÁNGELA McEWAN-ALVARADO

12 ¿Ha comprendido?

Conteste estas preguntas en su cuaderno y subraye cada palabra nueva del cuento que use. Use tantas palabras nuevas como pueda.

Sección 1

1. ¿Por qué recuerda tanto el narrador las cajas de naranjas?

   Porque su papa trabajaba con naranjas

2. ¿Qué metáfora usa la autora para describir las naranjas?

   "globos dorados"

3. ¿Qué uso le daban a estas cajas en casa?

   Las cajas servían de bancos y para guardar las ollas

Sección 2

1. ¿Cómo eran las etiquetas de las cajas?

   Cada caja era distinto

2. ¿Por qué las recuerda el narrador con tanto cariño?

   Porque las cajas eran las únicas adornas en su dormitorio

3. Describa algunos de los diseños de las etiquetas.

   Habían flores y gatos en los diseños

4. ¿Cuál era el inconveniente de las cajas?

   Las astillas

5. ¿Qué refrán usa al final de este párrafo? ¿Qué cree que significa?

   El refrán significa "no debe, quedarse sobre un regalo"

Sección 3

1. ¿Por qué emigraron los padres del narrador a California? ¿De dónde venían?

   Tenían sueños a las naranjas

2. ¿Con qué metáfora describe las hojas de los naranjos?

   Son abanicos de hojas temblorosas

3. Describe la situación económica del personaje principal. Dé ejemplos.

   Ganemos solo bastante dinero para vivir

4. ¿Para qué querían los padres que estudiara su hijo?

   El no necesitara trabajar como su padre

5. ¿Por qué cree que el protagonista quería dejar de asistir a la escuela?

   Tenía pelo diferente

Sección 4

1. ¿Qué hacía en el verano este muchacho?

   Acompañaba su padre

2. ¿Cuánto ganaba?

   Quince centados por cada caja

3. ¿Qué pensaba el muchacho del trabajo?

   Le gusta más escuela

4. ¿Qué llevaba cuando iba al naranjal?

   Iba con un enorme bolsa

5. ¿Qué adjetivo usa para describir el sudor? ¿Por qué?

   Rocié salado

6. ¿Cómo se sentía el padre con el trabajo que hacía? Dé ejemplos.

   El padre estaba feliz, porque su hijo le ayudaba

Sección 5

1. ¿Cómo describe el muchacho a su madre?

   Delicada

2. ¿Qué comían? ¿Qué piensa que representa este tipo de comida?

   Comían comida mexicana, representa comida cómoda

3. ¿Qué le pasó a su hermana?

   Vivió un año y media

4. ¿Siguieron con la compañía durante mucho tiempo? ¿Qué les pasó?

   Si, sino necesitaron despedir a muchas personas.

5. ¿Qué pensaba hacer el propietario de los naranjales?

   Pensaba que todos sufrían

6. ¿Cómo cambió el comportamiento de su padre y de su madre?

   Ella rezaba más y él dejodecantar

Sección 6

1. ¿Qué decía el padre sobre ser carpintero o trabajar en la construcción?

   Decía que consiguen trabajar en eso

2. ¿Para qué pensaba ir el papá a Los Ángeles?

   Porque tenía un primo en LA

3. ¿Con qué dinero se fue?

   No tenía dinero

4. ¿Por qué no fueron a despedirse de su padre?

   Tomó el tren en la oscuridad

5. ¿Qué tiempo atmosférico hacía?

   Hacía frio y tarde

6. ¿Cómo se sentían el protagonista y su madre? ¿Por qué?

   Se sentían nerviosos porque el padre salió

7. ¿Qué tiempo verbal usa la expresión "Que vaya con Dios"? ¿Por qué se usa este tiempo?

   Subjuntivo porque no saben si todo esta bien

Sección 7

1. ¿A qué hora llamaron al chico?

   A las diez de la mañana

2. ¿Para qué lo llamaron?

   Para que él necesite salir su clase

3. ¿Qué hacía la madre?

   Lloraba y gritaba

4. ¿Cómo recuerda el protagonista a su padre?

   El recuerda que él era tan fuerte

5. ¿Por qué se cayó su papá?

   Se cayó porque la matado

Sección 8

1. ¿Quiénes pagaron el viaje en tren? ¿Cómo?

   Los narajas les pagaron a causa de una colecta

2. ¿Adónde fueron el muchacho y su mamá?

   Fueron a LA

3. ¿De quién se despidió el protagonista? ¿Por qué?

   Las naranjas porque salió para siempre

4. ¿Por qué no permitió su mamá que trabajase más el chico? (Use el imperfecto del

   subjuntivo en su respuesta.)

   Porque querría que el terminara la escuela

5. ¿Quién ayuda a su madre desde que se jubiló? ¿Por qué?

   El primo del padre porque necesitaba un trabajo

6. Describa cómo es la casa donde viven ahora.

   No tenían ningún naranjas

7. ¿En quién piensa el protagonista cuando ve las naranjas en el supermercado?

   Piensa sobre el campo de naranjas y su padre

8. ¿Cómo recuerda a su padre?

   Recuerdan sus abrazos y su sonrisa

13 Se titula…

Piense en otro título para el cuento.

_____

14 ¡A escribir!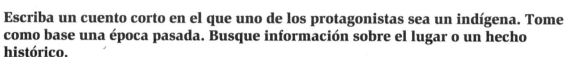

Escriba un cuento corto en el que uno de los protagonistas sea un indígena. Tome como base una época pasada. Busque información sobre el lugar o un hecho histórico.

15 Charlemos 👥

Converse con un/a compañero/a sobre las relaciones familiares entre los latinos; dé ejemplos de la lectura del ejercicio 11.

16 ¡A presentar! 🎤

Busque información sobre un tema relacionado con la inmigración. Prepare una presentación de PowerPoint con poco texto (para no leer demasiado) pero con suficientes fotos, y haga una presentación en clase. Posibles temas: las leyes de inmigración, el muro que piensan construir y que va a dividir México de EE.UU., los coyotes, los agricultores que recogen tomates u otras verduras, y los salarios de los inmigrantes.

17 ¡A escribir!

Escriba un cuento basado en la historia de algunos inmigrantes. Escríbalo en primera persona sin que el narrador sea inmigrante.

18 *La gitanilla* por Miguel de Cervantes (CD 2, pista 2)

Después de escuchar la audición, complete la respuesta para cada pregunta.

1. ¿Cuáles son los siete personajes principales de este cuento?

   Los personajes principales son _____

   _____

2. ¿Qué se pensaba de los gitanos en aquella época?

   Se pensaba que _____

   _____

3. ¿Qué tenía Preciosa que la hacía tan especial?

   Ella _____

   _____

4. ¿Por qué le dio un joven un poema a Preciosa?

   Lo hizo porque _____

   _____

5. ¿Por qué se sorprendió aquel joven de que supiera leer?

   En aquella época _____

   _____

6. ¿Qué le dijo el "caballero Andrés" a Preciosa cuando la vio en el camino?

   El apuesto galán le dijo que _____

   _____

7. ¿Qué temía la gitanilla que le pasara al joven?

   Preciosa tenía miedo de que _____

   _____

8. ¿Qué hizo el "caballero Andrés" para demostrarle su amor?

El joven se convirtió _____

_____

9. ¿Llegó a robar mucho el joven caballero?

La verdad es que _____

_____

10. ¿Quién era Carducha y qué hizo?

La joven Carducha _____

_____

11. ¿Por qué metieron al joven caballero en la cárcel?

Por haber _____

_____

12. ¿Qué le dijo la guapa gitana a la Corregidora?

Le dijo que _____

_____

13. ¿Qué hizo la vieja gitana mientras tanto?

Mientras tanto, al ver la grave situación, la vieja _____

_____

14. ¿Qué secreto reveló la vieja?

Demostró que _____

_____

15. ¿Qué pensaba el Corregidor de que Preciosa se casara?

Al principio el Corregidor _____

_____

19 ¡A conversar! 👫

Escriba una conversación con un/a compañero/a. Hablen de la conducta del Corregidor hacia la vieja gitana. ¿Cree que fue una buena decisión? ¿Dio el Corregidor un buen ejemplo?

A: _____

B: _____

A: _____

B: _____

A: _____

B: _____

A: _____

B: _____

20 Amplíe su vocabulario 🔍

Complete las oraciones con la palabra o frase adecuada.

1. El verso blanco es un tipo de composición poética, que se caracteriza por tener una métrica regular y la falta de _____.

   a. sintaxis   b. sílabas tónicas   c. sílabas átonas   d. rima

2. Miguel Ángel y Carmelo se alegraron cuando la prensa _____ sus nuevos trabajos.

   a. descifró   b. elogió   c. reforzó   d. brotó

3. Es difícil encontrar a jóvenes que les guste leer _____ porque hay tal vez demasiada lectura obligatoria para los cursos.

   a. por placer   b. y brotar   c. el abecedario   d. los sinsabores

4. Un sinónimo de *habitual* es *usual*, mientras que _____ es *infrecuente*.

   a. un antónimo   b. un patrón   c. una letra   d. una acentuación

5. En la multitud de cartas que escribió, mencionó _____ del amor a distancia.

   a. los sinsabores   b. los trabalenguas   c. los manuscritos   d. las caras

6. Empiece a familiarizarse con _____ de expresiones idiomáticas y refranes como "El que la sigue la consigue" o "nunca es tarde si la dicha es buena".

   a. el patrón   b. el terceto   c. la norma   d. el manejo

7. Para Anastasia, leer nunca fue un pasatiempo, sino algo _____.

   a. impreciso   b. imprescindible   c. imborrable   d. restringido

8. He hecho el siguiente _____ de la carta para que me deis vuestras sugerencias antes de terminarla.

   a. informe   b. esbozo   c. encomio   d. elogio

21 ¿Cuál es la palabra? 🔍

Complete las oraciones con la palabra o frase adecuada del recuadro. Haga los cambios necesarios. Hay dos palabras que no necesita usar.

efímero	localizar	rendimiento	trabalenguas
hogareño	poner en marcha	sacar a la luz	
imborrable	poner en relieve	tomar cuerpo	

1. Aquella discusión inmediatamente _____ la falta de comunicación que había entre ellos desde hace tiempo.

2. Cristina sabía que toda aquella felicidad era _____ y que en cuanto abriera los ojos su triste vida sería otra vez realidad. Suspiró mientras recordaba la obra de Calderón *La vida es sueño*.

3. Ya es hora de que se conciencie la gente de que el cansancio y el estrés no favorecen _____ escolar.

4. Nico siempre había tenido fama de ser muy _____, por lo que cuando se presentó en la convención dejó a todos boquiabiertos.

5. Cuando era pequeño me resultaba prácticamente imposible decir este _____: Tres tristes tigres tragaron trigo en un trigal.

6. Las poesías de Bécquer dejaron un recuerdo _____ en miles de jóvenes. Mi profesora me contó una vez que solía dormir con un librito de rimas debajo de su almohada.

7. Un grupo de empresarios _____ un ambicioso proyecto para la alfabetización. Están comprando miles de libros y materiales.

8. Vale la pena que _____ sus fracasos, para que los que los oigan comprendan que para triunfar uno no tiene que ser perfecto.

22 ¿Qué palabra es? 🔍

Escriba la palabra o expresión del vocabulario que corresponde a cada definición. Ponga una letra en cada casilla.

1. Sinónimo de *muchísimas personas* (informal) ☐☐☐ ☐☐☐☐☐☐☐
   ☐☐ ☐☐☐☐☐

2. Bonito, hermoso, lindo ☐☐☐☐☐

3. Revisar un borrado o un escrito ☐☐☐☐☐☐

4. Infundir, enseñar ☐☐☐☐☐☐☐☐

5. Diario, que ocurre con frecuencia ☐☐☐☐☐☐☐☐☐.

6. Una palabra o frase que se usa para comparar una cosa con otra
   ☐☐☐☐☐☐☐☐

7. Promover ☐☐☐☐☐☐☐☐

8. Signo gráfico del alfabeto ☐☐☐☐☐

23 Crucigrama

Escriba las claves para las palabras que aparecen en el crucigrama.

Horizontales	Verticales
4. _____	1. _____
_____	_____
6. _____	2. _____
_____	_____
	3. _____
	_____
	5. _____
	_____

24 Vocabulario en contexto ⌕

Elija la mejor opción para completar cada oración.

1. _____ es un científico que estudia la lengua y la literatura de un

   pueblo a través de sus textos escritos.

   a. Un filólogo   b. Un quehacer

2. El verso libre no tiene _____ de ritmo.

   a. normas   b. sonidos

3. Por otra parte, el verso blanco está sujeto a una _____ regular.

   a. métrica   b. rima

4. Este autor muestra gran _____ en el manejo de adjetivos en sus

   descripciones.

   a. versificación   b. destreza

5. Un _____ es una composición poética que consta de catorce

   versos, generalmente endecasílabos, distribuidos en dos cuartetos y dos tercetos.

   a. haikú   b. soneto

Puro deporte Capítulo 6 Lección A

1 Artículos definidos

Complete la tabla con el artículo definido correspondiente. En la segunda columna, explique por qué usó ese artículo.

Palabra	Explicación
1. _____ planeta	_____
2. _____ palidez	_____
3. _____ multitud	_____
4. _____ valor	_____
5. _____ coraje	_____
6. _____ español	_____
7. _____ salvavidas	_____
8. _____ almendro	_____
9. _____ almendra	_____
10. _____ lavaplatos	_____
11. _____ arte	_____
12. _____ luz	_____
13. _____ artes	_____
14. _____ turista	_____
15. _____ flor	_____
16. _____ mano	_____
17. _____ ilusión	_____
18. _____ tema	_____
19. _____ río Amazonas	_____
20. _____ agua	_____

continúa

21. _____ niñez _____

22. _____ cámara _____

23. _____ foto _____

24. _____ clave _____

25. _____ costumbre _____

2 ¿Indicativo o subjuntivo?

Complete las oraciones con los verbos entre paréntesis. Escriba la forma adecuada del indicativo o subjuntivo.

1. Más vale que todos _____ (caber) en el autobús.

2. Adondequiera que Eva _____ (ir), voy yo.

3. Si tú _____ (traer) un buen CD, lo tocaríamos en la clase un rato.

4. Si tú lo _____ (ver), te habría fascinado.

5. En cuanto _____ (haber) problemas, siempre nos echa una mano.

6. Si vosotros _____ (oír) algo, decídnoslo.

7. Quieren a alguien que _____ (saber) varios idiomas.

8. Parece que Carmela _____ (conseguir) un trabajo a tiempo parcial en una empresa de publicidad.

9. Mi consejero me lo dijo todo en cuanto me _____ (ver) la mala cara que tenía.

10. En caso de que _____ (llover), echa un paraguas de esos pequeñitos en tu bolso.

3 ¿Indicativo o subjuntivo?

Escriba la forma apropiada de los verbos entre paréntesis. Use el indicativo o el subjuntivo.

1. No creo que nadie _____ *(mantener)* una actitud adecuada durante la conferencia.

2. Si nosotros _____ *(caerse)* nos haríamos muchísimo daño.

3. Miguel nos ha comentado que no le _____ *(quedar)* más galletas.

4. No quiero que tú _____ *(decir)* nada a nadie. Es un secreto.

5. Llevaos unos esquís en caso de que _____ *(llover)*.

6. Te prometo que si a mí no _____ *(caer)* bien tus amigas te lo haría saber.

7. Honestamente, creo que no habrá nadie que _____ *(negar)* lo que pasó.

8. Todos queríamos que vosotros _____ *(conseguir)* el premio.

9. Más vale que alguien _____ *(distinguir)* lo importante de lo superficial.

10. Tal vez yo _____ *(averiguar)* cuándo sale el tren para la Costa del Sol dentro de un rato.

4 El tenis

Complete el siguiente texto con la forma adecuada de los verbos entre paréntesis.

Es natural que cuando algo (1) _____ *(tener)* éxito, ya sea una

comida, un baile o un deporte, muchos (2) _____ *(querer)* atribuirse

el éxito. Es interesante que (3) _____ *(haber)* juegos muy parecidos

al tenis en la Antigüedad. La historia del tenis (4) _____ *(ser)*

más antigua de lo que muchos (5) _____ *(pensar)*.

Hay quien (6) _____ *(decir)* que el deporte ya se

(7) _____ *(practicar)* desde la época de los antiguos egipcios. En una

tumba se (8) _____ *(hallar)* unos dibujos de unas personas con

paletas y pelotas de cuero, que sorprendentemente (9) _____ *(datar)*

del 2500 A. C. (antes de Cristo). A través del tiempo, tanto el nombre como las reglas,

(10) _____ *(evolucionar)* . En la Edad Media, la gente común

(11) _____ *(empezar)* a aficionarse a este deporte. Según

cuentan, lo (12) _____ *(practicar)* en los castillos y monasterios.

Algunos quisieron (13) _____ *(convertirlo)* en un deporte

de elite, y se dice que (14) _____ *(terminar)* prohibiendo

su práctica a todo aquel que no (15) _____ *(haber)* tenido

la suerte de (16) _____ *(nacer)* con "sangre azul", y hasta

(17) _____ *(llegar)* a ser penalizado con la muerte todo aquel que

(18) _____ *(atreverse)* a (19) _____ *(practicarlo)*

y que no (20) _____ *(pertenecer)* a este reducido grupo social.

Mientras tanto, en las Américas se (21) _____ *(practicar)* una

versión de este deporte entre los toltecas y los descendientes de los incas en diferentes países.

Así que (22) _____ *(deber)* agradecerle tanto a los

egipcios, como a los griegos, romanos, ingleses, franceses e incas, entre otros, el placer de

(23) _____ *(ver)* a impresionantes atletas de la talla de Rafael Nadal,

Roger Federer, David Ferrer y tantos otros.

5 El subjuntivo

Complete las oraciones con una frase apropiada y en el tiempo verbal adecuado.

1. A mis compañeros les gustaba que _comiéramos en McDonalds_

2. Yo le suplicaba que _terminara la tarea_

3. Me conmueve que _escriba una poema_

4. Dentro de unos años, cuando _pasara el evento, tenía 3 años_

5. El otro día, después de que _mis padres salieron_

6. Siento de corazón que _tú eres el único para mí._

7. Marcela dice que _le gusta leer_

8. Diviértete mientras que _escuche música_

9. Ya sabes que nos encanta que _cocine esta receta_

10. Por supuesto que mientras que _hable, le oyemos._

11. Actualmente, a no ser que _está en Perú._

12. Sinceramente, era raro que _bebiera esta bebida._

13. Por si acaso llueve, que bueno que _lleve una chaqueta_

14. Para resumir, está claro que _la respuesta es once._

15. Por lo general todos nos alegramos de que _veamos esta película_

16. Creo que, a fin de cuentas, no hay nadie quien _cante como usted._

17. Nos gusta ver que _alguien haga los quehaceres_

18. Después de todo, aunque _no sepa la verdad_

19. Los chicos trabajaron mucho para que _pudieran asistir a escuela_

20. A menos que nosotros _trabajemos como maestros._

6 Familia de palabras

Complete cada oración con la forma correcta de la palabra en negrita. La respuesta puede ser verbo, sustantivo o adjetivo. Añada un artículo cuando sea necesario.

1. **aislarse**

   a. Nuestro portero siempre _____ de los otros jugadores del equipo para prepararse mentalmente antes de cada partido.

   b. Cuando hay gran rivalidad entre los aficionados, _____ de los distintos grupos es la única solución para evitar peleas.

2. **nadar**

   a. Aunque _____ es buen ejercicio físico, no puedo nadar porque me molesta el agua en los oídos.

   b. Algunos _____ australianos han ganado muchas medallas de oro en los Juegos Olímpicos.

   c. El entrenador me aconsejó que _____ todos los días si quería prepararme mejor para el campeonato.

3. **apostar**

   a. No puedo imaginar la cantidad de _____ que se hicieron durante el Mundial.

   b. Cada vez que nosotros _____, nuestro equipo pierde.

   c. Yo _____ que nadie pudo predecir el ganador del Mundial anterior.

7 Tito espera...

Complete el siguiente texto escribiendo la forma adecuada de los verbos entre paréntesis. A veces tendrá que elegir entre _ser_ y _estar_.

Tito (1) _____ _(seguir)_ sin (2) _____ _(poder)_

pegar ojo. (3) _____ _(Saber)_ que el día siguiente

(4) _____ _(ir)_ a ser un día muy especial.

(5) _____ _(Ir)_ muchas personas a ver la competición, pero eso no le

(6) _____ _(inquietar)._ No (7) _____ _(ponerse)_

nervioso hasta que le (8) _____ _(decir)_ que iba a

(9) _____ _(venir)_ un hombre muy importante.

Tito (10) _____ _(levantarse)_ y

(11) _____ _(irse)_ a la cocina. (12) _____ _(Tomar)_

un pedazo de queso y (13) _____ _(ponerse)_ a mirar por la

ventana. Afuera todo (14) _____ _(ser / estar)_ completamente

oscuro, aunque a Tito eso no (15) _____ _(parecer)_ importarle.

(16) _____ _(Sentarse)_ en la mesa del comedor, donde tantas veces

(17) _____ _(comer)_ con sus padres.

(18) _____ _(Hojear)_ un periódico que

(19) _____ _(llevar)_ allí un par de días. En realidad no

es que (20) _____ _(mirar)_ a nada en particular, tan

solo (21) _____ _(querer)_ distraer su mente hasta que

(22) _____ _(llegar)_ la mañana. Todo

(23) _____ _(ir)_ demasiado lento. El reloj de

pared (24) _____ _(ser / estar)_ allí colgado, la

faz (25) _____ _(mirarle)_ impasiblemente. Tito

(26) _____ _(dar)_ cualquier cosa para que aquellas

agujas (27) _____ _(moverse)_ más rápido. Pero no

era así. Tan sólo (28) _____ _(parecer)_ que se

(29) _____ _(mover)_ más despacio.

continúa

Entonces (30) _____ (fijar) la vista en una antigua

fotografía que (31) _____ (colgar) en un rincón del comedor.

Su madre se la tomó cuando (32) _____ (ser / estar)

pequeño. Aquellos (33) _____ (ser / estar) otros tiempos.

Allí (34) _____ (ser / estar) Tito con su padre en el agua. Sus

ojos (35) _____ (quedarse) fijos en esa agua, y al instante

(36) _____ (sentir) una gran serenidad por el cuerpo.

El agua siempre le (37) _____ (haber) tranquilizado.

(38) _____ (Sentirse) rodeado del abrazo de una madre

cuando (39) _____ (ser / estar) en el agua. Es posible

que (40) _____ (ser / estar) así porque de pequeño su

familia (41) _____ (vivir) en una pequeña casita al lado

de un lago. A su orilla (42) _____ (ser / estar) donde

(43) _____ (pasar) las mañanas, las tardes y las noches. La

naturaleza siempre (44) _____ (ser / estar) su mejor amiga.

Para Tito (45) _____ (ser / estar) lógico que

(46) _____ (sentirse) así. Más de las dos terceras partes del mundo

(47) _____ (ser / estar) compuestas por agua, y hasta el ser

humano (48) _____ (ser / estar) un 70% de agua. Así que no nos

(49) _____ (deber) sorprender el hecho de que desde los comienzos de

la humanidad el hombre (50) _____ (querer) dominar este elemento.

Las piraguas (51) _____ (construir) por los hombres para este propósito,

y lo que les (52) _____ (permitir) a muchos llegar a lugares hasta

entonces inalcanzables. El piragüismo moderno (53) _____ (existir)

desde hace ya más de un siglo y (54) _____ (permitir) a sus seguidores

combinar cierto riesgo con la relajación.

Normalmente Tito lo (55) _____ (practicar) con sus amigos,

pero ese día iba a ser diferente. En la competición (56) _____ (ir)

solo por unos descensos extremos del río Carabela. Su madre se

lo (57) _____ (prohibir) miles de veces, y

él le (58) _____ (prometer) que nunca lo

(59) _____ (*hacer*). Pero esos eran otros tiempos. En aquella época él

era niño y aún (60) _____ (*ser / estar*) una familia. Al día siguiente

(61) _____ (*verse*) por primera vez, después de diez años, con su

padre, después de que los (62) _____ (*abandonar*) un día sin decir

nada. Después de no (63) _____ (*saber*) nada de él por más de diez

años, Tito recibió en el móvil un mensaje de su padre que decía, "después de los rápidos, te

(64) _____ (*dar*) una explicación".

8 Antes de leer

¿Considera interesante competir? ¿Por qué cree que algunas personas siempre quieren ser campeones?

9 CITIUS, ALTIUS, FORTIUS

Lea el siguiente artículo.

Estas palabras que conforman **el lema** oficial olímpico: más rápido, más alto, más fuerte, pueden servir también para definir el espíritu de superación que está impreso en la naturaleza del hombre y que le obliga a ir más allá de sus propios límites. Le incita a experimentar lo que hay al otro lado del esfuerzo, de la voluntad, de la fuerza, de **la superación**, del equipo. Desde
5   la antigüedad el deporte estuvo considerado como una de las manifestaciones más elevadas de la cultura de un pueblo, hasta el punto de que en muchas ocasiones formó parte de ritos religiosos o fue motivo de ofrenda a los dioses. No obstante, los griegos fueron quienes con gran sensibilidad y belleza, unieron deporte y espiritualidad y lo llevaron a la vida cotidiana. Ambas cosas eran tan importantes para la vida que los jóvenes eran educados en **las letras** y
10 en el deporte, en lo atlético y en lo intelectual, y los gimnasios de aquel tiempo se convirtieron en auténticos centros culturales. La famosa frase de Platón, *mens sana in corpore sano*, recogía perfectamente esta filosofía de equilibrio entre cuerpo y espíritu **(A)**. El deporte en la actualidad sin duda, no es **una panacea** para los males o las carencias de nuestra sociedad. Pero sí, bajo sus diferentes variantes, da la oportunidad al individuo de descubrir valores y
15 potenciales, antes desconocidos pero que se encuentran dentro de él. Algunos deportistas lo definen como una experiencia casi espiritual, para otros se trata de una necesidad tan vital como **el respirar**. ¿Qué proporciona la práctica del deporte? Unos dirían que el placer de sentir cada músculo del cuerpo en movimiento, la necesidad de mantenerse en forma, evitar el estrés, competir, escapar de la monotonía, trabajar en equipo o comunicarse de otra manera
20 con los demás. Otros hablarían de la necesidad de aventura, del riesgo, de descubrir lo que hay detrás del sacrificio, del esfuerzo, de la soledad, de la fuerza de voluntad o del dolor. De desarrollar la capacidad de pensar sobre la marcha, <u>trazar</u> estrategias; del control para responder en cada momento con la dosis de energía necesaria. De experimentar la sensación de libertad, el sabor amargo de **una derrota** o la dulzura de una victoria. Todos coinciden
25 en la necesidad de <u>fortalecer</u> cuerpo y mente **(B)**. Un maravilloso entrenamiento para la vida. Lástima que algunos de estos valores hoy se hayan cambiado por otros como negocio, espectáculo o propaganda. Lástima que esto haya convertido a muchos deportistas en empleados, obligados no sólo a ganar sino a ser los mejores a costa de lo que sea. Lástima que el denominado deporte <u>de masas</u>—fútbol, principalmente—haya sido utilizado por el poder en
30 muchas ocasiones para influir sobre los ciudadanos ("por el interés general", por supuesto), como otra forma de control social. O se haya convertido en la excusa idónea para que grupos violentos **vuelquen** sus frustraciones y transformen un estadio en un campo de batalla, **(C)**. Pero preferimos ceder el protagonismo a esos hombres, mujeres y niños que desde el anonimato o desde un podium, desde un equipo o <u>en solitario</u>, con ayuda, o buscándose
35 la vida cada **temporada** para poder seguir entrenando, hacen que el espíritu deportivo siga vivo. Y no sólo hablamos del deporte competitivo, sino también del deporte <u>autóctono</u>, **(D)**. Auténticas <u>pruebas</u> de fuerza y habilidad, sencillas y muy practicadas no sólo por personas mayores sino por muchos jóvenes en estos momentos, que están haciendo que estos deportes sean un lugar de encuentro y disfrute **intergeneracional**. En pistas, estadios, canchas de juego
40 o al aire libre, Castilla y León cuenta con gran número de deportistas que trabajan a diario para poder llegar más alto y más lejos. Las medallas conseguidas cada año dan muestras de ello. Además, también contamos con una importante cantera de deportistas con mucho futuro.

www.revistafusion.com

10 ¿Ha comprendido?

Elija la mejor respuesta para cada pregunta.

1. ¿Qué es "CITIUS, ALTIUS, FORTIUS"?
   a. La cobertura de los Juegos Olímpicos
   b. El lema de los Juegos Olímpicos
   c. Unas palabras que caracterizan el espíritu de competencia de algunos atletas
   d. Unas palabras de los antiguos griegos sobre el nivel de competencia

2. ¿Cómo consideraban los antiguos griegos el deporte?
   a. Lo unían a la parte intelectual del hombre.
   b. Lo consideraban una expresión de agresión natural del hombre.
   c. Lo veían como parte de la vida diaria de los hombres religiosos.
   d. Era una religión de los deportistas.

3. ¿Qué dos elementos tenían que estar en equilibrio para los griegos?
   a. El cuerpo y la religión
   b. Lo atlético y las letras
   c. El deporte y el intelecto
   d. Las respuestas b y c

4. En la actualidad ¿qué importancia tiene el deporte en la vida cotidiana?
   a. Elimina las complicaciones de la vida.
   b. Cura muchos problemas de nuestro mundo.
   c. Fomenta la superación personal y el trabajo en equipo.
   d. Obliga al hombre a colaborar con otros miembros del equipo.

5. ¿Por qué practican algunos deportistas el deporte?
   a. Para descartar el estrés
   b. Para superar a los demás
   c. Para mantenerse en forma
   d. Todas las respuestas de arriba

6. ¿Qué aspecto negativo del deporte se menciona?
   a. La globalización del deporte
   b. La comercialización del deporte
   c. La falta de respeto que reciben los atletas
   d. Ninguna de las respuestas de arriba

7. Según el autor del artículo, ¿cuál es el aspecto más importante que el deporte lleva a Castilla y León?
   a. El deporte muestra el gran talento de los deportistas mayores y jóvenes.
   b. El deporte muestra el espíritu de competencia entre los adultos y los jóvenes.
   c. Jóvenes y personas mayores disfrutan juntos.
   d. Los adultos enseñan valores a los jóvenes.

11 ¿Dónde va? 🔍

¿Dónde se deben añadir las siguientes frases al artículo? Escriba la letra que corresponda a cada frase. Hay una frase que no hace falta utilizar.

1. _____ de gran importancia en Castilla y León

2. _____ que sin duda abrió las puertas a una nueva forma de vida

3. _____ con muertos incluidos en sólo unos minutos

4. _____ para ir más lejos y subir más alto

5. _____ que los juegos en esta región

12 ¿Qué significa? 🔍

Explique con sus propias palabras lo que significan estas palabras o frases que en el artículo aparecen en negrita.

1. el lema _____

2. la superación _____

3. las letras _____

4. una panacea _____

5. el respirar _____

6. una derrota _____

7. vuelquen _____

8. temporada _____

9. intergeneracional _____

13 ¿Qué significa?

Empareje cada palabra o expresión que aparece subrayada en el texto con su sinónimo o definición.

1. _____ trazar

2. _____ fortalecer

3. _____ de masas

4. _____ en solitario

5. _____ autóctono

6. _____ prueba

a. nativo, de la localidad o país

b. dar fuerza

c. evidencia

d. planear

e. solo

f. de grandes números, públicos

14 Preposiciones

Escriba las preposiciones que van con estos verbos extraídos del artículo.

1. le obliga _____

2. se convirtieron _____

3. se trata _____

4. cuenta _____

15 Escriba

En su cuaderno, resuma lo que ha leído en un párrafo. Subraye las palabras nuevas que use.

16 Se titula...

Piense en otro título para el artículo.

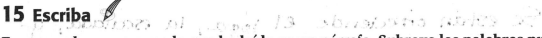

_____

17 ¡A conversar! *promoviesen*

Escriba una conversación con un/a compañero/a sobre el siguiente tema: ¿Qué piensa del próximo país donde se celebrarán los Juegos Olímpicos? ¿Cree que es el lugar adecuado? Piense en los beneficios y desventajas de esa elección.

A: _____

B: _____

A: _____

B: _____

A: _____

B: _____

A: _____

B: _____

18 Escuelas buscan ofrecer deportes alternativos a los estudiantes (CD 2, pista 3)

Después de escuchar la audición, escriba una respuesta para cada pregunta.

1. ¿Qué nuevos deportes se están ofreciendo en algunas escuelas?

   Se están ofreciendo el joga, la escalada, y el aerobic.

2. ¿Cuál es el motivo por el que se están ofreciendo?

   El motivo es que muchos se sienta incómodo.

3. ¿Qué es lo que hace que los estudiantes estadounidenses estén tan obesos?

   Porque la educación física no es muy importa en las escuela

4. ¿Qué deportes se han practicado durante años? ¿Qué consecuencia ha tenido?

   Fútbol Americano, Beisbol, y baloncesto. crea Grupos exclusivas excluye

5. Según el artículo, ¿cómo se espera que reaccionen los estudiantes que practican los deportes alternativos?

   Disfruten en los deportes alternativos

19 Escriba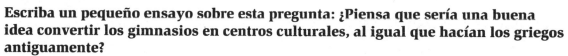

En su cuaderno, haga comentarios sobre estas citas. En su respuesta use al menos dos verbos en el subjuntivo y dos en el indicativo. Subraye y enumérelos. No se olvide de usar los nexos correctamente.

Posibles nexos: a fin de cuentas, como resultado, a su vez, después de todo, por desgracia, no obstante, por suerte, tal vez, en realidad, en gran parte, además, por este motivo

1. *"Yo creo que habría que inventar un juego en el que nadie ganara"*. Jorge Luís Borges

2. *"Un país habrá llegado al máximo de su civismo cuando en él se puedan celebrar los partidos de fútbol sin árbitro"*. José Luis Coll

3. *"Tengo dos problemas para jugar al fútbol. Uno es la pierna izquierda. El otro es la pierna derecha"*. Roberto Fontanarrosa

4. *"La acción es lo único que tiene valor. Soñar que se juega al tenis no es nada. Leer libros de tenis no es nada. Jugar al tenis es un gran placer"*. André Maurois

5. *"El deporte no forja el carácter, lo pone de manifiesto"*. Heywood Hale Broun

20 Ensayo

Escriba un pequeño ensayo sobre esta pregunta: ¿Piensa que sería una buena idea convertir los gimnasios en centros culturales, al igual que hacían los griegos antiguamente?

21 Ensayo

Escriba un ensayo sobre esta pregunta: ¿Está a favor de los deportes de aventura extremos o en contra?

22 ¿Cuál es la palabra?

Complete las oraciones con la palabra adecuada en español. Añada un artículo cuando sea necesario y haga los cambios que considere necesarios. Hay una palabra que no necesita usar.

actuación	~~dominio~~	~~ocio~~	~~tajante~~
cobertura	hidratar	pelota vasca	zapatillas
~~competencia~~	~~jonrón~~	proponer	

1. En la última ___competencia___ de la Copa Mundial de fútbol, las cadenas mundiales de televisión superaron muchos récords de audiencia.

2. A veces, la ___actuación___ entre los Yankees de Nueva York y las Medias Rojas de Boston en béisbol divide a los miembros de una familia.

3. ¿Te fijaste cómo Sammy Sosa corrió después de disparar su ___pelota vasca___? Nos dejó a todos los televidentes con la boca abierta.

4. Hay que diferenciar entre tiempo libre y ___~~cobertura~~ dominio___. El tiempo libre es el tiempo que usamos para dormir, comer, etc., mientras que el segundo es el tiempo que usamos para hacer lo que nos gusta.

5. ¡No me digas que no has traído tus ___zapatillas___! No te van a dejar entrar en la pista sin el calzado adecuado.

6. Paquita, nuestra entrenadora, siempre nos recordaba que nos ___hidratara___ bien cada vez que hacíamos ejercicio físico.

7. Todos mis parientes siempre han mantenido una postura ___tajante___ en contra de las apuestas deportivas.

8. Durante una época la clase alta no quería que la plebe jugara a

   _____jonrón_____. Aunque esto no les impidió a los pobres que siguieran

   jugando.

9. Hace poco un entrenador nos _____propone_____ que formáramos parte de su

   equipo, aunque tuvimos que rechazar la oferta por cuestión de tiempo.

10. Nos quedamos boquiabiertos cuando vimos _____el ocio_____ que tenía en

    ese deporte. ¡Menudo don!

23 ¿Cuál es la palabra?

Complete las oraciones con la palabra adecuada en español. Añada un artículo cuando sea necesario y haga los cambios que considere necesarios. Hay dos palabras que no necesita usar.

acaudalado	controversia	ortogar	rotundo
agradecer	disputar	portada	vencer
arrebatar	marcar	portero	victoria

1. Me sorprendí al ver _____la portada_____ del periódico y el resultado no era el

   que me esperaba. No me explico cómo pudieron perder en el último minuto del partido.

   ¡Qué desastre!

2. Ayer, mi equipo _____venció_____ al equipo contrario uno a cero. La gente

   no paraba de gritar y cantar por las calles durante horas y horas. Fue bastante emocionante.

3. No puedo abrir los ojos. Llámame en cuanto mi equipo _____marque_____ el

   primer gol. ¡Qué nervios! Sinceramente, creo que me va a dar un ataque.

4. Mi equipo le _____arrebata_____ la victoria a los Águilas Doradas en los

   últimos treinta segundos del partido.

5. Aunque perdió el equipo contrario, _____el portero_____ hizo un trabajo

   increíble parando muchos balazos. Todos lo aplaudieron al final del partido.

6. El Real Madrid y el Barcelona _____disputan_____ la final en Roma. Menos mal

   que los dos goles de Raúl aseguraron el triunfo para el equipo blanco.

continúa

7. Maria Elena les ___agradece___ a sus padres que la llevaran al partido. Sabía que les fue difícil conseguir los boletos.

8. A nadie le gustó que se le ___agradece___ el primer premio a la patinadora china, pues esperaban que ganase una americana.

9. Parece ser que ___controversia___ señores de negocios se encargarán de subvencionar al equipo.

10. Mis padres me respondieron con un "no ___rotundo___" cuando les pedí que me dejaran hacer puenting.

24 ¿Qué palabra es?

Escriba la palabra o expresión del vocabulario que corresponde a cada definición. Ponga una letra en cada casilla.

1. Un tipo de superficie donde se juega al tenis. Se conoce también como *tierra batida.* ▢▢▢▢▢▢▢

2. El deporte de los gimnastas ▢▢▢▢▢▢▢▢▢

3. Dar dinero a un juez o a un árbitro para cambiar el resultado de un partido ▢▢▢▢▢▢▢▢

4. Apasionado, tenso y entretenido ▢▢▢▢▢▢▢▢▢▢▢▢

5. Sinónimo de *tajante* ▢▢▢▢▢▢▢▢▢▢▢

6. Deporte en que combaten dos personas ▢▢▢▢▢ ▢▢▢▢▢

7. Pasto o césped ▢▢▢▢▢▢

8. Tener suficiente ▢▢▢▢▢

25 Crucigrama

Escriba las claves para las palabras que aparecen en el crucigrama.

Horizontales

1. _____

_____

3. _____

_____

4. _____

_____

6. _____

_____

7. _____

_____

Verticales

2. _____

_____

5. _____

_____

26 Verbos con preposición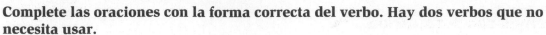

Complete las oraciones con la forma correcta del verbo. Hay dos verbos que no necesita usar.

~~concentrarse en~~	~~llegar a~~	tener la oportunidad de
~~enfrentarse con~~	~~olvidarse de~~	~~venir a~~
inscribirse en		

1. Muchos atletas practican, compiten y ganan. Pero la realidad es que pocos

   llegan a participar en los Juegos Olímpicos.

2. Para mejorarse, el atleta tiene que **se concentre en** su entrenamiento y su

   rendimiento.

3. Los atletas tienen unos días más para **venir a** la competición que

   viene.

4. ¡No **te olvida de** llevar vuestras zapatillas si queréis jugar al tenis en el

   gimnasio!

5. Si Francia gana este partido, terminará **enfrentarse con** Brasil en los

   semifinales.

Puro deporte Capítulo 6 Lección B

1 Verbos con preposición 🔍

Complete la tabla. Escriba la preposición que va con cada verbo, el significado en inglés y una oración que use el verbo con preposición.

Verbo	Preposición	Significado	Oración
acostumbrarse	a	*to get used to*	Dudo que me acostumbre a este clima.
1. arrepentirse			
2. parar			
3. contar			
4. luchar			
5. influir			
6. fijarse			
7. enamorarse			
8. asustarse			
9. amenazar			
10. asistir			
11. acercarse			
12. conformarse			
13. alegrarse			
14. olvidarse			
15. preguntar			

2 Verbos con preposición 🔍

Escriba la preposición que va con cada verbo y después complete las oraciones con el verbo (con preposición) apropiado. Hay un verbo que no necesita usar.

abusar _____	dejar _____	tener un efecto _____
concentrarse _____	empeñarse _____	tratarse _____
contar _____	fijarse _____	velar _____
cumplir _____	precipitarse _____	

1. No es bueno que nosotros _____ decir que sí.

2. Te lo he dicho mil veces. Que _____ todos nosotros para ir a Colorado.

3. La reciente muerte de su padre _____ su carrera profesional.

4. Yo nunca _____ ese anuncio si no fuera porque lo hace el delantero del Real Madrid.

5. Lo siento, se me olvidó por completo. Tengo un examen mañana y en estos días sólo _____ los estudios.

6. Esto es totalmente insoportable. Es como si el equipo _____ perder cada vez que voy a verlos.

7. Reconozco que últimamente _____ su confianza, pero a partir de ahora le prometo que no le fallaré más.

8. El abuelo miró a sus nietos a los ojos y les prometió con orgullo que siempre _____ ellos.

9. Me quedé frío cuando me dijeron que vosotros _____ entrenar.

10. Aunque no ganaron al menos José _____ su sueño de participar en la competición.

3 "Tapitas" gramaticales 🧊

Dibuje un círculo alrededor de la respuesta correcta para completar el texto.

Sección 1   ¿Qué pasa (1) *(por / para)* la mente de los "buscadores de sensaciones"?, ¿cómo

fluye la adrenalina (2) *(por / para)* el cuerpo?

Fascinados (3) *(por / para)* el riesgo

> *"Las situaciones de peligro dan sentido* (4) *(X / a) a mi vida".*
>
> Alain Robert, escalador de rocas

La eventualidad de (5) *(que / quien)* ocurra un hecho capaz (6) *(con / de)* producir

daño; es decir, el riesgo, es intrínseco a la vida y nos atrae (7) *(para / a)* todos, pero en

especial a los que los psicólogos y psiquiatras denominan "buscadores de sensaciones

o de novedades", personas (8) *(cual / que)* requieren un nivel de estimulación más

alto (9) *(que el / del)* estándar." Esta clase de personas (10) *(es / está)* la que acepta los

desafíos y pone (11) *(a / en)* prueba sus capacidades físicas e intelectuales, la que practica

deportes extremos y la que en resumen, siente una gran atracción (12) *(por / para)*

cualquier experiencia que le resulta novedosa y excitante", afirma Genéros Ortet.

Hablamos (13) *(en / de)* un fenómeno que durante años los científicos fueron

incapaces de explicar, hasta (14) *(de / que)* (15) *(en / a)* mediados de la década de

los noventa un equipo de científicos israelíes y estadounidenses llegó (16) *(X / a)* la

conclusión de que la búsqueda de experiencias de riesgo puede deberse (17) *(a / en)* un

simple gen ubicado (18) *(sobre / en)* el cromosoma 11.

> *"No hace falta* (19) *(que / X) conocer el peligro para tener miedo;*
>
> (20) *(de / por) hecho, los peligros desconocidos* (21) *(son / están) los que*
>
> *inspiran más miedo".* Alejandro Dumas

continúa

Sección 2　La adicción al riesgo se está convirtiendo (1) *(X / en)* una nueva patología, ya

(2) *(que / quien)* hay quien necesita emociones fuertes de manera cada vez más regular

(3) *(y / e)* intensa (4) *(por / para)* conseguir sentirse bien. Algo que encuentran en

los denominados deportes extremos o de aventura que ofertan rebasar la frontera del

miedo, poner (5) *(en / a)* prueba la mente y el cuerpo ante situaciones de riesgo. 'El

miedo (6) *(es / está)* simplemente una respuesta natural frente a lo que uno percibe

como amenaza física para su vida o alguna parte (7) *(de / en)* su cuerpo. Hay dos tipos

de miedo: el bueno que nos hace pensar cada paso y también nos depara el coraje o la

concentración necesaria en una situación difícil, y (8) *(el / lo)* malo que provoca pánico

y da lugar a conductas irracionales que contribuyen (9) *(en / a)* aumentar el peligro'

escribe William Nealy.

> *" Nada (10) (es / está) más gratificante (11) (de / que) el que te disparen y*
> *comprobar que no te han dado".* W. Churchill

Sección 3　(1) *(En / De)* todas formas, (2) *(por / para)* Alfonso Polvorinos, director general de

'Turismo Rural y Aventura', 'muchas de las prácticas deportivas de riesgo sólo tienen

de arriesgado la sensación (3) *(cual / que)* provocan. El peligro real no es una constante

en este tipo de actividades. Cuando hablamos (4) *(de / en)* riesgo nos referimos

(5) *(sobre / a)* un nivel aceptable. (6) *(Lo / El)* verdaderamente peligroso (7) *(es / está)*

practicar cualquiera de estas actividades (8) *(por / para)* tu cuenta'. Una opinión

(9) *(en / con)* la que está de acuerdo Joaquín Colorado, profesor de escalada y esquí y

guía de alta montaña de la empresa 'Espacio y Acción': 'el riesgo cero no existe. Cuando

contratas un servicio no buscas (10) *(para / X)* jugarte la vida, (11) *(si no / sino)* jugar

al riesgo de la forma más controlada posible; algo nos atrae por lo desconocido. Todo

aquello que exige al hombre acercarse (12) *(X / a)* lo que no conoce o a lo que teme

ejerce una (13) *(gran / grande)* atracción'.

> *"En la vida, (14) (el / lo) único peligro (15) (es / está) no arriesgar nada".*
> Arquímedes

4 La voz pasiva

Subraye el sujeto, el verbo y el objeto directo o agente e identifíquelos. Dibuje unas flechas para mostrar los cambios que se hacen a las partes de la oración para escribirla de nuevo en la voz pasiva.

Voz activa: Unos ladrones profesionales robaron el banco.

Voz pasiva: El banco fue robado por unos ladrones profesionales.

¡Excelente!

5 La voz pasiva

Cambie las siguientes oraciones de la voz activa a la voz pasiva. Después cámbielas de nuevo, usando el reflexivo *se*.

1. El arquitecto Ruiz ya diseñó el estadio.
   a. _fue diseñado_
   b. _se fue diseñado_

2. Sus padres resolvieron el problema de inmediato.
   a. _fueron resolvido_
   b. _se fueron resolvido_

3. La mayoría de los empleados tomarán vacaciones.
   a. _fueron tomado_
   b. _se fueron tomado_

4. Mis padres dudan que los habitantes de la aldea hayan visto un OVNI.
   a. _fueron visto_
   b. _se fueron visto_

5. Los agentes de ventas devolvieron todas las entradas a los asistentes.
   a. _fueron desvolvido_
   b. _se fueron desvolvido_

6. La ciudad permite que sólo los mayores de edad participen en deportes extremos.
   a. _fue permitido_
   b. _se fue permitido_

6 Presente progresivo

Complete las siguientes oraciones. Use el presente progresivo apropiado; puede ser el indicativo o el subjuntivo.

1. Las víctimas no quieren que los reporteros *(seguir / entrevistar)*

   entrevisten .

2. Gerardo no aprende, *(seguir / hacer)* _hace_ lo mismo.

3. Me sienta mal que Carlos *(estar / dormirse)* _este_ en mi clase.

4. Anita está feliz y *(continuar / entrenarse)* _se entrena_ para ser tenista.

5. Nos alegramos una barbaridad de que por fin *(estar / lograr)* _está_

   vuestras metas.

6. Es una pena que Uds. *(estar / marcharse)* _se marchen_ tan temprano de

   la fiesta.

7. Disculpen, señores. Espero que no me *(llevar / esperar)* _espere_

   mucho tiempo. Es que había mucho tráfico en la carretera.

8. Si no hacen reparaciones a la pista de patinar, ésta *(irse / dañar)* _dañe_

   poco a poco.

9. No hagáis mucho ruido, que Macarena *(estar / dormir)* _se daerme_ .

10. Belén *(estar / vestirse)* _se viste_ , pero en cuanto termine te llama.

7 Familia de palabras

Complete cada oración con la forma correcta de la palabra en negrita. La respuesta puede ser verbo, sustantivo o adjetivo. Añada un artículo cuando sea necesario.

1. **contradecir**

   a. La prensa sigue _____ lo que anunciaron los dueños de la
      Liga Profesional de Béisbol. Habrá huelga.

   b. Es difícil creer en las palabras del delantero del equipo. Sus palabras en las conferencias
      de prensa suelen ser _____.

   c. Dices que quieres llegar alto, pero al verte ahí tumbada en el sofá todo el día, tu vida me
      resulta _____.

2. **competir**

   a. Me alegro de que puedas jugar contra Tomás. Siempre ha sido un gran
      _____.

   b. Por lo visto es posible que anulen _____ debido al mal tiempo.

   c. Me molesta que Federico siempre esté en _____ conmigo.
      A veces dudo que seamos amigos.

3. **juzgar**

   a. Muchos consideran que Pepe _____ injustamente por sus
      admiradores.

   b. Nos llevamos muy bien Estrella y yo. ¿No te suena quién es? Es la hija del
      _____.

   c. Los jugadores de Duke respiraron tranquilos cuando se supo en
      _____ que la joven había mentido.

8 Adverbios

Complete estas preguntas sobre los adverbios.

1. ¿Cómo se transforman los siguientes adjetivos en adverbios: *serio, amable, débil?*

   _____ _____ _____

2. ¿Cuál es la regla?

   _____

   _____

   _____

   _____

9 ¿Qué significa?

Escriba en inglés el significado de los siguientes adverbios y después escriba una oración con cada adverbio.

1. Completamente _____

   _____

2. Extremadamente _____

   _____

3. Sumamente _____

   _____

4. Totalmente _____

   _____

5. Verdaderamente _____

   _____

10 Frases adverbiales

Complete la siguiente tabla con un adverbio y una frase adverbial formada con la preposición *con* + sustantivo que pertenece a la misma familia de palabras.

adjetivo	adverbio	frase adverbial
1. cariñoso		
2. alegre		
3. leal		
4. fuerte		
5. triste		
6. claro		
7. responsable		
8. franco		
9. honrado		
10. hábil		
11. orgulloso		
12. cuidadoso		
13. espontáneo		

11 Antes de leer 👥

¿Qué piensa de las tradiciones? ¿Es importante preservarlas? ¿Cree que las tradiciones deben de adaptarse a los nuevos tiempos o que, por el contrario, deben permanecer intactas?

12 En Puerto Rico 📄

Lea el siguiente artículo.

Temen que restricciones perjudiquen peleas de gallos

San Juan - Los aficionados y profesionales de las peleas de gallos en Puerto Rico esperan que las restricciones que estudia poner en marcha el Congreso de EEUU para esta práctica no hagan desaparecer "el deporte de caballeros".

5 El proyecto, aprobado por una amplia mayoría en la Cámara de Representantes, establece como delito grave el transportar gallos para peleas fuera del país y limita la distribución de artículos relacionados. Carlos Quiñones, jefe de la Dirección de Gallos de Pelea del Departamento de Recreación y Deportes (DRD) de Puerto Rico, aseguró a EFE que las nuevas normas no eliminarán las peleas en el país caribeño donde se celebran unas 175.000 al año

10 en las 103 galleras **(A)** y que generan 800 millones de dólares anuales. "Hay una tendencia de que van a eliminarlas, pero no es cierto", afirmó Quiñones, cuya agencia anunció esta semana junto con el Banco de Desarrollo Económico (BDE) una ayuda económica de 100.000 dólares para incentivar la producción de artículos relacionados con las peleas.

Entre los beneficiados está Freddie Quiñones, socio y fundador del "Club Gallístico de Puerto

15 Rico", en San Juan, que confesó que suele transportar gallos a pelear al exterior, lo que podría costar tres años de cárcel si el Senado aprueba la medida."Los gallos siempre han sido un deporte. Nosotros lo vemos como un deporte porque aún las peleas de perros es un deporte, y es ilegal. Matar un toro en España es un deporte, y es un ser humano que los mata", opinó.

Explicó que "los gallos pelean por celos. Si no fuera por nosotros los criadores ya se

20 extinguirían. Eso es un instinto de ellos. Estos gallos son finos". Por su parte, Santos Adorno, administrador de la mencionada gallera, y dueño de 150 gallos, dijo estar muy pendiente de los pasos del Congreso de EEUU y no cree que el deporte desaparezca. "Mi familia siempre ha vivido de los gallos", explicó Adorno, **(B)**.

Entre los miles de seguidores que tiene el deporte en Puerto Rico, está el reguetonero

25 Héctor "El Father", quien manifestó a EFE que será "muy difícil" acabar con "el deporte de caballeros". "Es algo muy cultural. Creo que va a ser muy difícil sacarlo. Es uno de los mejores deportes que hay en Puerto Rico. Es como si ahora quitaran el arroz con habichuelas", sostuvo el cantante, que acude esporádicamente a las galleras para "despejar la mente".

En una pelea de gallos, hay dos tipos de jugadas: la posta y las apuestas. La posta es el dinero

30 con que los dueños concertaron la pelea y el cual se entrega al juez de inscripción al momento de realizar el encuentro.

Actualmente, Puerto Rico y Louisiana son las únicas jurisdicciones estadounidenses que permiten este tipo de peleas, aunque en el estado de Florida se mantienen negocios tanto de cría de gallos como de manufactura de productos relacionados con esa práctica.

35 El deporte de gallos en Puerto Rico **(C)**.

JORGE J. MUÑIZ ORTIZ
EFE

13 ¿Ha comprendido?

Elija la mejor respuesta para cada pregunta.

1. ¿Qué confusión hay sobre la ley que restringe las peleas de gallos?
   a. La Cámara de Representantes está indecisa acerca de qué hacer.
   b. Posiblemente haya que cerrar la Dirección de Gallos de Pelea del gobierno.
   c. En las fábricas de Florida piensan que la ley puede costar muchos trabajos.
   d. Algunos temen que las peleas van a ser eliminadas del todo.

2. ¿Desaparecerán las peleas de gallos?
   a. No se sabe, pero lo que es cierto es que cada vez hay más leyes contra ellas.
   b. Al crear tantos beneficios, se espera que no sea así.
   c. El hecho de que algunos bancos sigan patrocinándolas demuestra que no.
   d. Todas las respuestas anteriores

3. ¿Qué pasaría si el Senado aprobara algunas de las leyes propuestas?
   a. Las corridas de toros se extinguirían.
   b. Esta raza de gallos estaría en peligro de extinción.
   c. Irían a la cárcel los que transportan gallos.
   d. Todas las respuestas anteriores

4. ¿Por qué creen que sería muy dura la prohibición en Puerto Rico?
   a. Porque es como el "arroz con habichuelas"
   b. Porque también tendrían que prohibir las peleas en Louisiana
   c. Porque es una parte importante de su cultura
   d. Porque desaparecería el único deporte de "caballeros"

14 ¿Dónde va?

¿Dónde se deben añadir las siguientes frases al artículo? Escriba la letra que corresponde a cada frase que fue extraída del artículo. Hay dos frases que no hace falta utilizar.

1. _____ de 31 años

2. _____ por los criadores de gallos

3. _____ que hay en la isla

4. _____ desde que el Senado la aprobó

5. _____ fue legalizado en 1933

15 ¿Qué significa?

Empareje cada palabra o expresión que aparece subrayada en el texto con su sinónimo o definición.

1. _____ pelea
2. _____ aficionado
3. _____ poner en marcha
4. _____ celos
5. _____ estar pendiente
6. _____ único
7. _____ cría

a. sólo, exclusivo

b. envidia

c. lucha, competición

d. admirador, simpatizante

e. seguir de cerca

f. comenzar, iniciar

g. producción

16 Escriba

En su cuaderno, resuma lo que ha leído en un párrafo. Subraye las palabras nuevas que use.

17 Se titula...

Piense en otro título para el artículo.

_____

18 Colombia buscará la sede de la Copa Mundial 💿 (CD 2, pista 4)

Después de escuchar la audición, escriba una respuesta para cada pregunta.

1. ¿En qué año espera Colombia ser la sede de la Copa Mundial?

   _____

2. ¿Por qué no tuvo lugar la Copa Mundial de 1986 en Colombia a pesar de que el país había recibido ese honor?

   _____

3. ¿Cómo gestionó Columbia los Juegos Centroamericanos y del Caribe, según Uribe?

   _____

4. ¿Qué experiencia tiene Colombia como sede de juegos internacionales?

   _____

19 Un dicho de George Bernard Shaw 🖋

> *"Cuando un hombre quiere matar a un tigre lo llama deporte; cuando es el tigre quien quiere matarle a él, lo llama ferocidad".*

En su cuaderno, escriba un ensayo en el que defienda las peleas de gallos y otros deportes similares. Puede utilizar Internet para hallar más información. Siga las siguientes pautas al escribir su ensayo.

- use 2 adverbios que terminen en -*mente* y 2 frases adverbiales fomados por *con* + sustantivo

  ○○○○

- use 4 verbos con preposición ○○○○

- use 5 nexos ○○○○○

- use 5 palabras de la lección ○○○○○

- use 2 verbos en el presente progresivo ○○

- introduzca una nota cultural ○

20 Tema de discusión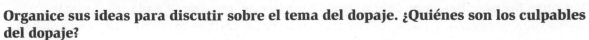

Organice sus ideas para discutir sobre el tema del dopaje. ¿Quiénes son los culpables del dopaje?

1. ¿Qué es?

2. Posibles personas implicadas

3. Diferentes motivos

4. Consecuencias

21 ¿Cuál es la palabra?

Complete las oraciones con la palabra adecuada en español. Añada un artículo cuando sea necesario y haga los cambios que considere necesarios. Hay dos palabras que no necesita usar.

~~ámbito~~	~~brindar~~	~~juzgar~~	quedar
~~apoyar~~	castigo	~~marca~~	~~sobornar~~
~~atletismo~~	~~empate~~	~~minusvalía~~	~~torear~~

1. Me alegré del _____atletismo_____ de nuestro equipo, ya que así al menos no perdieron.

2. Estoy en contra de que los estudiantes de esta universidad promocionen _____empate_____ de patrocinadores en los partidos.

3. Su _____ámbito_____ nunca le impidió tener éxito. Hacía deportes con dificultad, pero los hacía.

4. Aunque mi madre siempre me diga que a palabras necias oídos sordos, siempre me da miedo que me _____apoye_____ la gente.

5. Lo suyo fue amor a primera vista. Se propuso pedirle la mano a Belén, por lo que llamó a sus padres para que le _____~~se la~~ brinde_____.

6. ¿Por casualidad sabes quién _____torea_____ hoy? No me ha dado tiempo todavía de echarle un vistazo al periódico, pero sé que buenos toreros estaban programados.

7. Gracias a Dios mis padres nunca han creído en _____minusvalía_____. Así que cada vez que me portaba mal, solíamos tener largas charlas.

8. Si te soy honesto, en _____marca_____ profesional lo aprecio muchísimo. Enrique es sumamente perfeccionista.

9. Es bastante posible que termine _____juzgar_____ a mi hermano pequeño con un pastel de chocolate para que me deje jugar con su videojuego. Pues le cuesta compartir una barbaridad.

10. Los mensajes de texto te _____soborna_____ la oportunidad de comunicarte con tus amigos en cualquier momento. Reconozco que tengo cierta adicción.

22 ¿Cuál es la palabra?

Complete las oraciones con la palabra o frase adecuada en español. Añada un artículo cuando sea necesario y haga los cambios que considere necesarios. Hay dos palabras que no necesita usar.

alcanzable	cansancio	empeño	premio
animadora	dar pie a	entrar en vigor	resplado
asimismo	demás	perdurar	trajectoria

1. Si acepta la oferta de jugar con nuestro equipo podrá asistir a nuestra universidad con una beca y _____ obtener un descuento para la residencia de estudiantes de la universidad.

2. Todos deseaban aquel _____ pero, en realidad, había muy pocos que se lo merecieran de verdad.

3. El actor siempre pudo contar con _____ del público. A todos siempre les fascinaba su espontaneidad y franqueza.

4. Creo que, por desgracia, al hacer ese comentario con maldad _____ muchas manifestaciones por todo el país.

5. Manolo y yo estamos completamente seguros de que iremos, pero no sé lo que harán _____.

6. Todo lo que vosotros habéis conseguido ha sido gracias a vuestro _____. ¡Enhorabuena!

7. Por más que traten de tranquilizarnos, a todos nos asusta la nueva ley que _____ en breve.

8. Enfermó debido al _____, pero por fortuna todos sus amigos lo cuidaron.

9. En cuanto lanzó la pelota, Juan supo que ese momento _____ en la memoria de todos sus hinchas durante mucho tiempo.

10. Mientras practicaba el tiro al arco, Mirta se fijaba en _____ de su flecha hacia el blanco.

23 Crucigrama

Escriba las claves para las palabras que aparecen en el crucigrama.

Horizontales

1. _____

_____

3. _____

_____

6. _____

_____

7. _____

_____

8. _____

_____

Verticales

2. _____

_____

4. _____

_____

5. _____

_____

24 ¿Qué palabra es?

Escriba la palabra o expresión del vocabulario que corresponde a cada definición. Ponga una letra en cada casilla.

1. Atleta que se dedica a desarrollar los músculos ⬜⬜⬜⬜⬜⬜⬜⬜⬜⬜⬜⬜

2. Controversia ⬜⬜⬜⬜⬜⬜⬜⬜

3. Empleo de sustancias estimulantes para conseguir un mejor rendimiento deportivo ⬜⬜⬜⬜⬜⬜

4. Lo contrario de *aumentar* ⬜⬜⬜⬜⬜⬜⬜⬜⬜⬜

5. Quitar una carga, calmar, mejorar ⬜⬜⬜⬜⬜⬜⬜

6. Lo contrario de *éxito* ⬜⬜⬜⬜⬜⬜⬜

7. Prescripción que rellena el médico para que uno pueda comprar un medicamento ⬜⬜⬜⬜⬜⬜

8. Libre, desocupado ⬜⬜⬜⬜⬜⬜⬜⬜⬜⬜

¡Conéctese a su mundo! Capítulo 7 Lección A

1 El pasado

Complete el párrafo utilizando la forma adecuada del pasado del verbo entre paréntesis. En algunas ocasiones será necesario escribir una de las formas no personales del verbo (infinitivo, gerundio o participio).

Si Pablo (1) _____ (estudiar) más duro,

(2) _____ (aprobar) el examen de historia que

(3) _____ (tener) el miércoles pasado. Sin embargo no

(4) _____ (aplicarse) y no (5) _____ (hacer)

lo que le (6) _____ (decir) su profesor. Además,

su amiga María (7) _____ (ir) a su casa el sábado y

(8) _____ (estar) hablando con él toda la tarde. Ellos

(9) _____ (divertirse) mucho, pero (10) _____ (acostarse)

tarde y sólo (11) _____ (dormir) cinco horas. A la mañana

siguiente los dos (12) _____ (estar) muy cansados y

(13) _____ (decidir) (14) _____ (ir) a la

piscina para refrescarse. Ellos (15) _____ (zambullirse) en el agua

alegremente, como si Pablo no (16) _____ (tener) un examen tan

importante unos días más tarde. Dudo que ellos (17) _____ (acordarse)

de la escuela en esos momentos. María tiene mala influencia sobre Pablo. A ella nunca

le (18) _____ (interesar) los libros y la escuela. Por su culpa,

Pablo ni siquiera (19) _____ (leer) los artículos que el profesor

(20) _____ (haber) (21) _____ (recomendar).

Cuando la madre de Pablo (22) _____ (saber) lo que su hijo

(23) _____ (estar) (24) _____ (hacer)

durante el fin de semana, le (25) _____ (reñir) tanto

como si ya (26) _____ (saber) la nota que su hijo

(27) _____ (ir) a (28) _____ (sacar) en el

examen. Desgraciadamente, sus predicciones (29) _____ (hacerse)

realidad y la nota de su hijo (30) _____ (ser) tan baja como ella

(31) _____ (predecir).

2 Comparativos y superlativos

Complete las oraciones con la palabra adecuada. Puede usar algunas palabras más de una vez y hay una palabra que no necesita usar. Haga los cambios que considere necesarios.

como	más (5 veces)	menor	que (6 veces)
de	mayor	menos	tantas
las	mejor	peor	

Las conexiones con Internet a través del sistema DSL son (1) _____

rápidas (2) _____ las conexiones telefónicas. Sin embargo, las

conexiones por cable son (3) _____

(4) _____ rápidas de las tres. Las modernas conexiones por DSL

también utilizan las líneas telefónicas, pero son (5) _____

(6) _____ las antiguas. Aun así, las conexiones por DSL son

(7) _____ (8) _____ las conexiones por

cable, ya que son (9) _____ lentas. Descargar un archivo de audio

por cable requiere mucho (10) _____ tiempo que hacerlo por DSL. El

DSL es (11) _____ que el cable porque es cinco veces

(12) _____ lento. Por ser más popular, el cable tiene un

(13) _____ número de usuarios (14) _____

el DSL. El cable es (15) _____ caro

(16) _____ el DSL pero también es

(17) _____ por su eficiencia. Con una conexión por DSL puede pasar

(18) _____ horas en Internet (19) _____

con una conexión por cable; sin embargo, al final de la jornada, el número de archivos que

tendrá descargados será mucho (20) _____

(21) _____ si hubiese conectado por cable.

3 Palabras que terminan en *-quiera*

Complete cada oración usando una palabra con la terminación *–quiera* del recuadro. Después escriba la forma apropiada del verbo entre paréntesis.

adondequiera	dondequiera	quienquiera
comoquiera	quienesquieran	

1. Los culpables del virus informático _____ que

   _____ *(ser)*, serán apresados por la policía y juzgados por el gran

   daño causado.

2. La novia seguirá al novio _____ que

   _____ *(ir)*.

3. ¡Que me lo devuelva _____ que lo

   _____ *(tener)*!

4. No vas a conseguir que te regale el coche _____ que se lo

   _____ *(pedir)*.

5. ¡Tráiganmelo _____ que _____ *(estar)*!

4 El uso del indicativo y del subjuntivo

Complete el texto con el tiempo adecuado de los verbos del recuadro. Es posible que necesite usar las formas no personales del verbo (infinitivo, gerundio y participio).

afectar	formar	producir	ser
coincidir	haber	saber	tener
crecer	lograr	salvar	ver
estar	poder	seguir	

Las selvas tropicales (1) _____ algunas de las áreas más

importantes de la Tierra. Estos ecosistemas son el hogar de cientos de especies de animales

y plantas. Es posible que usted (2) _____ mucho acerca de las

selvas. No obstante, lo que todavía se sigue (3) _____ en las

películas puede ser muy diferente pronto. Las selvas (4) _____

llenas de árboles altos que (5) _____ una especie de techo

natural. Este techo evita que (6) _____ las plantas más

pequeñas. (7) _____ muchas plantas interesantes en las

áreas que los rayos del Sol no (8) _____ penetrar. Los

ambientalistas (9) _____ en que la pérdida de la biodiversidad,

en unos años (10) _____ la destrucción de la selva y, a su vez,

(11) _____ el clima de la Tierra. Todo esto acelera el calentamiento

global. Si nosotros (12) _____ detener la destrucción de la selva, y

la liberación de carbono de la vegetación, nosotros

(13) _____ la selva

tropical de su fin inevitable. Si queremos que

toda la fauna de la selva tropical sudamericana

(14) _____

presente en el futuro, nosotros

(15) _____ que

organizarnos lo más pronto posible. ¡Manos

a la obra!

5 Familia de palabras

Complete cada oración con la forma correcta de la palabra en negrita. La respuesta puede ser verbo, sustantivo o adjetivo. Añada un artículo cuando sea necesario.

1. **inventar**

   a. Un _____ intenta mejorar la vida de las personas mediante la creación de nuevos utensilios que facilitan la vida cotidiana.

   b. El teléfono es un _____ que permite a las personas hablar con otras que están muy lejos.

   c. Benjamín Franklin _____ el pararrayos.

2. **educar**

   a. Pedro es un gran _____; todos sus estudiantes lo adoran.

   b. Es bueno ser _____ y tratar a todas las personas con el mismo respeto que queremos que ellos nos demuestren.

   c. Siempre nos ha llamado la atención sus buenos modales a pesar de su precaria _____.

3. **computar**

   a. Las nuevas _____ son mucho más rápidas que las de hace tres años.

   b. Los gastos del viaje ya han sido _____ al coste final del proyecto que nos han encargado.

6 El género y el número del sustantivo

Rellene los espacios en blanco con el artículo que corresponda. En los espacios que no necesiten ningún artículo, escriba una 'X'.

Mi profesor quiere (1) _____ estudiantes que sean responsables

y trabajadores. En (2) _____ poema que nos hizo escribir

quería que habláramos sobre (3) _____ azul del cielo y

(4) _____ claridad que tiene (5) _____

agua de (6) _____ ríos. Hay (7) _____

chica que nunca hace (8) _____ deberes. Esa chica tiene

(9) _____ problema. Es (10) _____

estudiante más perezosa que conozco. Ella no escribió (11) _____

tesis que el profesor nos exige al final de cada lección. Seguro que tendrá

(12) _____ problemas para poder aprobar y quizás no pueda

asistir a (13) _____ graduación de la semana próxima. La

semana próxima también tenemos que escribir (14) _____

guión para (15) _____ certamen literario que se celebra

en (16) _____ universidad estatal. Sé que no puedo ganar

(17) _____ primer trofeo, pero por lo menos me gustaría obtener

(18) _____ mención honorífica que me permita poder incluirla en

(19) _____ solicitudes de trabajo que estoy preparando para cuando

acabe mis estudios (20) _____ semestre próximo.

7 ¿Por o para?

Dibuje un círculo alrededor de la palabra correcta.

Mi padre es ingeniero informático. Actualmente trabaja (1) *(por / para)* una empresa de Silicon Valley. Estudió en la universidad (2) *(por / para)* seis años. (3) *(Por / Para)* él, las computadoras son una parte esencial de nuestras vidas ¿(4) *(Por / Para)* qué? Pues nos ayudan a simplificar muchas tareas que antes eran más complicadas. (5) *(Por / Para)* ejemplo, antes, (6) *(por / para)* corregir un error ortográfico en un documento escrito (7) *(por / para)* un cliente, él tenía que volver a escribir la página en su máquina de escribir. Ahora sólo es necesario corregir el documento original en la computadora y volver a imprimirlo.

Él trabaja muy duro. Siempre dice que lo hace (8) *(por / para)* su familia, (9) *(por / para)* darnos una vida mejor. (10) *(Por / Para)* las mañanas, se levanta a las cinco en punto. (11) *(Por / Para)* ir a trabajar, tiene que ir (12) *(por / para)* la autopista más transitada y cruzar (13) *(por / para)* un puente que siempre tiene atascos. Sus jefes siempre lo felicitan (14) *(por / para)* llegar siempre a la oficina a tiempo. (15) *(Por / Para)* ser ingeniero recibe un salario muy grande (16) *(por / para)* su trabajo. (17) *(Por / Para)* eso ha cumplido su sueño dc darnos todo lo que necesitamos. En mi vida no hay nadie (18) *(por / para)* encima de él. (19) *(Por / Para)* supuesto, junto con mi madre, mi padre es la persona que más quiero. (20) *(Por / Para)* eso, cuando sea mayor, quiero ser como él.

8 Antes de leer

¿Le gusta su vida actual? ¿Piensa que, en general, las personas están contentas con sus vidas? ¿Por qué? Si pudiera cambiar cosas de su vida, ¿qué cambiaría?

9 Los océanos

Lea el siguiente texto.

La importancia de conservar y proteger los océanos para Anna Zegna

Oceana y la Fondazione Ermenegildo Zegna inician un acuerdo de colaboración de tres años para proteger los corales y montañas marinas del Océano Atlántico contra **la pesca de arrastre**.

Con este trabajo conjunto se quieren proteger algunos de los ecosistemas de mayor
5 **biodiversidad**. El trabajo se extenderá al Mar Mediterráneo.

P: ¿Por qué la Fondazione Ermenegildo Zegna tiene un interés especial en los océanos? ¿Podría comentar brevemente la relación histórica entre el medio ambiente y Zegna?

R: Primero, creo que hay tres afirmaciones fundamentales: El mar es vida, el mar cubre 2/3 partes de nuestro planeta y el agua representa un 80% de nuestro cuerpo.

10 El agua que <u>brota</u> en los Alpes del Piamonte, donde mi abuelo Ermenegildo Zegna fundó en 1910 el Lanificio, y la marca de moda masculina de la actualidad, es tan pura y suave que proporciona un tacto muy especial a nuestros tejidos más finos como la lana **(A)**. Esa misma agua permite que los 500.000 árboles y rododendros, que él plantó en los años 30, crecieran rica y lozanamente, proporcionando a las personas locales un medioambiente único, donde
15 hombre y naturaleza conviven en respeto mutuo y <u>armonía</u>. Esta agua desemboca en el mar y regresa de forma natural a través del interminable ciclo de vida por el cielo, para refrescar y regar el bosque, y de nuevo lavar suavemente nuestra lana. Por ello, no es una sorpresa que la Fondazione Ermenegildo Zegna, siguiendo el camino marcado por Ermenegildo Zegna, y en su memoria, dedique su energía a proyectos medio ambientales también para los océanos.

20 Creemos que nuestra misión como <u>emprendedores</u> es crear riqueza e inspirar una evolución de la sociedad más responsable. En Europa, aún es muy pequeña la atención que se le presta a los océanos. Es el momento de llamar **(B)**. El Mar Mediterráneo es el centro de nuestra civilización, la riqueza del espacio mediterráneo es una mezcla única y diversa de belleza natural, recursos y **herencia** cultural. Nuestro <u>reto</u> hoy es construir el futuro del hombre sin
25 sacrificio y sin destruir lo que hemos heredado de generaciones pasadas.

P: ¿Cuál es el proyecto de Oceana que más te atrae?

R: El esfuerzo que está haciendo Oceana para proteger los corales de profundidad, que son los organismos vivos más antiguos de la tierra. Son la memoria de nuestro pasado, pero también un reto, la garantía para la futura <u>supervivencia</u> de muchas especies marinas, y de forma
30 extensiva de la biodiversidad. Para poder proteger ecosistemas tan importantes, la pesca de arrastre debe ser **(C)**.

P: ¿Qué sinergias pueden surgir de la colaboración entre Oceana y Zegna para ayudar a los océanos?

R: Podemos actuar juntos a escala internacional. Ermenegildo Zegna es una empresa y marca
35 global, con una visión y estrategia consistente en todo el mundo. Lo mismo vale para Oceana. **(D)** puede hacer llegar el mensaje de la protección de los océanos a una escala global, pero actuando a nivel local, respetando las necesidades nacionales y regionales. Nuestra relación se remonta a varios años gracias a Ted Danson, miembro del patronato de Oceana, en los Estados Unidos. Ahora es el momento para que Oceana se centre en Europa y en el
40 Mediterráneo, y la Fondazione Ermenegildo Zegna puede ayudar a Oceana en este nuevo reto, en esta nueva <u>etapa</u>.

P: Anna, tú has comentado que los corales son los bosques tropicales del mar. Puedes comentarnos brevemente, ¿qué te inspiran los corales?

R: La selva tropical siempre me ha fascinado por su biodiversidad. Su impacto en el clima y los
45 efectos negativos por su destrucción en los cambios climáticos, el aumento de temperaturas en el planeta, todo esto es conocido por todo el mundo.

Las barreras y **arrecifes de corales** son los bosques tropicales del mar. La biodiversidad, el control del clima y la supervivencia de muchas especies dependen directamente de la salud de los mismos.

50 La destrucción **(E)** conduce a la desertificación con un efecto dramático en poblaciones por la falta de acceso a agua <u>potable</u>, que supone enfermedades, guerras, muerte. Esto mismo, si no se actúa en serio, puede producirse también en los océanos. La pesca de arrastre provoca un "desierto de agua" que tendrá un impacto dramático en los millones de personas que viven gracias al mar y sus recursos. La supervivencia de los océanos es su y nuestra supervivencia;
55 los recursos no son infinitos. Una gestión ecosostenible permitirá que los océanos regeneren sus riquezas, y garantizará la supervivencia del hombre.

OLIMPIA GARCIA

www.paginadigital.com.ar

10 ¿Ha comprendido?

Elija la mejor respuesta para cada pregunta.

1. ¿Por qué motivo se han unido Oceana y Ermenegildo Zegna?
   a. Para proteger las montañas que surgen en el Océano Atlántico
   b. Para hacer juntos comentarios históricos sobre el medio ambiente
   c. Para colaborar para la preservación de corales y montañas marinas
   d. Para cuidar el Mar Mediterráneo

2. ¿Por qué han decidido los descendientes de Ermenegildo Zegna ayudar a la conservación de los océanos?
   a. La nueva marca de ropa masculina creará nuevos modelos tratados con agua del mar.
   b. Porque es el agua que usan para los tejidos de alta calidad
   c. Porque todo es un ciclo y esta agua beneficia a bosques y ríos
   d. Para poder usar esta agua para regar los bosques que sembró su abuelo

3. ¿Cómo se consideran los descendientes de Zegna?
   a. Se consideran emprendedores.
   b. Se consideran ricos.
   c. Se consideran civilizados.
   d. Se consideran futuristas.

4. ¿A qué dicen que se parecen los corales?
   a. A un bosque
   b. A los desiertos
   c. A una selva tropical
   d. Todas las respuestas anteriores

5. ¿Qué crea la pesca de arrastre?
   a. La desaparición de recursos para el hombre
   b. Guerras y muertes
   c. Enfermedades
   d. La supervivencia del hombre

11 ¿Dónde va?

¿Dónde se deben añadir las siguientes frases al artículo? Escriba la letra que corresponda a cada frase. Hay una frase que no hace falta utilizar.

1. _____ prohibida por todos los medios

2. _____ de la preservación de los manglares

3. _____ y el cashmere

4. _____ nuestro proyecto común

5. _____ la atención de las personas

6. _____ de los bosques tropicales

12 ¿Qué significa?

Explique con sus propias palabras lo que significan estas palabras o frases que en el artículo aparecen en negrita.

1. la pesca de arrastre _____

2. biodiversidad _____

3. herencia _____

4. arrecifes de corales _____

13 ¿Qué significa?

Empareje cada palabra de la primera columna con su sinónimo en la segunda. Las palabras de la primera columna aparecen subrayadas en el texto.

1. _____ brota   a. paz o concordia

2. _____ armonía   b. conservación

3. _____ emprendedores   c. bebible

4. _____ reto   d. sale o nace

5. _____ supervivencia   e. desafío

6. _____ etapa   f. época

7. _____ potable   g. personas dedicadas y ambiciosas

14 ¿Ha comprendido?

Conteste las siguientes preguntas sobre el texto.

1. ¿Cuál es su opinión sobre el proyecto de Oceana?

   _____

2. Anna Zegna está altamente motivada. ¿Qué cree que la motiva?

   _____

3. ¿Piensa que realmente podemos cambiar cómo cuidamos a los océanos?

   _____

4. ¿Cuáles serían algunos efectos a largo plazo si no paramos de abusar del océano?

   _____

15 Escriba

En su cuaderno, resuma lo que ha leído en un párrafo. Subraye las palabras nuevas que use.

16 Se titula…

Piense en otro título para el artículo.

_____

17 Una vida extra (CD 2, pista 5)

Después de escuchar la audición, escriba una respuesta para cada pregunta.

1. ¿Qué necesita el visitante para poder comprar la moneda de Second Life?

   _____

2. ¿Para qué necesitan los visitantes el dinero virtual?

   _____

3. ¿Cuáles son algunas de las razones por las que compañías reales se están introduciendo en este mundo virtual?

   _____

4. ¿Puede un personaje de Second Life ser famoso en el mundo virtual?

   _____

5. ¿Cómo es el mundo virtual de Second Life físicamente?

   _____

6. ¿Cuáles son los productos que más compran los visitantes?

   _____

18 ¡A presentar!

Haga una pequeña presentación sobre este tema: "El aspecto y la personalidad de mi personaje en el mundo virtual de Second Life".

19 ¿Cuál es la palabra? 🔍

Complete las oraciones con la palabra o frase adecuada. Añada un artículo cuando sea necesario y haga los cambios que considere necesarios. Use cada palabra sólo una vez.

bienestar	descargar	inalámbrico	oferta
calentamiento	deterioro	letras pequeñas	portátil
global	hidratado	maremoto	

1. El hombre de negocios averigua si su computadora funciona en la red

   _____ del aeropuerto. Tiene que entregar un informe antes de

   que despegue el avión.

2. María Angélica rechazó una _____ de negocio.

3. El _____ y el cambio climático son algunos de los principales

   problemas que enfrentan los hombres del siglo XXI.

4. Como regla general, en días de calor se recomienda beber de 8 a 10 vasos de agua

   diariamente para mantener el cuerpo bien _____; sobre todo, es

   importante beber después de realizar actividades físicas.

5. Se dice que el _____ humano incluye la sanidad, la vivienda, la

   educación, recibir una pensión tras ser jubilado, etc.

6. ¿Has puesto atención a _____ del contrato de tu tarjeta de

   crédito? A veces, hay grandes sorpresas en los detalles.

7. Hay varios sitios Web donde se pueden _____ música y otras

   aplicaciones importantes que pueden ayudar a tu computadora a funcionar mejor.

8. _____ es una serie de ondas u olas en la superficie de los océanos

   producida por un terremoto o una erupción volcánica bajo el océano.

9. Mi ordenador _____ sólo pesa siete libras. Siempre viajo con él.

10. No apagar los monitores de las computadoras antes de salir de la oficina produce un serio

    _____ en la expectativa de vida de los mismos.

20 ¿Cuál es la palabra?

Complete las oraciones con la palabra o frase adecuada en español. Añada un artículo cuando sea necesario y haga los cambios que considere necesarios. Hay dos expresiones que no necesita usar.

agua dulce	descaro	mediante
aleatorio	desechable	por medio de
cronológico	dominio	sede
desapercibido	invernadero	vivaz

1. Es mejor que una persona de negocios tenga un buen _____ de la lengua nativa del país donde trabaja en lugar de confiar en los servicios de un traductor.

2. Por el tono aburrido de su conferencia, las palabras del orador pasaron _____ por la audiencia.

3. Pedro es un maleducado. Su _____ sólo es perdonable por su juventud. Espero que cuando madure un poco, mejoren sus modales.

4. El efecto _____ es producido tanto de manera natural como de manera artificial, a causa de la industrialización y el aumento de los gases en la atmósfera.

5. Me encantan los estudiantes _____ que demuestran entusiasmo durante las clases.

6. Por favor, ¿puedes ir a la farmacia para comprar unas máquinas de afeitar

    _____ y espuma de afeitar?

7. El _____ es la que encontramos en los ríos y los lagos. Contiene

    cantidades mínimas de sal.

8. Tengo un tío al que le gusta organizar toda su colección de discos compactos según el orden

    _____ en que fueron puestos en venta.

9. Los números que salen premiados en la lotería son siempre _____.

10. Le hicieron confesar al criminal _____ amenazas.

Escriba dos oraciones con cada una de las palabras que no usó del recuadro.

11. _____

    _____

12. _____

    _____

21 ¿Qué palabra es? 🔍

Escriba la palabra o expresión del vocabulario que corresponde a cada definición. Ponga una letra en cada casilla.

1. Resultado del acto de inventar ⬜⬜⬜⬜⬜⬜⬜

2. Lugar cuyas aguas afluyen todas a un mismo río, lago o mar ⬜⬜⬜⬜⬜⬜

3. Teléfono sin alambres que se puede utilizar desde cualquier lugar
⬜⬜⬜⬜⬜⬜⬜⬜ ⬜⬜⬜⬜⬜

4. Adjetivo que indica una circunstancia que no se puede vencer
⬜⬜⬜⬜⬜⬜⬜⬜⬜⬜⬜

5. Pacto o acuerdo entre personas o instituciones ⬜⬜⬜⬜⬜⬜⬜⬜

6. Lugar donde se halla protección ⬜⬜⬜⬜⬜

7. Cortar árboles ⬜⬜⬜⬜

8. Herramienta que permite buscar información en la Red
⬜⬜⬜⬜⬜⬜⬜⬜ ⬜⬜⬜⬜⬜⬜⬜

9. Afectando a todo el mundo ⬜⬜⬜⬜⬜⬜⬜⬜⬜⬜⬜

10. Exponer una idea o un plan para que se conozca y sea aceptado por otros
⬜⬜⬜⬜⬜⬜⬜⬜

11. A continuación (adverbio) ⬜⬜⬜⬜⬜⬜⬜⬜⬜⬜⬜

12. Dañino, perjudicial ⬜⬜⬜⬜⬜⬜

13. Paso hacía atrás ⬜⬜⬜⬜⬜⬜⬜⬜

14. Que tiene fuerza ⬜⬜⬜⬜⬜⬜

15. La edad media que se espera que alcance un individuo
⬜⬜⬜⬜⬜⬜⬜⬜⬜ ⬜⬜ ⬜⬜⬜⬜

22 Crucigrama

Escriba las claves para las palabras que aparecen en el crucigrama.

Horizontales

1. _____

   _____

5. _____

   _____

6. _____

   _____

7. _____

   _____

8. _____

   _____

Verticales

2. _____

   _____

3. _____

   _____

4. _____

   _____

23 Falsos cognados y palabras problemáticas

Complete las oraciones con la palabra o frase adecuada.

1. El nuevo alumno no es ni guapo ni feo. Es un chico _____ y

   moliente.

   a. corriente   b. raro

2. Mi padre ocupa _____ de director en una empresa multinacional.

   a. el patrón   b. el cargo

3. Se dice que las necesidades, a veces, _____ a los inventos.

   a. dan origen   b. nacen

4. Su duro trabajo le reporta buenas _____ a su empresa.

   a. ganancias   b. pérdidas

5. El candidato para el nuevo puesto de trabajo aporta _____ muy

   favorables.

   a. reportajes   b. informes

6. Se dice que la gente que vive en pueblos _____ tiene que

   preocuparse por el deshielo de los glaciares.

   a. costosos   b. costeros

7. El tribunal va a _____ a muerte a estos terroristas.

   a. sentenciar   b. suspender

8. Los _____ tienen derecho a una pensión.

   a. jubilados   b. incansables

9. El antiguo vicepresidente Al Gore _____ un documental sobre el

   calentamiento global.

   a. realizó   b. venció

10. La nueva campaña contra el efecto invernadero _____ mucho

    dinero a las organizaciones ecologistas que la promovieron.

    a. extrajo   b. proporcionó

¡Conéctese a su mundo! Capítulo 7 Lección B

1 ¿Indicativo o subjuntivo? 🔳

Escriba la forma apropiada del indicativo o del subjuntivo del verbo entre paréntesis. Va a ser necesario utilizar todos los tiempos verbales y las formas no personales (infinitivo, gerundio y participio).

Cuando era pequeño no me (1) _____ *(preocupar)* la

ecología. La verdad es que (2) _____ *(desconocer)* lo que

(3) _____ *(ser)*. Si (4) _____ *(saber)* la

influencia que tiene en nuestras vidas, me (5) _____ *(concienciar)*

sobre el tema.

No creo que (6) _____ *(haber)* nadie a quien realmente no

le (7) _____ *(importar)* estas materias. Pero definitivamente, no

(8) _____ *(hacer)* todo lo que está al alcance de nuestras manos

para que el planeta (9) _____ *(llegar)* a tener unos niveles de

contaminación ambiental más en línea con lo que (10) _____ *(ser)*

recomendable para nuestro bienestar presente y futuro.

Podemos (11) _____ *(empezar)* por

(12) _____ *(hacer)* cosas muy sencillas. Por ejemplo,

(13) _____ *(deber)* de tirar las botellas y los

objetos de plástico que no (14) _____ *(ir)* a

utilizar de nuevo en los contenedores especiales para basura reciclable que

(15) _____ *(haber)* distribuidos por la escuela y por toda

la ciudad. Es importante que nosotros (16) _____ *(hacer)*

lo mismo con los papeles, cartones y con los productos de metal. Si todos

(17) _____ *(tener)* estas sencillas indicaciones siempre

presentes, (18) _____ *(ayudar)* considerablemente a que se siga

(19) _____ *(preservar)* el medio ambiente en buenas condiciones.

Los humanos hemos (20) _____ *(hacer)* muchos avances en este

sentido, pero no lo suficiente. Podemos mejorar.

Durante los años 70 y 80, tanto en Europa como en los Estados Unidos

(21) _____ *(surgir)* muchas organizaciones ecologistas   *continúa*

que (22) _____ (tener) como principal objetivo el

(23) _____ (concienciar) a la sociedad de las consecuencias

negativas que (24) _____ (tener) para la humanidad no

tomarse este tema más en serio. En países como Alemania, estas organizaciones

(25) _____ (convertirse) en partidos políticos y

(26) _____ (obtener) representación parlamentaria en los congresos

de sus respectivos países. Su labor (27) _____ (ser) fundamental

para que (28) _____ (llegar) al avanzado estado de concienciación

que (29) _____ (alcanzar) hoy en día.

En definitiva, con el objetivo de que (30) _____ (seguir)

(31) _____ (poder) (32) _____ (garantizar)

un presente y un futuro mejor para nuestros hijos, y también para nosotros mismos, es

importante que no (33) _____ (desfallecer) en la lucha por

(34) _____ (mantener) un planeta limpio y sano. No dudo que

(35) _____ (merecer) la pena.

2 ¿Infinitivo, gerundio o participio?

Escoja entre el infinitivo, el gerundio y el participio del verbo entre paréntesis para completar la oración.

1. _____ *(Nadar)* cada día es bueno para la salud.

2. Todos los estudiantes de la clase siguen _____ *(escribir)* el ensayo. Es muy largo.

3. Hay que _____ *(concienciar)* a todo mundo sobre los peligros del calentamiento global.

4. El padre se enfadó con el niño y le hizo _____ *(comer)* todo lo que había en el plato.

5. ¿Por qué se han _____ *(levantar)* tus hermanas tan tarde? Llegaremos tarde a clase.

6. ¿Oíste _____ *(cantar)* a Enrique Iglesias en su concierto anoche? Estuvo fenomenal.

7. A _____ *(ver)*, ¿hay algún voluntario para recoger la mesa?

8. Es importante que trabajes duro para que puedas continuar _____ *(alcanzar)* tus metas.

9. ¿Dónde has _____ *(poner)* mi diccionario?

10. La criada dejó a los invitados _____ *(terminar)* el plato principal antes de servir el postre.

11. Esta puerta es fácil de _____ *(abrir)*.

12. _____ *(Manejar)* un coche en una ciudad grande es casi un arte.

13. Si quieres ser guitarrista profesional tienes que ir _____ *(aprender)* todas las escalas musicales que se pueden tocar en el instrumento.

14. Los camareros están _____ *(servir)* helado en este momento. Si no te das prisa te quedarás sin postre.

15. Mi abuelo ha _____ *(morir)* de una pulmonía.

3 "Tapitas" gramaticales

Complete las siguientes oraciones con *por, por qué, porque, para, para que* o *para qué*.

1. Nadie sabe _____ el profesor decidió cancelar el examen al último momento.

2. En la autopista había mucho tráfico. _____ eso, ella llegó tarde.

3. ¿Me enviaste el dinero _____ pueda pagar las facturas?

4. El proyecto que nos asignaron en la clase de literatura es _____ mañana.

5. ¿ _____ sirve esta jarra? Es para beber el agua del pozo.

6. Me voy al cine _____ ver la nueva película de Almodóvar.

7. _____ lo visto, vendrán muchos visitantes al pueblo este fin de semana.

8. ¿ _____ no citas las fuentes de tu investigación? Podrán acusarte de plagio.

9. En la carretera hay muchos policías _____ la gente conduzca cuidadosamente.

10. Estudiaron mucho _____ querían aprobar el examen de historia.

11. _____ desgracia, mi candidato favorito no ganó las elecciones.

12. El profesor pregunta: ¿ _____ llegaron ustedes tarde a mi clase otra vez?

13. Ana escribió en el anuario de Sara, "Amigas _____ siempre".

14. Éstas son unas sugerencias _____ los hombres tengan una vida más sana.

15. Los políticos tienen _____ costumbre prometer muchas cosas y luego no hacer nada.

4   ¿Adjetivo demostrativo o pronombre demostrativo?

Complete cada oración con el adjetivo demostrativo o el pronombre demostrativo apropiado.

Adjetivos demostrativos		
este	ese	aquel
esta	esa	aquella
estos	esos	aquellos
estas	esas	aquellas

Pronombres demostrativos			
éste	ése	aquél	esto
ésta	ésa	aquélla	eso
éstos	ésos	aquéllos	aquello
éstas	ésas	aquéllas	

1. Mi hermana preparó dos tortas; ésa de ahí es de manzana y

   _____ que tengo en la mano es de cereza.

2. Queremos ver _____ fuente que hay

   encima de la montaña. ¿Cómo podemos llegar hasta allí?

3. Me gustan estos pantalones; son elegantes. Pero prefiero

   _____ que hay en la vitrina.

4. El mundo cambia demasiado rápido.

   _____ me preocupa mucho.

5. Por favor, pon _____ libros que tengo

   aquí encima de la mesa.

6. ¿Puedo usar _____ lápices que tienes

   aquí en tu escritorio?

7. Aquel libro fue más aburrido que _____ que tengo aquí.

8. ¿ _____ revista que tengo en mis manos es la que buscas?

9. _____ soldados que bajan del avión, allá a lo lejos, recibieron

   condecoraciones por su valor durante el rescate de los prisioneros que estaban en manos

   del enemigo.

10. Este celular cuesta cien dólares y _____ de ahí cuesta ciento

    veinte dólares.

5 ¿Participio pasado o gerundio?

Complete la oración con el participio pasado o el gerundio del verbo entre paréntesis.

1. Como ella se ha _____ (*volver*) muy arrogante, no hay nadie que le quiera hablar.

2. Yo seguía _____ (*leer*) a mi hermanita mientras mis hermanos se peleaban.

3. Te dije que ellos habían _____ (*abrir*) la tienda temprano esta mañana.

4. Deja que Antonio continúe _____ (*decir*) la verdad sobre lo que hizo anoche.

5. Me interesaba saber lo que los niños estaban _____ (*hacer*) durante nuestra ausencia.

6. Las estanterías estaban _____ (*cubrir*) de libros.

7. María está _____ (*ir*) hacia casa de mamá en este momento.

8. La novela *Don Quijote* fue _____ (*escribir*) por Miguel de Cervantes Saavedra.

9. El tribunal ha _____ (*imponer*) un castigo severo al criminal.

10. El criminal no fue _____ (*absolver*) por sus crímenes.

11. ¡Por favor! ¡Cállense! El bebé está _____ (*dormir*).

12. La madre estaba furiosa porque su hijo había _____ (*romper*) el jarrón antiguo.

13. Ellas siguen _____ (*sentirse*) enfermas aunque han guardado cama por tres días.

14. Esta blusa de colores fue _____ (*hacer*) en Honduras.

15. ¡Rápido! Los invitados están _____ (*venir*) ya.

6 ¿Lo o lo que?

Escriba la oración de nuevo usando *lo* o *lo que*.

1. ¡Dime! ¿Qué sabes sobre la contaminación de aire?

   _____

2. Es necesario saber muchos datos para el examen de historia mañana.

   _____

3. Debemos terminar el proyecto en cinco minutos. La profesora se va a casa y no va a

   aceptarlo después.

   _____

4. Los videojuegos nos enseñan mucho sobre el aprendizaje y el analfabetismo. Nos enseñan

   que los niños no aprenden a escribir ni se educan con los videojuegos.

   _____

5. He leído todo el libro sobre el subjuntivo y todavía me causa problemas.

   _____

6. Tengo miedo por el peligro de andar por este callejón de noche.

   _____

7. Este disco compacto tiene las mejores canciones de Cristina Aguilera.

   _____

8. Tiene más importancia apagar su celular en el cine. El timbrazo molesta a mucha gente.

   _____

9. No me gusta la violencia de esta película.

   _____

7 Familia de palabras

Complete cada oración con la forma correcta de la palabra en negrita. La respuesta puede ser verbo, sustantivo o adjetivo. Añada un artículo cuando sea necesario.

1. **solicitar**

   a. ¿Has presentado tu _____ para ingresar en la universidad?

   b. Hace un mes el gobierno _____ que la planta eléctrica

   aumentase su producción de electricidad. La demanda de energía es cada vez mayor.

   c. El préstamo fue _____ hace tres meses, pero todavía no

   hemos recibido la respuesta.

2. **aislar**

   a. Por su prolongado _____, las tribus indígenas del interior de

   Brasil todavía viven igual que lo hacían hace quinientos años.

   b. Los bomberos desean que se _____ la parte del edificio que

   estuvo amenazada por el fuego.

   c. Algunos chicos no se adaptan bien a la escuela y pasan el día

   _____, sin relacionarse con nadie.

3. **amenazar**

   a. La contaminación y el humo de los carros son algunas de las más serias

   _____ a la calidad del aire.

   b. La perra _____ a los niños que querían quitarle el cachorro.

   c. Juan se siente _____ por la conducta violenta de los

   compañeros de clase de su nuevo colegio. Es una situación difícil para él.

8 Adverbios

Transforme las oraciones cambiando el adjetivo subrayado en adverbio.

1. Este problema es <u>fácil</u> de resolver.

   El problema se resuelve _____ .

2. En la clase hay un ruido <u>constante</u> de alumnos que susurran.

   En la clase, los alumnos susurran _____ .

3. Tú eres <u>cuidadoso</u> con tu ropa.

   Tú tratas tu ropa _____ .

4. A la madre le gusta que sus hijos sean <u>corteses</u>.

   A la madre le gusta que sus hijos se comporten _____ .

5. Mi tía canta con una voz <u>clara</u> y <u>dulce</u>.

   Mi tía canta _____ .

6. Nosotros escribimos una <u>buena</u> composición.

   Nosotros escribimos _____ la composición.

7. Mi abuela hace su trabajo de manera <u>lenta</u> y <u>detallada</u>.

   Mi abuela trabaja _____ .

9 Antes de leer

¿Puedes explicar qué es una alergia? ¿Qué porcentaje de la población cree que tiene alergias? ¿Qué sustancias pueden causar alergias? ¿Quién puede ser susceptible a futuras alergias?

10 Van a por TI

Lea el siguiente texto.

Si aún no estornudas, puedes estar a punto de hacerlo. Los expertos auguran la MAYOR PLAGA de polen para este año. ¿Estás a salvo?

La compañía Allerca ofrece gatos modificados genéticamente para no provocar alergias por el módico precio de 5.950 $ más gastos de envío (el precio es por el modelo base: cuatro patas, visión nocturna y pelo negro). Su aceptación en los mercados americano y japonés **(A)** que el plazo de entrega está entre los 15 y los 18 meses. En España, el Hotel Río Bidasoa
5 de Hondarribia es el primero en aplicar un método completo de análisis y control de aero-alérgenos. Ninguna habitación tiene moqueta, no se admiten mascotas, los productos de limpieza son biodegradables, los obsequios de bienvenida son hipoalergénicos y para limpiar se usan aspiradores con filtro HEPA. ¿Locuras para paranoicos o negocios redondos?

Los datos apuntan a lo segundo. Hoy los alérgicos españoles suman 11 millones (3 más que el
10 año pasado), y los expertos auguran que dentro de 20 años **(B)** sufrirá algún tipo de alergia, sea conocida (al polen) o **(C)** (al **bocata** de **tortilla**, por ejemplo), y es probable que aún no hayan tenido ni un solo síntoma.

También hablan de plaga, y el SEAIC (Sociedad Española de Alergia e Inmunología Clínica). ha lanzado esta alerta: las urgencias en los hospitales esta primavera se saturarán con casos
15 de asma, y en las farmacias no habrá suficientes antihistamínicos. ¡Atchuss! ¡Qué miedo!

Un fallo de fábrica

Hasta ahora puede que todo vaya bien. Que tu sistema inmunitario esté pletórico y no haya polen, por vigoroso que sea, que le haga cosquillas. Pero es posible que falle, y que lo haga pronto. En eso consiste una alergia, en un error del sistema inmunitario que identifica como
20 nocivas sustancias **(D)** son inocuas.

Pero "no es alérgico quién quiere, sino quien puede", afirma Jorge Martínez, profesor del Departamento de Inmunología, Microbiología y Parasitología de la Facultad de Farmacia del País Vasco. Si quieres tener alguna **pista** sobre si te va a tocar esta molesta lotería, **échale un ojo** a tu genealogía: el 98,6 % de los alérgicos tiene antecedentes familiares. Para Martínez,
25 "la probabilidad de que un niño sin antecedentes familiares sea alérgico es del 20 %; si uno de los padres lo es, la cifra asciende al 30 %, y si lo son los dos, la probabilidad aumenta hasta el 40 %".

¿Qué hace, entonces, que pases de ser un alérgico potencial a un ente que se mueve a base de estornudos y picores? La respuesta aún no ha sido desvelada. Se sabe que es necesario
30 que tu organismo desarrolle sensibilidad al alérgeno, pero si este, el alérgeno, es algo que tienes todo el tiempo a tu alcance, ¿cómo sabe tu organismo cuándo debe volverse sensible? ¿Existe, acaso, una suerte de San Valentín Ácaro que te haga más receptivo? Son aspectos que la ciencia aún tiene pendientes. "Probablemente sea una cuestión multifactorial en la que intervienen la carga genética, la sensibilidad de la persona a ciertos agentes y la carga de
35 alérgenos, pero aún no se sabe qué **dispara los síntomas**", asegura Martínez. Pero sí se sabe algo: cuantos más enemigos, más probabilidad hay de que la alergia se dispare.

Multiplicado por dos

"Este año, el polen de gramíneas se multiplicará por dos", sentencia el SEAIC. Tomás Chivato, su presidente, tiene algunas teorías: "Los últimos inviernos en España, cada vez más suaves,
40 favorecen la polinización de árboles y malezas que hace 10 años apenas eran relevantes. Otro factor es la **vida sedentaria**". También aumenta la plantación de gramíneas: son resistentes, viven con poca agua y quedan estupendas junto a la carretera. Actualmente ocupan **(E)** de la superficie vegetal del planeta. El próximo dato de Chivato estremece: "De continuar la situación actual, la alergia alcanzará al 50 % de la gente en 20 años".
45 Ya ves, se sortea una alergia y los occidentales tenemos todas las **papeletas** para ganarla. Además, existe un catálogo infinito de sustancias potencialmente alérgicas entre las que puedes elegir la tuya. Las más comunes son el polen, los ácaros del polvo, los epitelios de

los animales, los hongos, determinados <u>alimentos</u>, los medicamentos y las **picaduras de insectos**. Esas son las que ya nadie quiere, sustancias a las que no podemos evitar
50 exponernos y que en cualquier momento pueden confundir a tu sistema inmunitario. Pero hay cosas mucho más raras. El inventario incluye gusanos y ricos camarones, de esos que alimentan a las tortugas domésticas, **para ser exactos**. Así lo descubrió Jorge Martínez. "El primer caso se dio en una mujer que sufría rinitis y asma, aparentemente sin causa conocida, pero que aparecía asociada a la manipulación de los gusanos usados **(F)**. Mientras que el
55 segundo ejemplo se conoció a partir de tres casos con alergias <u>cutáneas</u> y asma al contacto con los camarones de agua que comen las tortugas".

Según Martínez: "Cualquier proteína o molécula biológica grande, e incluso algunas pequeñas, pueden provocar hipersensibilidad". Vistos aquellos ejemplos, lo del bocata de tortilla tampoco es tan disparatado.

60 La buena noticia es que tienes tiempo para pensar qué sustancia te gustaría que te hiciera llorar, enrojecerte o hincharte (aunque no de **orgullo**). Las alergias no se manifiestan de la noche a la mañana. El problema es que las proteínas y las moléculas susceptibles de provocarlas son tantas que los científicos no paran de descubrir nuevos tipos. Y la alergia, nuevos pacientes.

DOLORS GORDILS
www.quo.orange.es

11 ¿Ha comprendido?

Elija la mejor respuesta para cada pregunta.

1. ¿Qué cosas pueden provocar hipersensibilidad?
   a. Las películas románticas
   b. Cualquier tipo de proteína o molécula biológica
   c. Dormir poco
   d. Únicamente comidas que no están refrigeradas

2. ¿Qué es lo que motiva a ciertas compañías a ofrecer entornos hipoalergénicos?
   a. El altruismo
   b. Están dirigidas por locos paranoicos.
   c. Hacer un negocio redondo
   d. No existe posibilidad de reducir la probabilidad de sufrir una alergia.

3. ¿Qué hace que alguien sin alergias de repente desarrolle una?
   a. Que se haya portado mal con su pareja
   b. Que se le haya olvidado tomar medicina antihistamínica
   c. Es imposible que alguien que nunca haya tenido alergia desarrolle una.
   d. Influyen factores genéticos y la exposición a un determinado alergeno.

4. ¿Por qué aumenta la cantidad de individuos con alergias?
   a. Por el calentamiento del planeta
   b. Porque aumenta la plantación de ciertos tipos de plantas, llamadas gramíneas
   c. Las respuestas a y b
   d. Porque los que no tienen alergias mueren jóvenes

5. La probabilidad de que un niño sea alérgico...
   a. depende en parte de factores genéticos.
   b. es del 100% si los dos padres son alérgicos.
   c. sólo existe si los dos padres lo son.
   d. no tiene nada que ver con las características de los padres.

6. Los gatos modificados genéticamente...
   a. tienen forma de tortuga.
   b. no han despertado ningún interés.
   c. son muy baratos.
   d. han tenido gran aceptación en los mercados americano y japonés.

12 ¿Dónde va? 🔍

¿Dónde se deben añadir las siguientes frases al artículo? Escriba la letra que corresponde a cada frase. Hay dos frases que no hace falta utilizar.

1. _____ desconocida

2. _____ tarde o temprano

3. _____ el 20%

4. _____ como cebo para pescar

5. _____ ha sido tal

6. _____ que en realidad

7. _____ peor

8. _____ una de cada dos personas

13 ¿Qué significa? 🔍

Explique con sus propias palabras lo que significan estas frases que en el artículo aparecen en negrita.

1. bocata _____

2. tortilla _____

3. pista _____

4. échale un ojo _____

5. dispara los síntomas _____

6. vida sedentaria _____

7. papeletas _____

8. picaduras de insectos _____

9. para ser exactos _____

10. orgullo _____

14 ¿Qué significa?

Empareje cada palabra de la primera columna con su sinónimo en la segunda. Las palabras de la primera columna aparecen subrayadas en el texto.

1. ____ modificados   a. indican

2. ____ moqueta   b. descubierta

3. ____ apuntan   c. usuales

4. ____ nocivas   d. rifa

5. ____ asciende   e. dermatológicas

6. ____ desvelada   f. alterados

7. ____ sortea   g. tóxicas

8. ____ comunes   h. comidas

9. ____ alimentos   i. sube

10. ____ cutáneas   j. alfombra

15 ¿Ha comprendido?

Conteste las siguientes preguntas sobre el texto.

1. ¿Qué opina del tono cómico del texto, tratándose de un tema médico?

_____

2. ¿Qué cree que se podría hacer para luchar contra las alergias?

_____

3. ¿Cuál es la definición de alergia que se encuentra en el texto?

_____

4. ¿Por qué cree que la vida sedentaria puede contribuir al aumento del número de alergias?

_____

16 Escriba ✒

En su cuaderno, resuma lo que ha leído en un párrafo. Subraye las palabras nuevas que use.

17 Se titula…

Piense en otro título para el artículo.

_____

18 Sin rastro 💿 (CD 2, pista 6)

Después de escuchar la audición, escriba una respuesta para cada pregunta.

1. ¿Qué le sucedió a millones de abejas en los EE.UU.?

_____

2. ¿Por qué murieron?

_____

3. ¿Qué tipo de abejas desaparecieron?

_____

4. ¿Qué consecuencias puede tener este extraño suceso?

_____

5. ¿Qué otros ejemplos de desapariciones masivas se citan en el fragmento?

_____

6. ¿Cuándo desaparecieron ochocientos hombres en un bosque?

_____

7. ¿Qué se cree que les pasó?

_____

8. ¿Cuántas personas desaparecieron de la colonia en la isla de Roanoke? ¿En qué fecha?

_____

continúa

9. ¿Qué se piensa que les pasó?

_____

10. ¿Quién se dio cuenta de que había desaparecido una población de esquimales?

_____

11. ¿Qué fue lo más extraño de este suceso?

_____

12. ¿Qué se piensa que les sucedió a los esquimales?

_____

19 Escriba una historia corta

Un día se levanta y se da cuenta de que no hay nadie en ningún sitio. Describa sus siguientes 24 horas.

20 ¡A conversar!

Escriba una conversación con un/a compañero/a sobre la siguiente pregunta: ¿Hay algo malo en alterar a los animales genéticamente?

A: _____

B: _____

A: _____

B: _____

A: _____

B: _____

A: _____

B: _____

21 Amplíe su vocabulario

Complete las oraciones con la palabra o frase adecuada.

1. Los resultados de las nuevas leyes en defensa de la ecología sólo podrán observarse

   _____. Nos esperen grandes cambios en los próximos años.

   a. tan siquiera   b. a largo plazo   c. nunca   d. más tarde

2. Los gobernantes de la nación van a _____ los logros conseguidos

   durante los últimos años con respecto al medio ambiente.

   a. sostener   b. instar   c. prevalecer   d. apadrinar

3. Los niños de aquella escuela han recogido dinero para _____ a

   los animales que quedaron en peligro tras las inundaciones del pasado fin de semana.

   a. rescatar   b. instar   c. verter   d. rematar

4. No quiero _____ a ese oso mientras come. Puede enfadarse y

   atacarme.

   a. ocasionar   b. festejar   c. sostener   d. molestar

5. Si las nuevas actitudes de la población _____, seguro que nuestra

   vida en el futuro será más sana que la actual.

   a. prevalecen   b. fastidian   c. organizan   d. ocasionan

6. El graznido de un cuervo es muy _____ para mucha gente.

   a. halagüeño   b. propenso   c. insostenible   d. molesto

continúa

7. La falta de control por parte de los políticos locales, permite que la refinería de petróleo

   _____ más productos contaminantes en el río.

   a. explote   b. vierta   c. esfume   d. fastidie

8. Aquel hombre es el _____ que va a construir el nuevo centro

   cultural.

   a. arrastre   b. juicio   c. personaje   d. contratista

9. La escasez de lluvias ha producido una alarmante disminución en

   _____ de agua potable para la ciudad.

   a. la merluza   b. la descomposición   c. el endeudamiento   d. el abastecimiento

10. A causa de tu ignorancia sobre temas relacionados con el medio ambiente, no deberías

    _____ lo que el profesor López acaba de exponer durante su conferencia.

    a. tan siquiera   c. poner en tela de juicio

    b. a largo plazo   d. cartel de aviso

22 ¿Cuál es la palabra?

Complete las oraciones con la palabra o frase adecuada en español. Añada un artículo cuando sea necesario y haga los cambios que considere necesarios. Hay una palabra que no necesita usar.

agarrar	desalojar	embotellado
consolar	detener	ni tan siquiera
denunciar	elogiar	oportuno

1. El _____ nacimiento de un hijo garantizó un heredero legítimo.

2. Después de que el periódico _____ el abuso contra sus

   empleados, la compañía se vio obligada a cambiar el trato que daba a sus empleados.

3. El presidente del partido ecologista anunció que teníamos que

   _____ el toro por los cuernos y tomarnos en serio los problemas

   medioambientales en las futuras disposiciones parlamentarias.

4. Siempre compro agua _____ porque el agua de la llave tiene

   mal sabor.

5. Los médicos de la región _____ el avance de la epidemia.

6. El ayuntamiento anunció que los vecinos del viejo edificio tendrán que

   _____ sus viviendas antes del día 15 del próximo mes.

7. La profesora _____ a los voluntarios que fueron a la playa el

   sábado pasado para ayudar con la limpieza.

8. Ha sido un proyecto demasiado laborioso. Nos ha llevado mucho tiempo terminarlo,

   _____ hemos podido hacer una pausa para descansar unos

   minutos.

23 ¿Qué palabra es?

Escriba la palabra o expresión del vocabulario que corresponde a cada definición. Ponga una letra en cada casilla.

1. Muestra de ostentación o riqueza ⬜⬜⬜⬜

2. Nocivo, siniestro ⬜⬜⬜⬜⬜⬜

3. Conducir un vehículo ⬜⬜⬜⬜⬜⬜⬜

4. Una persona que usa la Red (Internet) ⬜⬜⬜⬜⬜⬜⬜⬜⬜⬜

5. Poner una multa ⬜⬜⬜⬜⬜⬜

6. Sufrir un mal o una enfermedad ⬜⬜⬜⬜⬜⬜⬜

7. Efectivo, eficiente ⬜⬜⬜⬜⬜⬜

8. Reglas para escribir las palabras correctamente ⬜⬜⬜⬜⬜⬜⬜⬜⬜⬜

9. Lo contrario de *aceptar* ⬜⬜⬜⬜⬜⬜⬜

10. Tipo de atún de alta calidad ⬜⬜⬜⬜⬜⬜⬜

24 Crucigrama

Escriba las claves para las palabras que aparecen en el crucigrama.

Horizontales

1. _____

_____

5. _____

_____

6. _____

_____

7. _____

_____

Verticales

1. _____

_____

2. _____

_____

3. _____

4. _____

_____

25 Falsos cognados y palabras problemáticas

Complete las oraciones con la palabra o frase adecuada.

1. _____ global es el resultado del aumento de las temperaturas del

   planeta y de la destrucción de la capa de ozono.

   a. El invernadero   b. El calentamiento

2. Los hijos de matrimonios mixtos, es decir, aquellos en los que los cónyuges son de países

   diferentes, a menudo tienen dos lenguas _____: la del padre y la

   de la madre.

   a. maternas   b. bilingües

3. Nos preocupa mucho la _____ de agua en las zonas desérticas del

   planeta.

   a. remoción   b. carencia

4. La escasez de agua es tan fuerte que el alcalde mandó a poner un cartel de

   _____ a la entrada del pueblo para que no regáramos tanto las

   plantas.

   a. aviso   b. destreza

5. A causa de la gran _____ que hay en nuestra región, se ha

   limitado el suministro de agua durante varias horas del día.

   a. sequía   b. seguimiento

6. Los turistas tenían miedo de nadar en el océano después de ver una película en la que

   _____ atacaba a los bañistas que había en una playa tropical.

   a. un tiburón   b. un alguacil

7. _____ y la desaparición de palabras en Spanglish depende tanto

   de factores sociales como culturales.

   a. La salvaguardia   b. El surgimiento

Festival de Arte Capítulo 8 Lección A

1 Condicional

Complete las siguientes oraciones con la forma correcta del condicional. Explique por qué se usa el condicional en cada caso.

1. Trabajé tan duro que sabía que _____ *(tener)* éxito en la

   presentación de mi exposición.

   _____

2. ¿Qué _____ *(hacer)* tú en una situación como ésa?

   _____

3. Si no tuviéramos que trabajar, _____ *(ir)* contigo al cine.

   _____

4. ¿En qué _____ *(poder / yo)* servirle, señorita?

   _____

5. Si quisieras venir a mi casa, yo _____ *(tener)* la cena preparada a

   eso de las 8.

   _____

6. ¿Qué hora _____ *(ser)* cuando te dormiste?

   _____

7. Seguramente, _____ *(estar)* ocupados cuando llamaste. Por eso

   no contestamos el teléfono.

   _____

8. El cielo está despejado. Yo _____ *(decir)* que va a hacer buen

   tiempo mañana.

   _____

continúa

9. El estudiante dijo que _____ (terminar) su examen en cinco

minutos.

_____

10. Si la película acabara temprano, _____ (ir / nosotros) pronto a la

exposición de Luis.

_____

2 Artículos definidos

Complete las oraciones con el artículo definido apropiado.

1. Hay un refrán que dice: "Más sabe _____ diablo por viejo que por

diablo".

2. _____ poeta Pablo Neruda tuvo una vida muy interesante.

3. Una de mis obras musicales favoritas es _____ *fantasma de la*

ópera.

4. _____ cura es además un monje religioso de

_____ orden de San Francisco.

5. Tu dormitorio está en _____ parte más alta de la casa.

6. Los obreros se han manifestado en _____ capital del país para

reclamar que los dueños de las empresas distribuyan mejor _____

capital que ganan gracias a su trabajo.

7. Los científicos de todo el mundo trabajan infatigablemente para encontrar

_____ cura definitiva contra _____

SIDA.

8. Los ecologistas están advirtiendo que _____ ecosistemas

amazónicos están en peligro.

9. Tenemos que hablar con _____ guía turístico para saber

donde hay un buen restaurante. En _____ guía de Madrid que

compramos en la librería no dicen nada sobre esto.

10. _____ turista español tuvo problemas con

_____ taxista alemana que no sabía adonde llevarlo, ya que no

hablaba su idioma.

11. Tenemos que separar a Carmen y Elena que son _____ alumnas

más habladoras de la clase.

12. _____ población de México D. F. es alrededor de 25 millones de

personas.

13. Consulta _____ guía telefónica para asegurarte de

_____ dirección del restaurante donde queremos cenar

esta noche.

14. _____ manzanas crecen en _____

manzano.

15. Me duele mucho la cabeza ya que la pelota me golpeó en _____

frente.

16. _____ vecino aguafiestas llamó a _____

policía porque había demasiado ruido.

17. Tenemos que consultar _____ estado del tiempo antes de salir

esta noche.

18. _____ muchedumbre aplaudió entusiasmada el discurso del

nuevo presidente.

19. Muchas películas norteamericanas de los años cuarenta se basaron en historias reales

ocurridas en _____ frentes de batalla de la Segunda Guerra

Mundial.

20. A veces _____ anuncios son más interesantes que

_____ películas que ponen en televisión.

3 ¿Indicativo o subjuntivo?

Complete el siguiente texto. Use la forma correcta de los verbos entre paréntesis en el tiempo verbal apropiado. Puedo ser indicativo, subjuntivo o una forma no personal (infinitivo, gerundio o participio).

Las grandes producciones cinematográficas norteamericanas

(1) _____ (ser) a menudo criticadas por su escaso valor artístico y

por (2) _____ (estar) interesadas exclusivamente en los resultados

que (3) _____ (obtener) en las taquillas tras ser estrenadas.

Lo cierto (4) _____ (ser) que estas películas

(5) _____ (costar) mucho dinero y los directores

(6) _____ (sentirse) muy

(7) _____ (presionar) por las compañías productoras. Los directores

temen que si (8) _____ (ser) más arriesgados en sus planteamientos

cinematográficos, las películas podrían no (9) _____ (ser) del agrado

de la audiencia, y como consecuencia (10) _____ (disminuir) las

recaudaciones en los cines.

Como reacción a este fenómeno, cada vez es más frecuente que directores consagrados,

y sobre todo famosos actores que (11) _____ (querer) dirigir sus

primeras películas realicen sus proyectos sin (12) _____ (recurrir)

a las grandes productoras. Esto ha (13) _____ (traer) un empujón

importante al (14) _____ (llamar) cine independiente. Ya no

(15) _____ (ser) sólo jóvenes soñadores, en muchos casos sin mucho

talento, los que se embarcan en proyectos de poco presupuesto. Que experimentadas figuras

del mundo del celuloide (16) _____ (embarcarse) en proyectos de

bajo presupuesto al margen de la industria, ha (17) _____ (hacer)

que el público (18) _____ (haber) perdido el miedo al calificativo

de cine independiente y, por el contrario, (19) _____ (acercarse)

con interés a estas películas con la curiosidad de descubrir a los que puede que

(20) _____ (ser) las estrellas del futuro.

Hace poco (21) _____ (ser) impensable que

películas independientes (22) _____ (poder) constituir

un éxito en las taquillas. Pero cada vez más cintas con el calificativo de

"independiente" se exhíben en las salas comerciales normales. Parte de este éxito

(23) _____ (deberse) a los avances tecnológicos. Cada día es

más barato (24) _____ (filmar) una película. Nuevos formatos,

como el vídeo digital, (25) _____ (reducir) los costos de

producción a cantidades asequibles para cualquier director aficionado, sin menoscabar

en absoluto la calidad final del producto. (26) _____ (haber)

muchos actores que están (27) _____ (empezar) su

carrera que están dispuestos a trabajar gratis o por muy poco dinero. Finalmente, los

distribuidores (28) _____ (tener) fácil acceso a los mejores

filmes gracias a festivales de cine (29) _____ (especializar)

en este tipo de películas. Festivales como el de Slamdance y sobre todo el de Sundance

(30) _____ (convertirse) en un perfecto trampolín para estas

películas. Todas las grandes distribuidoras aprovechan estos festivales para contratar las

mejores películas, (31) _____ (garantizar) a los directores las

difusión que ellos (32) _____ (soñar) para sus películas. Al mismo

tiempo, las distribuidoras se aseguran los beneficios que la explotación de esas películas

(33) _____ (generar) en los meses sucesivos a dichos festivales.

Mientras todo (34) _____ (continuar) igual, el cine independiente

seguirá (35) _____ (tener) un futuro tan brillante como su presente.

4 Imperfecto del subjuntivo

Complete las siguientes oraciones conjugando el verbo sugerido en el imperfecto del subjuntivo.

1. Si tú _____ *(ir)* a México de vacaciones, podrías ver muchos murales impresionantes.

2. Su representante insistía para que el pintor _____ *(poner)* tonos más suaves en sus obras.

3. No había nadie en el museo que _____ *(comprender)* los cuadros de este artista surrealista.

4. Si ellos _____ *(leer)* el libro, te lo recomendarían tanto como yo.

5. Tu amigo está gritando en medio de la calle como si nadie lo _____ *(oír)*.

6. Sería imprescindible que ellos _____ *(ver)* la nueva película de Penélope Cruz.

7. Si _____ *(poder)* ayudarnos haríamos la tarea en solo media hora.

8. Si mi madre _____ *(saber)* que íbamos al concierto, se enfadaría mucho.

9. María escribe como si _____ *(ser)* una novelista profesional.

10. Mi jefe me pidió que yo _____ *(pagar)* las entradas al teatro en efectivo.

5 Los números ordinales

Complete la segunda oración de cada par usando el número ordinal sugerido en la primera oración.

1. Estamos leyendo el libro número diez de la serie.

   Estamos leyendo el _____ libro de la serie.

2. Shakira acaba su publicar el disco compacto número siete.

   Shakira acaba de publicar su _____ disco compacto.

3. Picasso fue uno de los artistas más famosos del siglo XX.

   Picasso fue uno de los artistas más famosos del _____ siglo.

4. Fui a esa exposición el día que abrió.

   Fui a esa exposición el _____ día.

5. Acaban de publicar su libro número cinco.

   Acaban de publicar su _____ libro.

6. Antonio tiene siete hermanos. Él es el menor. Por lo tanto Antonio es el hijo número ocho de sus padres.

   Antonio tiene siete hermanos. Él es el menor. Por lo tanto Antonio es el

   _____ hijo de sus padres.

7. Acabo de comprarme mi carro número dos.

   Acabo de comprarme mi _____ carro.

8. Terminamos el día número tres de nuestro viaje a Londres.

   Terminamos el _____ día de nuestro viaje a Londres.

9. Nos reunimos la semana número cuatro de cada mes.

   Nos reunimos la _____ semana de cada mes.

10. La sinfonía número nueve de Beethoven es su obra más famosa.

    La _____ sinfonía de Beethoven es su obra más famosa.

6 ¿Ser o estar?

Complete este texto usando la forma apropiada de *ser* o *estar*.

Salvador Felipe Jacinto Dalí nació el 11 de mayo de 1904 en Figueres, que

(1) _____ una pequeña ciudad de la provincia de Gerona, al norte

de España. (2) _____ el hijo de Felipa Doménech y de Salvador Dalí.

Decían que su padre (3) _____ un hombre autoritario y que había

provocado la muerte del hermano mayor de Dalí, llamado igualmente Salvador. Los padres de

Dalí (4) _____ desolados. No dejaban de comparar a los dos niños y

durante su infancia vistieron a Salvador con la ropa del difunto hermano, le hicieron jugar con

los mismos juguetes y lo trataron como si fuera la reencarnación del otro Salvador.

En 1922, Salvador Dalí entró en la Escuela de Bellas Artes que

(5) _____ en Madrid. Conoció e intimó con el poeta Federico

García Lorca y con el cineasta Luis Buñuel. Incluso llegaron a vivir juntos en una residencia

de estudiantes. En sus inicios Dalí estuvo influenciado por dos tendencias artísticas de la

época: la primera (6) _____ el futurismo, la otra el cubismo. Ambas

(7) _____ igual de importantes para la configuración de su estilo.

A causa de su indisciplina, Salvador (8) _____ expulsado

por un año de la Escuela de Bellas Artes. Dalí (9) _____ muy

preocupado por encontrar un estilo que le permitiera expresarse.

Su talento permitió a Dalí ser expuesto en la Galería Dalmau que

(10) _____ en Barcelona. Pablo Picasso y Joan Miró empezaron a

interesarse en su obra. En abril de 1926, Dalí hizo su primer viaje a Bruselas y a París, donde

visitó a Picasso que (11) _____ viviendo allí. Durante su segundo

viaje a París en 1929, Dalí conoció a la joven rusa Helena Diakonova, más conocida por Gala, quien

(12) _____ la mujer de su amigo Paul Éluard, poeta surrealista.

En junio, de 1931, Pierre Colle organizó la segunda exposición de Dalí en París, donde

se presentó el cuadro que con el tiempo ha llegado a (13) _____

posiblemente la pintura más celebre de Dalí, *La persistencia de la memoria.* La obra

(14) _____ expuesta otra vez en la primera exposición del arte

surrealista que se celebró en los Estados Unidos.

Gala (15) _____ enamorada de Dalí y se casaron en 1934.

En julio, de 1936, la Guerra Civil empezó en España. El amigo de Dalí, Federico García Lorca,

(16) _____ asesinado en Granada el 19 de agosto de 1936. La muerte

de su amigo afectó enormemente al artista.

En años posteriores, la fama del pintor catalán nunca dejó de aumentar. Con los años

se convirtió en un personaje mediático. Sus excentricidades hicieron que cada una de sus

apariciones en público fueran auténticos acontecimientos de masas.

Hoy en día Dalí (17) _____ un mito. Cualquier joven artista

(18) _____ contento de (19) _____ tan

exitoso como lo fue Dalí durante toda su carrera. Su vida (20) _____

un modelo para muchos.

7 Familia de palabras

Complete cada oración con la forma correcta de la palabra en negrita. La respuesta puede ser verbo, sustantivo o adjetivo. Añada un artículo cuando sea necesario.

1. **enfocar**

   a. Este libro expone un _____ muy negativo de la política llevada a cabo por el gobierno de la nación.

   b. En su última obra, este escritor _____ la política negativa llevada a cabo por el gobierno de la nación.

   c. La imagen está bien _____.

2. **cantar**

   a. Muchos _____ jóvenes tienen una imagen muy atractiva pero no tienen buena voz.

   b. El _____ flamenco es una de las manifestaciones artísticas más famosas de España.

   c. Cuando era pequeña, Shakira _____ en el coro de su iglesia.

3. **romper**

   a. Es una pena, pero esa escultura _____ será imposible de reparar.

   b. Cada nuevo movimiento artístico supone una _____ casi completa con el anterior. Eso es lo que hace que los gustos de la sociedad cambien cada cierto tiempo.

   c. Los nuevos artistas siempre quieren _____ con el pasado. Son innovadores.

8 Antes de leer

¿Como definiría lo que es un cómic? ¿Cree que el cómic es un género comparable con la pintura o la música? Explique con detalles su respuesta. ¿Le gustan los cómics? ¿Cuáles son sus cómics favoritos? ¿Qué otros cómics conoce? ¿Qué sabe acerca de la historia de los cómics?

9 La historieta del cómic

Lea el siguiente texto.

Se llama historieta, cómic, del inglés *comic*, o tebeo, de la revista española *TBO*, a una **serie** de dibujos que constituyen un relato, con texto o sin él, así como al libro o revista que la contiene. El nombre *historieta* se aplica en Argentina, Colombia, Cuba, España, México, Venezuela o Perú, aunque en español existen otras formas locales de denominarla: *tebeo* en
5   España, *colorines* en las Canarias, *monitos* en México, Colombia y Chile, *muñequitos* en Cuba y Colombia, *suplementos* en Venezuela, etcétera. Hacia los años 1970 se empezó a **imponer** en el **mundo hispanohablante** el término de origen anglosajón *cómic*, aceptado también en español.

Orígenes

10   Algunos mantienen que el <u>origen</u> de la historieta se remonta **(A)**. Podríamos decir que las pinturas rupestres, pintadas en las <u>grutas</u> como la de Lascaux en Francia pueden ser consideradas como historietas, ya que relatan historias mediante imágenes. Los frescos y relieves egipcios, griegos, romanos y aztecas también se ajustan a esta definición.

En la Edad Media europea, la historieta en soportes como las vidrieras y los tapices sería
15   mejorada en los manuscritos iluminados que pueden considerarse como los primeros libros de historieta. Las Cantigas de Santa María realizadas <u>probablemente</u> entre 1260 e 1270 por el taller de Alfonso X "el Sabio", son consideradas como el manuscrito medieval más próximo a un cómic <u>actual</u>.

Sin embargo, otros estudios consideran la historieta como un producto cultural de la
20   modernidad industrial y política occidental que surgió en paralelo a la evolución de la prensa, primer **medio de comunicación de masas**. De este modo, una historieta sólo lo sería en tanto que reproducida por medios mecánicos y difundida **masivamente**, se relaciona su origen con el de la caricatura y la imprenta.

A pesar de esta tradición de historietas en forma de libro, el modelo de desarrollo de la
25   historieta en Europa serían las revistas gráficas **(B)**. Así, en noviembre de 1830 la revista *Le Caricature* inauguraría la tradición **contemporánea** de la caricatura política lanzando una campaña contra Luis Felipe "el rey burgués" por medio de imágenes <u>satíricas</u> de nombres de la talla de Daumier o Gustave Doré.

Un grupo de expertos **(C)** en *Salón de Lucca* (Italia) determinaron como fecha del nacimiento
30   del cómic el 16 de febrero de 1896, día de publicación de la tira de prensa *The Yellow Kid and his new Phonograph* de Richard Fenton Outcault en el *New York Journal*. Esta tira fue la primera en combinar la organización de su discurso en secuencia de imágenes y la integración de la palabra mediante globos o bocadillos. Coincidentemente, ese mismo año la revista inglesa *Comic cuts* estableció el nombre por el cual hoy es conocida mundialmente la historieta.

35   *Las tiras de prensa*

En las primeras décadas del siglo XX el principal centro mundial de producción e innovación **(D)** fueron los Estados Unidos. En la **época dorada** de la prensa americana, los dos principales editores del país, William Randolph Hearst y su <u>rival</u> Joseph Pulitzer, decidieron usar la historieta como una manera de vender sus periódicos a una población emigrante que no
40   entendía muy bien el inglés pero sí podía "ver" las historietas.

La depresión de 1929 empujaría una renovación del cómic de prensa. Ese año, el King Features Syndicate contrató como ilustrador al joven Alex Raymond para que hiciese dos

continúa

series dominicales: *Flash Gordon* y *Jungle Jim,* y una cotidiana *Secret Agent X-9* (con guiones
del escritor Dashiell Hammett). Tanto Raymond como el Harold Foster de *Tarzán* (1929) y
45 *Príncipe Valiente* (*Prince Valiant,* 1937) definirían la nueva estética de las tiras de aventuras:
pictorialista, magistral y <u>minuciosa</u>; elegante y, sobre todo, atmosférica. Se recuperó,
por tanto, el valor seguro y conservador del realismo en detrimento de un grafismo más
vanguardista que había dominado en los años 20.

En 1936 el cómic de prensa sufría un duro golpe: el nacimiento de los comic books de
50 superhéroes. Los superhéroes tenían esquemas narrativos muy <u>parecidos</u> a las tiras de
aventuras: historia entre la realidad y la ficción, en forma de serie continua, basada en un
protagonista **carismático** con doble identidad, máscara/disfraz o complementos. Desde el
punto de vista industrial los superhéroes acabarían con la edad de oro de los cómics de prensa
norteamericanos.

55 *Las Revistas de cómics*

También se empezaron a publicar las revistas de cómics (Max Gaines publica el primer *comic
book, Funnies on Parade* en 1933).

En 1938 llega el primer superhéroe: Superman, creado por Joe Shuster y Jerry Siegel.
Posteriormente, otros como Batman, La Mujer Maravilla o el Capitán América. Los super
60 héroes fueron creados durante la Segunda Guerra Mundial y en un principio apelaban al
patriotismo del público estadounidense, presentando personajes con nombres o uniformes
relacionados con los Estados Unidos o sus símbolos nacionales, y que por lo general se
enfrentaban al nazismo. Esto logró un gran éxito comercial, pero también motivó una gran
crisis luego del final de la guerra, tras la cual apenas unos pocos títulos permanecieron **(E)**.

65 *Tras los años 60*

A partir de los años 60, se afianza una nueva conciencia del medio, sobre todo en Francia.
Poco a poco, la historieta dejará de ser un producto popular para convertirse en un medio
minoritario, <u>salvo</u> en Japón. Precisamente será esta historieta japonesa la que empezará a
triunfar por todo el mundo a partir de los años 80. En Europa, el cómic ganó gran aceptación
70 en círculos intelectuales. En Francia se publicaba la revista *Pilote,* con autores como Goscinny
y Uderzo, los creadores de Astérix y Obélix, y en Italia aparecía ya en 1967 *Corto Maltés* de
Hugo Pratt.

Webcómics

En los últimos años, con el desarrollo de las posibilidades de Internet y la generalización de la
75 banda ancha, los cómics han hecho su aparición en línea.

Los webcómics son una posibilidad para los ilustradores que no disponen de una editorial que
los publique o **(F)** que quieren <u>deslindarse</u> de la **censura** de la misma; asimismo, gente que
sólo quiere dibujar cómics por mero **pasatiempo** dispone de la red para mostrar su trabajo a
un público más amplio.

10 ¿Ha comprendido?

Elija la mejor respuesta para cada pregunta.

1. ¿Cón qué nombres se conoce el género de los cómics en los diferentes países?
   a. En todos lados se usa el mismo nombre: cómic.
   b. En los países donde se habla español se usa exclusivamente el término *historieta*.
   c. En cada país suele referirse a los cómics con términos diferentes.
   d. Los cómics sólo son conocidos en Estados Unidos.

2. ¿Cuándo aparecieron los primeros cómics?
   a. Algunos dicen que en las pinturas prehistóricas en las paredes de las cavernas.
   b. Algunos consideran que los cómics son un producto de la prensa de masas.
   c. Un grupo de expertos determinó que en 1896.
   d. Todas las respuestas anteriores pueden ser correctas.

3. ¿Cuál era la motivación de Pulitzer y Hearst para incluir cómics en sus periódicos?
   a. Hacer que los lectores comprasen libros de cómics donde las historias estaban completas
   b. Hacer que los inmigrantes que no dominaban el inglés compraran periódicos
   c. Atraer a niños para que compraran periódicos
   d. Pulitzer y Hearst lucharon para evitar que los cómics se popularizasen.

4. El nacimiento de los superhéroes y las revistas de cómics…
   a. dio un golpe fuerte a las tiras de cómics en los periódicos.
   b. aumentó la popularidad de las tiras de cómics en los periódicos.
   c. no tuvo influencia sobre las tiras de cómics en los periódicos.
   d. ocurrió en la Edad Media.

5. ¿Por qué los superhéroes triunfaron entre el público estadounidense?
   a. Porque muchos superhéroes vuelan y en Estados Unidos hay afición a la aviación
   b. Porque el público estadounidense estaba preocupado por la lucha contra el nazismo
   c. Los superhéroes sólo triunfaron en Japón, no en Estados Unidos.
   d. Porque las revistas de cómics eran distribuidas gratis por el gobierno

6. ¿Dónde se desarrollaron los cómics para un público más intelectual?
   a. En Estados Unidos
   b. En Japón
   c. En Europa
   d. En China

11 ¿Dónde va?

¿Dónde se deben añadir las siguientes frases al artículo? Escriba la letra que corresponde a cada frase. Hay dos frases que no hace falta utilizar.

1. _____ al cabo de poco tiempo

2. _____ reunidos para la ocasión

3. _____ semanales o mensuales

4. _____ en actividad

5. _____ para aquellos

6. _____ en repetidas ocasiones

7. _____ a la antigüedad

8. _____ en el campo de los cómics

12 ¿Qué significa? 🔍

Explique con sus propias palabras lo que significan estas palabras o expresiones que en el artículo aparecen en negrita.

1. serie _____

2. imponer _____

3. mundo hispanohablante _____

4. medio de comunicación de masas _____

5. masivamente _____

6. contemporánea _____

7. época dorada _____

8. carismático _____

9. censura _____

10. pasatiempo _____

13 ¿Qué significa? 🔍

Empareje cada palabra de la primera columna con su sinónimo en la segunda. Las palabras de la primera columna aparecen subrayadas en el texto.

1. _____ origen   a. burlonas

2. _____ grutas   b. contemporáneo

3. _____ probablemente   c. detallada

4. _____ actual   d. competidor

5. _____ satíricas   e. excepto

6. _____ rival   f. cuevas

7. _____ minuciosa   g. librarse

8. _____ parecidos   h. comienzo

9. _____ salvo   i. similares

10. _____ deslindarse   j. bastante posible

14 ¿Ha comprendido?

Conteste las siguientes preguntas sobre el texto.

1. ¿Está de acuerdo con los que consideran que el origen de los cómics fue en las paredes de las grutas o con los que dicen que fue a finales del siglo XIX?

   _____

2. ¿Ha visto alguna vez un cómic dibujado a principios del siglo XX? ¿Cómo era?

   _____

3. ¿El grafismo más vanguardista era preponderante antes o después de 1929?

   _____

4. ¿Cómo explicaría la función psicológica que los superhéroes tenían para los americanos durante la Segunda Guerra Mundial?

   _____

5. ¿Ha visto alguna vez un cómic en Internet? Descríbalo.

   _____

15 Escriba

En su cuaderno, resuma lo que ha leído en un párrafo. Subraye las palabras nuevas que use.

16 Se titula...

Piense en otro título para el artículo.

_____

17 Frida Kahlo

Complete el texto con las respuestas correctas. Ponga en un círculo la opción correcta que se encuentra al lado del texto.

Magdalena Carmen Frida Kahlo y Calderón nació en Coyoacán, (1) sur de la Ciudad de México, (2) 6 de julio de 1907. (3) Frida decía haber nacido en 1910, año del inicio (4) Revolución Mexicana, porque (5) que su vida (6) con el México moderno. Este detalle (7) muestra su singular personalidad, caracterizada (8) su infancia por un profundo sentido de la independencia y la rebeldía (9) los hábitos sociales y morales ordinarios. Orgullosa de su mexicanidad y de su tradición cultural, se enfrentó a la reinante americanización. Además tenía un peculiar sentido (10) humor.

Frida fue la (11) hija de Guillermo Kahlo García, de origen alemán, y de la mexicana Matilde Calderón González. Su vida quedó (12) por el sufrimiento físico (13) comenzó con la polio que contrajo en 1910 y continuó con (14) enfermedades, lesiones, accidentes y operaciones. La polio (15) dejó una secuela permanente: la pierna derecha mucho más delgada (16) la izquierda.

(17) 1922 entró en la Escuela Nacional Preparatoria de México D.F., la (18) prestigiosa institución educativa de México, la cual empezaba (19) primera vez a admitir a muchachas. Frida se inscribió (20) tomar clases de dibujo y modelado. Allí sus travesuras la convirtieron en la cabecilla

1. a. en		c. el
b. al		d. lo
2. a. al		c. de
b. en		d. el
3. a. A pesar de eso		c. Tras eso
b. Por eso		d. Sin eso
4. a. del		c. a la
b. por el		d. de la
5. a. quisiera		c. quería
b. querría		d. quiere
6. a. comience		c. comenzaba
b. comenzó		d. comenzara
7. a. la		c. lo
b. nos		d. le
8. a. desde		c. por
b. de		d. para
9. a. para		c. contra
b. por		d. a favor de
10. a. para		c. del
b. con		d. de
11. a. tercera		c. trece
b. tercer		d. tres
12. a. marcar		c. marcando
b. marcada		d. marca
13. a. cual		c. quien
b. cuyo		d. que
14. a. divertidas		c. diversos
b. divertidos		d. diversas
15. a. la		c. lo
b. le		d. el
16. a. para		c. que
b. cual		d. como
17. a. En		c. Con
b. Por		d. Dentro de
18. a. mejor		c. mayor
b. más		d. más grande
19. a. por		c. de
b. en		d. con
20. a. que		c. para
b. con		d. por

de un grupo (21) formado por chicos rebeldes con los que realizó innumerables tropelías en la escuela (22) generalmente como víctimas (23) sus profesores. Fue precisamente en esta escuela donde entrariá en contacto con su futuro marido, el conocido muralista mexicano Diego Rivera, a quien le (24) encargado pintar un mural en el auditorio (25) escuela.

21. a. mayorizante   c. mayor
     b. mayoría   d. mayormente
22. a. teniendo   c. tienen
     b. tenido   d. tener
23. a. a   c. delante de
     b. para   d. por
24. a. fueron   c. habían
     b. habrían   d. era
25. a. en la   c. de la
     b. de   d. del

18 Las bellas artes 💿 (CD 2, pista 7)

Después de escuchar la audición, escriba una respuesta para cada pregunta.

1. ¿Cuáles son nueve de las bellas artes?

_____

2. ¿Qué es un cortometraje? ¿Cuánto dura?

_____

3. ¿Qué temas se suelen tratar y por qué?

_____

4. Según el audio, ¿cuál es el corto (cortometraje) más popular y por quién o quiénes fue creado?

_____

5. ¿Cómo han influido las nuevas tecnologías en los cortometrajes?

_____

6. ¿Qué es el videoarte?

_____

7. ¿En qué se diferencia el videoarte del cine?

_____

8. ¿Qué es lo más importante en el videoarte?

_____

19 Buscando errores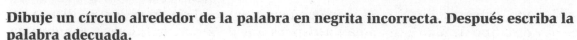

Dibuje un círculo alrededor de la palabra en negrita incorrecta. Después escriba la palabra adecuada.

1. Los estudiantes que no (a) **hagan** su tarea no estarán (b) **preparados** para sacar

    (c) **bueno** notas y pasar (d) **al** siguiente curso.

2. Si en realidad quisieras (a) **ser** pintor profesional (b) **pasas** muchas horas (c) **al** día

    practicando. (d) **Es** la única manera de desarrollar una técnica depurada.

3. (a) **Por** mi, el arte abstracto no tiene mérito (b) **alguno.** (c) **Cualquiera** puede coger un

    pincel, pintarrajear un lienzo (d) **e** inventarse un significado especial para su obra.

4. Debes practicar (a) **un** poco más. Estoy (b) **empezado** a cansarme de (c) **tu** pereza y de

    (d) **lo** poco que preparas los ensayos. Así nunca vamos a progresar.

5. ¿Quién te gusta más, Salvador Dalí (a) **o** Oswaldo Morales? Pienso (b) **que** los dos son

    pintores magníficos y no puedo (c) **decidirme** por (d) **ninguno** de los dos.

6. Los pintores (a) **cuyos** trabajo (b) **ha sido** expuesto en el Museo Nacional de Bellas Artes

    reciben fama y (c) **una** asignación (d) **de** dinero que les ayuda a trabajar en sus próximos

    proyectos.

7. La razón (a) **por** la que escribí mi (b) **último** poema (c) **era** que quise exponer el

    sufrimiento de las tribus indígenas de la ribera (d) **del** Amazonas.

8. (a) **Nunca** pensé que (b) **nadie** podría hacer (c) **nada** por (d) **ningún** persona como yo.

9. Esta película no puede (a) **tener** interés para (b) **aquellas** personas (c) **cual** no entienden

    las intenciones de un director (d) **tan** particular como Pedro Almodóvar.

10. A veces la vida no es justa (a) **con** los artistas. Durante (b) **su** vida Joan Miró trabajó

    (c) **tan** como Picasso. Sin embargo nunca llegó a tener (d) **la** misma fama.

20 ¡A conversar!

Escriba una conversación con un/a compañero/a sobre el siguiente tema: ¿Piensa que hay otro tipo de manifestaciones artísticas que deberían incluirse en el concepto de bellas artes? ¿Cuáles? Justifique su respuesta.

A: _____

B: _____

A: _____

B: _____

A: _____

B: _____

A: _____

B: _____

21 Amplíe su vocabulario

Complete las oraciones con la palabra o frase adecuada.

1. Cuando compras un cuadro debes fijarte en la

   calidad de la pintura y en la fama del artista, no en

   _____ que le han puesto

   para exhibirlo en la subasta.

   a. el marco   c. el lienzo

   b. la tela   d. la marca

2. Las productoras de cine nunca ponen

   _____ el formato DVD de

   sus películas famosas hasta que ya han agotado su

   éxito en las salas de cine.

   a. en guión   c. sin fronteras

   b. en venta   d. fiel

continúa

3. Los grandes acontecimientos deportivos y los programas de éxito siempre se emiten en

_____ para que las cadenas de televisión puedan atraer las

mayores audiencias.

a. hora noticiosa   b. horario estelar   c. temporada baja   d. toque alto

4. Van Gogh fue un gran pintor holandés. Pintó un _____ muy

famoso que refleja muy bien la propia personalidad del artista.

a. acero   b. autorretrato   c. contrincante   d. contraseña

5. El Museo Metropolitano de Nueva York _____ un premio muy

importante a un artista casi desconocido. El jurado fue muy valiente.

a. otorgó   b. abarcó   c. entretuvo   d. involucró

6. Tras la operación quirúrgica que sufrió en su mano derecha, este escultor nunca podrá

_____ la habilidad que tenía antes del accidente.

a. destacarse   b. subastar   c. respaldar   d. recuperar

7. Picasso y Dalí, dos artistas geniales, fueron _____ que lucharon

para alcanzar el lugar más alto en la pintura mundial.

a. grabados   b. contrincantes   c. regalías   d. mediocres

8. Dentro de la música flamenca hay diferentes _____ muy difíciles

de tocar y bailar. Por eso, para convertirse en un experto hay que trabajar sin descanso

durante años.

a. gitanos   b. moriscos   c. muestras   d. ritmos

9. Los escritores y músicos de gran fama ganan mucho dinero gracias a las elevadas

_____ que generan sus obras a través de los años.

a. renuncias   b. regalías   c. litografías   d. filiales

10. Para saber lo que piensa la gente sobre un problema concreto hay que hacer

_____ que pongan al descubierto sus opiniones al respecto.

a. afanes   b. bocetos   c. encuestas   d. actualidades

22 ¿Cuál es la palabra?

Complete las oraciones con la palabra o frase adecuada en español. Añada un artículo cuando sea necesario y haga los cambios que considere necesarios. Hay dos palabras que no necesita usar.

acuarelas	boceto	óleos	superar
bailar	escribir el guión	restituir	
bellas artes	folclórico	sin fronteras	

1. Las danzas _____ están entre las costumbres populares más pintorescas de una comunidad.

2. Los productores de la película quisieron hacer muchos cambios, pero la persona que _____ no aceptó alteraciones de ningún tipo en su obra original.

3. Tras dos meses de exhibición en los cines, los ingresos en taquilla de la última película de Pedro Almodóvar _____ abundantemente a los de su película anterior.

4. _____ es un dibujo hecho de forma esquemática y sin preocuparse de los detalles o terminaciones que finalmente serán parte de la obra final.

5. Las obras de los grandes artistas se aprecian alrededor del mundo. Crean arte _____.

6. La restauración de la obra de Da Vinci ha sido perfecta. Pese a las dificultades, se pudo _____ la calidad de los colores a sus tonos originales.

7. Este pintor prefiere utilizar _____. No le gustan los óleos o el carboncillo en sus obras.

8. En los espectáculos de ballet, los bailarines _____ al compás de la música que escuchan.

23 ¿Qué palabra es?

Escriba la palabra o expresión del vocabulario que corresponde a cada definición.
Ponga una letra en cada casilla.

1. Persona que pinta dibujos de tamaño muy grande, normalmente en paredes o grandes superficies ▢▢▢▢▢▢▢▢▢

2. Acción de representar un personaje en una película o en una obra de teatro ▢▢▢▢▢▢ ▢▢ ▢▢▢▢▢

3. Acción de rodar una película ▢▢▢▢▢

4. Una mujer que es miembro de una compañía de ballet o de danza ▢▢▢▢▢▢▢▢▢

5. Divertir o hacer pasar un rato agradable a otras personas ▢▢▢▢▢▢▢▢▢

6. Una película muy popular en todos los cines que genera grandes beneficios económicos para sus productores ▢▢▢▢▢▢ ▢▢▢▢▢▢▢▢▢▢

7. Hacer que un espectáculo que tenía que empezar a una hora determinada empiece más tarde ▢▢▢▢▢▢▢▢

8. Traducción del diálogo que aparece en la parte inferior de la pantalla de cine ▢▢▢▢▢▢▢▢▢▢

9. Persona experta en una materia ▢▢▢▢▢▢▢

10. Persona educada y con amplios conocimientos ▢▢▢▢▢

11. Contribuir, añadir, ayudar ▢▢▢▢▢▢▢

12. Cálculo anticipado del dinero disponible para llevar a cabo un proyecto ▢▢▢▢▢▢▢▢▢▢

24 Crucigrama 🔍

Escriba las claves para las palabras que aparecen en el crucigrama.

```
 C            E D I F I  C  A  R
 O      P              A     O
 M      I              R     L
 P  I N T U R A        I     L
 O      T              B     I
 S      O      L    D  E     Z
 I      R      O    A  Ñ     O
 T             G E N I O
 O            R    Z
 R E T R A S  A R
              R
```

Horizontales

2. _____

   _____

6. _____

   _____

9. _____

   _____

10. _____

   _____

Verticales

1. _____

   _____

3. _____

   _____

4. _____

   _____

5. _____

   _____

7. _____

   _____

8. _____

   _____

25 Falsos cognados y palabras problemáticas

Complete las oraciones con la palabra o frase adecuada.

1. Para considerarse famoso, un _____ tiene que tener varios discos populares.

   a. músico   b. música

2. Los actores de teatro están obsesionados con _____ que aparece en los periódicos después de cada una de sus actuaciones.

   a. la crítica   b. el crítico

3. Botero, el famoso artista colombiano, _____ un buen número de sus obras a un museo de su pueblo natal.

   a. donó   b. otorgó

4. Las películas extranjeras pierden mucha intensidad en sus versiones _____, ya que no puedes apreciar completamente la actuación de los actores.

   a. dobladas   b. tituladas

5. El escultor _____ sus impresiones de la guerra en su última obra.

   a. impresionó   b. plasmó

6. _____ de Internet son lugares donde las personas dejan opiniones y mensajes que pueden ser vistos por muchas personas, quienes a su vez pueden añadir sus opiniones a las del escritor original.

   a. Los foros   b. Las redes

7. La Capilla Sixtina de Miguel Ángel es una auténtica _____. Hay pocas obras que puedan compararse con ella.

   a. bella   b. belleza

8. Bob Dylan es un gran _____. Normalmente compone e interpreta sus propias canciones.

   a. cantante   b. cantautor

Festival de Arte Capítulo 8 Lección B

1 ¿Indicativo o subjuntivo?

Conjugue los verbos entre paréntesis en el tiempo verbal apropiado. Use el indicativo, el subjuntivo o las formas no personales (infinitivo, gerundio y participio).

Cuando iba al colegio no (1) _____ (pensar) que iba a

(2) _____ (acabar) (3) _____ (tocar)

música profesionalmente. En esos días no (4) _____ (saber)

que ser músico es un trabajo como otro cualquiera. Lo que yo nunca

(5) _____ (querer) era tener un trabajo aburrido, como tanta gente

(6) _____ (tener).

　　　　Mi hermana una vez (7) _____ (traer)

un disco de jazz a casa. Al principio no me (8) _____ (gustar)

pero ella me (9) _____ (decir) que lo

(10) _____ (escuchar) más. Mis padres

(11) _____ (protestar) mucho porque mi hermana

(12) _____ (poner) la música bien alta. Si no

(13) _____ (protestar) tanto, no me

(14) _____ (dar) por hacer lo mismo a mí ya que me

(15) _____ (dar) cuenta de que

(16) _____ (ser) una manera muy buena de rebelarme

indirectamente. La música me (17) _____ (ayudar) mucho a

mantenerme unido a mi hermana. Entonces (18) _____ (caer)

en mis manos un disco de Lester Young. La elegancia de su sonido era tal que no

(19) _____ (poder) resistirla y me

(20) _____ (poner) a soñar con tener un trabajo como el de Lester.

　　　　En aquel entonces, un amigo mío (21) _____ (tener) un

saxofón que había (22) _____ (pertenecer) a su tío. Cuando su tío

(23) _____ (morir), se lo

(24) _____ (dejar) en herencia. Un día

(25) _____ (querer) tocarlo, pero todo lo que

(26) _____ (conseguir) (27) _____ (ser)

un chirrido molesto. Aquel amigo se (28) _____ *(reír)*

de mí. Si (29) _____ *(dejar)* que esa experiencia

me (30) _____ *(desmoralizar)*, nunca

(31) _____ *(llegar)* a ser músico profesional como lo soy hoy.

2 Posición de los adjetivos

Dibuje un círculo alrededor de la mejor respuesta. Recuerde que al cambiar la posición del adjetivo, se puede cambiar el sentido de la frase.

1. Napoleón, el famoso general francés, fue *(un gran hombre / un hombre grande)*.

2. El escritor no ha vendido casi ningún libro. *(El único ejemplar / El ejemplar único)* que se vendió en esta librería lo compró un amigo del autor.

3. Después de ganar la lotería, ese hombre ya no es *(una pobre persona / una persona pobre)*.

4. Pienso que Luisito y el niño que rompió el cristal con la pelota son *(el mismo niño / el niño mismo)*.

5. Miguel usó una *(francesa palabra / palabra francesa)* para describir el cuadro.

6. Ese director de cine ha ganado el *(gran trofeo / trofeo grande)* del Festival de Cine de Miami.

7. *(La antigua casa / La casa antigua)* en la que vives está en muy mal estado. Si no haces reparaciones, cualquier día se va a derrumbar.

8. Una biografía es una *(personal historia / historia personal)*.

9. Eres un extremista y dices muchas barbaridades. Espero que no expongas *(semejantes ideas / ideas semejantes)* delante de tus alumnos o tendré que despedirte.

10. Me encanta la literatura y escribo cada día. Aunque no vivo de ello, *(en cierta forma / en forma cierta)* soy un escritor experto.

3 Pronombres relativos

Complete las oraciones con los pronombres relativos y adverbios del recuadro.

el cual / la cual / los cuales / las cuales (1 ó 2 veces) cuando (1 vez) por el cual / por la cual / por lo cual / por los cuales / por las cuales (1 vez)	que (1 vez) donde (2 veces) quien / quienes (1 vez) cuyo / cuya / cuyos / cuyas (3 veces) sobre el que (1 vez)	cuanto / cuanta / cuantos / cuantas (1 vez) lo que / la que / los que / las que (2 ó 3 veces)

1. ¿Dónde está ese libro tan bonito _____ compraste?

2. La persona con _____ voy a vivir no parece simpática.

3. No logro entender cómo después de tanto esfuerzo no puedo conseguir

   _____ quiero.

4. En el escritorio había muchos papeles debajo de _____ encontré

   la foto perdida.

5. Mi tío, _____ primera esposa murió, se ha vuelto a casar.

6. El estudiante _____ te entregué el informe ha suspendido el

   examen de matemáticas.

7. No puedo imaginar _____ estás pensando.

8. El artista, _____ cuadros compró el millonario, es expresionista.

9. Aquí están las miniaturas _____ Juan pagó una fortuna.

10. La víctima, _____ agresor está detenido, no quiere testificar.

11. María está muy feliz e irá a _____ tú quieras.

12. Repetiré el ejercicio _____ veces sea necesario para comprender.

13. Yo nací en Barcelona pero en 1990, _____ mis padres se

    jubilaron, me trasladé a Boston.

14. La casa delante de _____ está la comisaría de policía, es la mía.

15. Yo vivo en California, _____ siempre hace buen tiempo.

4 Preposiciones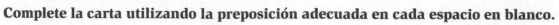

Complete la carta utilizando la preposición adecuada en cada espacio en blanco.

Querida María:

No te imaginas cuánto te echo (1) _____ menos. Hace ya seis meses

que vivo (2) _____ Houston, pero todavía no me he acostumbrado

(3) _____ esta ciudad. La gente es muy amable

(4) _____ nosotros, pero me es difícil comunicarme

(5) _____ inglés. (6) _____ poder mejorar

mi inglés he comprado un método (7) _____ aprender inglés que

anuncian (8) _____ la televisión. Me decidí

(9) _____ hacerlo porque Luisa Fernanda, la protagonista

(10) _____ la telenovela que ponen

(11) _____ Telemundo (12) _____ las

noches hizo lo mismo cuando vino (13) _____ vivir

(14) _____ Estados Unidos. (15) _____ lo

bien que le van las cosas (16) _____ los últimos capítulos que he

visto, seguro que le funcionó.

Tengo que llamar (17) _____ teléfono

(18) _____ mi hermana. Tengo que hablar (19) _____ ella

(20) _____ la otra telenovela que ponen (21) _____

Univisión. Aquí todavía van (22) _____ el capítulo 746, pero sé que

(23) _____ México ya acabaron (24) _____

ponerla completamente. Quiero que me cuente el final. Sé que debería tener paciencia, pero

no puedo esperar más para saber cómo acaba el romance (25) _____

Carlos Alberto (26) _____ Luz Marina. Tienen muchos problemas,

pero se aman tanto que espero que al final puedan casarse como desean.

(27) _____ las dos telenovelas estoy ocupada

(28) _____ las 6 de la tarde (29) _____ las 9,

(30) _____ lo que no tengo tiempo (31) _____

preparar la cena. Mi marido está muy enfadado, pero (32) _____ mí no me importa. Yo le preparo un bocadillo y se lo dejo (33) _____

la mesa (34) _____ la cocina. Él puede comerlo mientras yo veo

la televisión. (35) _____ del capítulo de Luz Marina que vi ayer,

no pude dormir (36) _____ la preocupación. Espero que todo

termine bien (37) _____ esa pareja. Los quiero como si fueran

(38) _____ la familia.

      Bueno María, debo dejarte que (39) _____ diez minutos

empieza la telenovela (40) _____ las seis. Ya me contarás lo que

ocurre (41) _____ las que tú ves allí.

Un beso muy fuerte, y ¡no tardes en escribirme!

Clara

5 ¿Pero, sino o sino que?

Complete las oraciones usando la palabra o frase apropiada.

pero	sino	sino que

1. Tenía mucha hambre _____ no tenía dinero para comprar

   comida.

2. No tenía hambre, _____ ganas de beber.

3. No tenía hambre _____ tenía ganas de beber.

4. Mi novia no quería ir al cine, _____ quería ir al teatro.

5. Mi novia quería ir al cine, _____ no al teatro.

6. Mi novia no quería ir al cine, _____ al teatro.

7. La casa no es grande, _____ cómoda.

8. La casa no es grande _____ es cómoda.

9. La casa no es grande, _____ es cómoda.

10. Pedro es muy inteligente _____ es perezoso.

6 Familia de palabras

Complete cada oración con la forma correcta de la palabra en negrita. La respuesta puede ser verbo, sustantivo o adjetivo. Añada un artículo cuando sea necesario.

1. **piratear**

   a. Esos delincuentes se dedicaban a la

      _____ de películas

      de vídeo.

   b. Cuando Apple lanzó el iPod, existía la posibilidad

      de que los usuarios lo utilizasen para grabar música

      _____ de Internet.

   c. Acabo de leer que condenaron a ocho criminales por _____

      la conexión con Internet de esa compañía. Pretendían ofrecerla a otras personas y

      cobrarles por el uso.

2. **saber**

   a. Se conoce al rey Alfonso X de España como Alfonso X el

      _____ por sus grandes conocimientos y profundo amor a

      la cultura.

   b. Esteban no es buen estudiante pero su _____ le ayudará a

      llegar muy lejos.

   c. No estábamos seguros de que el concursante de *American Idol*

      _____ la letra de su canción.

3. **invertir**

   a. Montar una producción teatral sencilla requiere una _____

      de cientos de miles de dólares.

   b. La compañía Disney ha _____ mucho dinero en la próxima

      película de Spielberg.

   c. Mi padre _____ sus ahorros en la bolsa porque quiere ganar

      mucho dinero y retirarse pronto.

7 Telenovelas

Complete el texto con las respuestas correctas. Ponga en un círculo la opción correcta que se encuentra al lado del texto.

Diferencias entre las telenovelas latinoamericanas y las de los Estados Unidos

Hay algunas diferencias entre las telenovelas realizadas en Latinoamérica y (1) de los Estados Unidos. En (2) lugares, las telenovelas suelen alcanzar (3) popularidad y (4) tramas se mantienen por muchos años en la memoria de los televidentes. Las telenovelas son una gran forma de entretenimiento para muchas personas, sobre todo de clase media y humilde. En países como México, Venezuela y Argentina, las principales cadenas de televisión obtienen (5) parte de sus ingresos de las telenovelas. La producción de telenovelas nació en los Estados Unidos (6) el éxito de las famosas radionovelas de los años 30. Las compañías fabricantes (7) detergente patrocinaban muchas telenovelas para aumentar las ventas de sus productos. Por eso, en los Estados Unidos las telenovelas se conocen (8) "soap operas". Con la difusión de la televisión en Sudamérica, muchas de estas "soap operas" se exportaron a Latinoamérica. Se (9) del inglés al español para que todo el mundo las (10) entender. Pero la producción de programas locales (11) más barata y, además, también era (12) por los patrocinadores comerciales. En los años cincuenta se produjeron las primeras telenovelas en México, Brasil, Argentina y Venezuela. Hoy (13) día, Brasil se ha convertido en el principal productor y exportador de telenovelas de Latinoamérica. El segundo más importante es

1. a. las   c. lo
   b. la   d. los

2. a. todos   c. siempre
   b. ambos   d. cuanto

3. a. gran   c. grandes
   b. grande   d. muy grande

4. a. les   c. los
   b. cuyas   d. sus

5. a. muchas   c. gran
   b. grandes   d. mucho

6. a. más tarde c. tras
   b. después   d. siguiente

7. a. de   c. por
   b. con   d. a

8. a. con   c. como
   b. cuyo   d. para

9. a. traduciendo c. traducen
   b. traducían   d. han traducido

10. a. podía   c. podría
    b. pudo   d. pudiera

11. a. era   c. fuera
    b. fue   d. estaba

12. a. pagar   c. pagando
    b. pagada   d. paga

13. a. en   c. de
    b. por   d. para

México. (14) mucha competencia entre los grandes canales de televisión para ofrecer al público las telenovelas más interesantes.

Muchas telenovelas latinas (15) dramas que discuten temas políticos y sociales, especialmente problemas contemporáneos que afectan a la mujer, a las familias y a las sociedades latinoamericanas en general. Esto no implica que todas las novelas (16) sobre estas cosas, pero refleja que (17) interés en estos temas.

Normalmente, las telenovelas latinoamericanas son muy (18). Suelen tener más de 150 episodios de una hora (19) duración. Existe la idea de que las telenovelas van dirigidas exclusivamente (20) mujeres de mediana o avanzada edad que trabajan en la casa, pero curiosamente también atraen a hombres y a personas de (21) las edades.

Las telenovelas ocupan (22) importante lugar en la cultura popular latinoamericana. Las telenovelas promueven la cultura de los países que las (23) y también educan a la población sobre temas difíciles de discutir en otros contextos. En este aspecto es claro que las telenovelas han tenido, y continuarán (24), un gran impacto social. La gente aprende sobre las diferencias sociales y económicas, sobre cómo tratar problemas familiares, sobre el comportamiento apropiado entre hombres y mujeres, y mucho más. Las personas que ven las telenovelas siempre buscan una manera de (25) estas lecciones a sus propias vidas.

14. a. Es   c. Hay
    b. Sea   d. Está

15. a. son   c. hay
    b. están   d. sean

16. a. son   c. hay
    b. están   d. sean

17. a. son   c. hay
    b. están   d. sean

18. a. grandes   c. anchas
    b. largas   d. amplias

19. a. por   c. en
    b. de   d. a

20. a. a   c. por
    b. en   d. con

21. a. todas   c. algunas
    b. todos   d. algunos

22. a. un   c. el
    b. la   d. una

23. a. emitían   c. emiten
    b. emitieron   d. emitan

24. a. tenido   c. teniendo
    b. tener   d. tenedor

25. a. aplicando   c. aplicación
    b. aplicado   d. aplicar

8 Antes de leer

¿Cómo describiría una telenovela? ¿Qué tipo de audiencia cree que tienen las telenovelas? ¿Le gustan las telenovelas? Explique por qué.

9 Telenovelas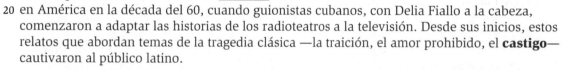

Lea el siguiente texto.

Lágrimas, amores, traiciones...y mensajes de salud

Por décadas, las telenovelas latinoamericanas han cautivado al público con historias emocionantes de romances, pecados, castigos y heroínas que triunfan sobre la adversidad. Pero, para los defensores de
5 la salud pública, también son un medio ideal para transmitir mensajes positivos que promuevan estilos de vida más saludables.

José Alfredo es mexicano y tuvo que acostumbrarse a una silla de ruedas desde que un accidente lo
10 dejó **postrado** hace dos años. Pero ese límite físico no ha sido una <u>barrera</u> para su desarrollo personal: juega al básquet, tiene su propia zapatería y acaba de casarse con una bella muchacha. Su lema es "tú estás derrotado cuando te sientes derrotado". Julia
15 es argentina y está harta de sufrir los golpes y las <u>humillaciones</u> de su marido. Después de 15 años de sufrimiento, logra denunciarlo y se anima a arrojarle a la cara una demanda de divorcio y a cambiar de vida.

Estas especiales historias de amor <u>nacieron</u> con éxito
20 en América en la década del 60, cuando guionistas cubanos, con Delia Fiallo a la cabeza, comenzaron a adaptar las historias de los radioteatros a la televisión. Desde sus inicios, estos relatos que abordan temas de la tragedia clásica —la traición, el amor prohibido, el **castigo**— cautivaron al público latino.

Sin embargo, desde hace poco más de dos décadas, su capacidad para atrapar al espectador
25 **traspasó los límites** del continente, captando audiencias **impensadas**. En China, por ejemplo, 450 millones **(A)** siguieron la novela brasileña "La esclava Isaura". El 70% de la población rusa se emocionó con la <u>tira</u> mexicana **"Los ricos también lloran"**. En España, la venezolana "Cristal" se transmitió siete veces y, la primera vez, su desenlace fue visto por once millones de personas.

30 *El poder de la ficción*

Una señal del <u>enorme</u> potencial del género fue la aparición de un personaje con cáncer de seno en Cristal (1986), lo que motivó una <u>catarata</u> de consultas médicas en Venezuela y en España. Pero antes, otras experiencias ya venían **(B)**. En el libro *Entertainment-Education: A Communication Strategy for Social Change*, Everett Rogers y Arvind Singhal, de las
35 universidades de Nuevo México y Ohio, recogen el éxito de la legendaria "Simplemente María" (1969), la historia de una mujer peruana que emigra del campo a la ciudad y que debe afrontar el engaño amoroso y el **embarazo** en soledad.

A partir de su emisión en Perú (luego tuvo varias versiones en distintos países del mundo), se incrementó la inscripción a cursos de alfabetización y de costura, <u>justamente</u> las dos
40 decisiones que ayudaban a la protagonista **(C)** en la vida. Sin proponérselo, la telenovela había generado un cambio social.

Para que los mensajes de salud en las telenovelas **(D)** la <u>clave</u> es, según la especialista argentina Nora Mazziotti, no dejar de lado el sentido de ficción. "Cuando se pierde la ficción y

el mensaje no está **entramado** con la historia, a la gente no le gusta –advierte–. El mensaje
45 tiene que ser atractivo y **fácil de entender**".

Casi treinta y cinco años pasaron desde que María ("Simplemente María," 1969) llegó sola,
con su pequeña **valija** llena de ilusiones, a la gran ciudad. Tuvo hijos no deseados, amores
(E), un padre rico; fue adoptada, pobre, rica heredera, amante, esposa, madre; y siempre
víctima de una malvada que la odiaba por ser buena y <u>bella</u>. Hace 35 años, María se atrevió a
estudiar
50 **para superarse.**

Hoy, las heroínas luchan **(F)** por la equidad de género, por el derecho a planificar su
vida familiar y por superar una adicción o un cáncer terminal. Las telenovelas no se han
traicionado a sí mismas, son las de siempre. Pero sus mensajes de vida han cobrado una
fuerza y una importancia pública tal que, como ya lo han demostrado, pueden llegar a ser una
55 <u>herramienta</u> clave para fortalecer la capacidad de las personas en su lucha cotidiana por tener
una vida mejor.

PAULA ANDALÓ
www.paho.org

10 ¿Ha comprendido?

Elija la mejor respuesta para cada pregunta.

1. ¿Cuál es la función social que el texto plantea para la telenovela?
   a. Ayuda a vender más productos al aumentar la audiencia de los comerciales.
   b. El artículo dice que la telenovela es una pérdida de tiempo.
   c. La telenovela puede incluir mensajes positivos para tener una vida más saludable.
   d. La telenovela debe ser vista por niños pequeños para evitar que falten a la escuela en el futuro.

2. ¿En que sociedades tiene más arraigo la telenovela?
   a. En Rusia
   b. En China
   c. En África
   d. En países latinoamericanos

3. La popularidad de la telenovela…
   a. tuvo su mayor auge en la década de los 60.
   b. cada vez está aumentando más.
   c. ha decaído tremendamente.
   d. se mantiene en audiencias muy sofisticadas.

4. ¿Cuál fue el impacto social de la telenovela "Simplemente María"?
   a. Creó una ola migratoria hacia Perú.
   b. Incrementó los cursos de alfabetización y costura.
   c. Desencadenó un golpe de estado en Perú.
   d. Fue la telenovela que fracasó más estrepitosamente.

5. ¿Qué es lo que opina la especialista argentina Nora Mazziotti?
   a. Que el mensaje debe estar entramado con la historia
   b. Que el mensaje se debe anunciar al final de cada capítulo
   c. Que el mensaje no debe ser demasiado fácil de entender
   d. Que el mensaje no se debe mezclar nunca con la ficción

6. ¿Cuál es el argumento de "Simplemente María"?

    a. Es una chica que llega a ser cantante de ópera.

    b. Es una historia sobre la mafia en Brooklyn.

    c. Es una chica que llega sola a la gran ciudad y tiene muchos problemas.

    d. Es una obra moderna que rompe con tradiciones estilísticas.

11 ¿Dónde va?

¿Dónde se deben añadir las siguientes frases al artículo? Escriba la letra que corresponde a cada frase. Hay dos frases que no hace falta utilizar.

1. _____ a salir adelante

2. _____ sin prisa ni pausa

3. _____ tengan éxito

4. _____ de personas

5. _____ que la traicionaron

6. _____ con gran emoción

7. _____ marcando el camino

8. _____ desde la pantalla

12 ¿Qué significa?

Explique con sus propias palabras lo que significan estas palabras o expresiones que aparecen en negrita en el artículo.

1. postrado _____

2. castigo _____

3. traspasó los límites _____

4. impensadas _____

5. Los ricos también lloran _____

6. embarazo _____

7. entramado _____

8. fácil de entender _____

9. valija _____

10. estudiar para superarse _____

13 ¿Qué significa?

Empareje cada palabra de la primera columna con su sinónimo en la segunda. Las palabras de la primera columna aparecen subrayadas en el texto.

1. ____ barrera

2. ____ humillaciones

3. ____ nacieron

4. ____ tira

5. ____ enorme

6. ____ catarata

7. ____ justamente

8. ____ clave

9. ____ bella

10. ____ herramienta

a. serie

b. cantidad abundante

c. precisamente

d. obstáculo

e. instrumento

f. secreto

g. vejaciones, desprecios

h. guapa

i. gigantesco

j. surgieron

14 ¿Ha comprendido?

Conteste las siguientes preguntas sobre el texto.

1. ¿Qué opina de usar programas de ficción para propagar ideas?

   _____

2. ¿Cree que es posible que se usen telenovelas para propagar ideas peligrosas?

   _____

3. ¿Qué le parece la conexión que se hace en el texto entre la tragedia clásica y la telenovela?

   _____

4. ¿Cuáles son los antecedentes de la telenovela?

   _____

5. ¿Cuál es la telenovela más "legendaria" según el texto? ¿Por qué?

   _____

15 Escriba ✒

En su cuaderno, resuma lo que ha leído en un párrafo. Subraye las palabras nuevas que use.

16 Se titula...

Piense en otro título para el artículo.

_____

17 Denuncian indiscriminado saqueo de la ancestral ciudad maya El Naranjo 💿 (CD 2, pista 8)

Después de escuchar la audición, escriba una respuesta a cada pregunta.

1. ¿Qué tipo de riqueza caracteriza la ciudad El Naranjo?

_____

2. ¿A qué se refiere el texto cuando menciona el período preclásico?

_____

3. ¿Con quiénes colaboran los saqueadores?

_____

4. ¿Cree que la policía local puede solucionar este problema? ¿Por qué?

_____

5. ¿A qué se refiere el texto cuando usa la palabra _logística_?

_____

18 El antes y el después de una película o documental ✒

Escriba un ensayo sobre el impacto de los medios en el público. Puede hablar de telenovelas, series de televisión o documentales.

19 Un cuento corto

Escriba un cuento corto en el que el personaje principal es el agente de seguridad de un museo.

20 Una carta

Escríbale una carta al periódico denunciando el expolio de una zona histórica.

21 ¡A conversar!

Hable con un/a compañero/a sobre varias series de televisión americanas y su posible influencia sobre el público.

22 ¡A hablar!

Si le ofrecieran una columna romana para su jardín, ¿la aceptaría o se la entregaría a un museo? ¿Por qué?

23 Amplíe su vocabulario

Complete las oraciones con la palabra o frase adecuada.

1. Tengo tanta hambre que ni el mayor banquete del mundo podría

   _____ mi deseo de comer.

   a. hallar   b. aplacar   c. ganar   d. colocar

2. La serie de películas basada en el libro *El Señor de los Anillos* es una trilogía. Mi favorita es

   la _____ que se titula *Las Dos Torres*.

   a. legada   b. penúltima   c. inédita   d. recién pasada

3. Renoir fue un gran pintor. Me encantan _____ que dibujaba. Sus

   árboles y flores parecen reales.

   a. los paisajes   b. las telas   c. los pinceles   d. las exposiciones

4. No es bueno _____ a las personas de otras culturas o religiones,

   sin tratar de entenderlas primero.

   a. aplacar   b. ingresar   c. crear   d. juzgar

5. Con su cuadro *La persistencia de la memoria* de 1931, Salvador Dalí

   _____ en la cima del panorama artístico mundial.

   a. se instaló   b. recuperó   c. hurgó   d. alabó

6. El trabajo de un escultor es _____ y complicado.

   a. sórdido   b. intercalado   c. sencillo   d. arduo

7. Los pintores surrealistas _____ de una personalidad excéntrica

   para aparentar que eran personajes con vidas muy interesantes.

   a. hacían gala   b. se quedaban ciegos   c. recién pasados   d. a grito pelado

8. El viernes es la _____ de premios en la Escuela de Bellas Artes.

   a. vidente   b. seguidora   c. estrella   d. entrega

9. A muchos artistas les gusta llevar una vida sencilla sin que el público

   _____ en su vida privada.

   a. hurgue   b. halle   c. suelte   d. rechace

10. _____ es una de las grandes premisas creativas de los autores

    más arriesgados del arte moderno.

    a. Las jornadas de arte   c. Las normas de clasificación

    b. El arte por el arte   d. La puesta en marcha

24 ¿Cuál es la palabra?

Complete las oraciones con la palabra o frase adecuada. Añada un artículo cuando sea necesario. Haga los cambios necesarios. Hay dos palabras que no necesita usar.

a grito pelado	deslumbrado	legado	quedarse ciego
abarrotar	hallar	paisaje	retrato
apta para mayores de 18 años	la puesta en marcha	poder promover	sojuzgar

1. Mientras filmaba los exteriores de su última película en Brasil, el director

   _____ a un nuevo talento con mucho futuro. Ahora, él quiere

   _____ a este actor a la cima del estrellato.

2. Durante su concierto, el cantautor sabía que su nueva canción iba a tener éxito porque los

   espectadores en el concierto celebraron _____ su presentación.

3. María quedó _____ por la maravillosa actuación de Julia Roberts

   en su última película. Ella piensa que no hay otra actriz igual en el mundo.

4. Aunque no tenía mucha violencia, la película se clasificó _____

   porque contenía varias escenas de desnudez.

5. _____ de la nueva compañía filial está programada para el

   mes próximo.

6. El público _____ el teatro en el último concierto de Shakira. No

   quedaba ningún asiento vacío.

7. Los aztecas _____ a otros pueblos y los esclavizaron.

8. Muchas veces el único recuerdo que tenemos de un rey o de una persona noble es el

_____ que ahora cuelga en un museo.

9. Yo _____ momentaneamente con aquella luz tan fuerte que me

brilló en los ojos mientras conducía anoche.

10. Muchas veces, los productores de cine no se dan cuenta del _____

que sus películas tienen para influenciar a la juventud.

25 ¿Qué palabra es?

Escriba la palabra o expresión del vocabulario que corresponde a cada definición. Ponga una letra en cada casilla.

1. Controversia, exposición de ideas contrapuestas ⬜⬜⬜⬜⬜⬜⬜⬜

2. Valiente, atrevido ⬜⬜⬜⬜⬜

3. Los factores que están a favor de una postura y los que se oponen a la misma

⬜⬜⬜ ⬜⬜⬜⬜⬜ ⬜ ⬜⬜⬜ ⬜⬜⬜⬜⬜⬜⬜

4. Mezclado o diverso ⬜⬜⬜⬜⬜⬜⬜⬜⬜⬜⬜

5. Exhibir o mostrar con orgullo ⬜⬜⬜⬜⬜⬜ ⬜⬜⬜⬜

6. Brillante, llamativo, de muchos colores ⬜⬜⬜⬜

7. Enlace, lazo que une una cosa o persona con otra ⬜⬜⬜⬜⬜⬜⬜⬜

8. Persona que cuida las obras de un museo ⬜⬜⬜⬜⬜⬜⬜

9. Otorgar, entregar, dar ⬜⬜⬜⬜⬜⬜⬜⬜

10. Atravesar un espacio o lugar, andar ⬜⬜⬜⬜⬜⬜⬜⬜⬜

26 Crucigrama

Escriba las claves para las palabras que aparecen en el crucigrama.

Horizontales

1. _____

_____

3. _____

_____

4. _____

_____

6. _____

_____

7. _____

_____

Verticales

1. _____

_____

2. _____

_____

5. _____

_____

27 Falsos cognados y palabras problemáticas

Complete las oraciones con la palabra o frase adecuada.

1. Mis padres _____ en Florida porque les encanta el buen tiempo.

   a. se ocultaron   b. se instalaron

2. Juan es un gran actor. El director le dio _____ principal en su próxima obra de teatro.

   a. el papel   b. la posición

3. El joven artista estaba orgulloso de poder ser _____ de un maestro consagrado como Picasso.

   a. aprendiz   b. aprendizaje

4. Me atrae el _____ laboral de esta empresa. Todos los empleados parecen muy felices.

   a. fragmento   b. entorno

5. En el cuadro de Dalí aparece una figura de mujer sobre _____ azul marino.

   a. un fondo   b. una espalda

6. Una _____ es un cuadro que representa objetos en un espacio determinado, como por ejemplo animales de caza, frutas, flores y utensilios de cocina.

   a. naturaleza muerta   b. aire libre

7. El dueño _____ al perro para que pudiera correr por el parque con libertad.

   a. ingresó   b. soltó

8. Para pintar pequeños detalles es necesario utilizar un _____ muy fino.

   a. recorte   b. pincel

9. El _____ de este pintor consiste en quince cuadros y treinta y tres esculturas.

    a. legado   b. poder

10. Esta escena es sólo una _____; no sé si la incluiré en el texto final de la obra de teatro que estoy escribiendo.

    a. polémica   b. prueba

Los nexos: palabras y expresiones útiles para unir ideas

a fin de cuentas	in the end
a lo mejor	maybe
a pesar de	in spite of
a su vez	in turn
actualmente	nowadays
además	also, in addition
cada vez más	more and more
como	since
como consecuencia	as a result
como resultado	as a result
de hecho	in fact
de lo anterior se puede concluir que	from the above stated, it can be concluded that
después de todo	after all
en conclusión	in conclusion
en cuanto a	regarding
en gran parte	for the most part
en primer lugar, en segundo lugar	in the first place, in the second place
en realidad	actually
en resumen	to summarize
hoy en día	nowadays
no obstante	however, nevertheless
para resumir	in short, to summarize
por consiguiente	thus, therefore
por desgracia	unfortunately
por eso, por esta razón	for that reason
por este motivo	for this reason
por lo general	in general
por lo tanto	thus, therefore
por si acaso	just in case
por su parte	in turn
por suerte	luckily
puesto que	since, because
según	according to
sin embargo	however
tal vez	maybe, perhaps
ya que	since

Conjugaciones útiles

Complete la siguiente tabla en el presente del indicativo.

	yo	tú	vosotros	ellos
1. disfrutar				
2. comprender				
3. ocurrir				
4. atraer				
5. oír				
6. saber				
7. carecer				
8. reducir				

Complete la siguiente tabla en el pretérito.

	yo	tú	vosotros	ellos
1. predecir				
2. distribuir				
3. dirigirse				
4. dormirse				
5. despedirse				
6. embarcarse				
7. alcanzar				
8. caber				

Complete la siguiente tabla con mandatos.

	tú	tú (-)	Ud.	Uds.(-)	nosotros	vosotros	vosotros (-)
1. mostrarse							
2. divertirse							
3. mantenerse							
4. decir							
5. acercarse							
6. ser							
7. ver							
8. pertenecer							

Complete la siguiente tabla en el futuro.

	yo	tú	vosotros	ellos
1. deshacer				
2. retener				
3. caber				
4. soñar				
5. dar				
6. quejarse				
7. satisfacer				
8. querer				

Complete la siguiente tabla en el presente perfecto del indicativo.

	yo	tú	vosotros	ellos
1. satisfacer				
2. proponer				
3. hacerse				
4. ahorrar				
5. romperse				
6. morirse				
7. descubrir				
8. bostezar				

Complete la siguiente tabla en el presente perfecto del subjuntivo.

	yo	tú	vosotros	ellos
1. deslizarse				
2. obligar				
3. sacrificar				
4. despedirse				
5. convenir				
6. contener				
7. ser				
8. prever				

Complete la siguiente tabla en el futuro perfecto y el condicional perfecto.

	futuro perfecto	condicional perfecto
1. prevenir (yo)		
2. reponer (tú)		
3. caber (él)		
4. imponer (nosotros)		
5. romper (vosotros)		
6. irse (ellas)		
7. suponer (Uds.)		
8. creer (Ud.)		

Complete la siguiente tabla en el presente del subjuntivo.

	yo	tú	vosotros	ellos
1. desmayarse				
2. convertirse				
3. suplicar				
4. quedar				
5. deslizarse				
6. molestar				
7. recoger				
8. decir				

Complete la siguiente tabla con el imperfecto del subjuntivo.

	yo	tú	vosotros	ellos
1. perseguir				
2. espiar				
3. incluir				
4. impedir				
5. contraer				
6. dirigirse				
7. satisfacer				
8. oler				